Tous Continents

Collection dirigée par
Anne-Marie Villeneuve

Les Filles *tombées*

De la même auteure

Les Serres domestiques, Éditions Quinze, 1978.

Les Enfants du divorce, Les Éditions de l'Homme, 1979.

Jardins d'intérieurs et serres domestiques,
    Les Éditions de l'Homme, 1979.

Le Frère André (biographie),
    Les Éditions de l'Homme, 1980.

Le Prince de l'Église (biographie du cardinal Paul-Émile Léger, tome I),
    Les Éditions de l'Homme, 1982.

Un bon exemple de charité. Paul-Émile Léger raconté aux enfants, Grolier, 1983.

Dans la tempête. Le cardinal Léger et la Révolution tranquille
    (biographie, tome II), Les Éditions de l'Homme, 1986.

Le Roman de Julie Papineau, La Tourmente, tome 1,
    Les Éditions Québec Amérique, 1995.

Le Roman de Julie Papineau, L'Exil, tome 2,
    Les Éditions Québec Amérique, 1998.

Le Prince de l'Église et *Dans la tempête*, édition condensée,
    Les Éditions de l'Homme, 2000.

Le Dernier Voyage (Le cardinal Léger en Afrique),
    Les Éditions de l'Homme, 2000.

Catiche et son vieux mari, nouvelle publiée dans *Récits de la fête*,
    collection Mains Libres, Les Éditions Québec Amérique, 2000.

Le Roman de Julie Papineau, La Tourmente, tome 1, format compact,
    Les Éditions Québec Amérique, 2001.

Le Roman de Julie Papineau, L'Exil, tome 2, format compact,
    Les Éditions Québec Amérique, 2002.

Lady Cartier, Les Éditions Québec Amérique, 2005.

MICHELINE LACHANCE

Les Filles *tombées*

ROMAN

QUÉBEC AMÉRIQUE

Catalogage avant publication de Bibliothèque et Archives nationales du Québec et Bibliothèque et Archives Canada

Lachance, Micheline
Les filles tombées
(Tous continents)

ISBN 978-2-7644-0629-8

I. Titre. II. Collection.
PS8573.A277F54 2008   C843'.54   C2008-941658-9
PS9573.A277F54 2008

Conseil des Arts du Canada **Canada Council for the Arts**

Nous reconnaissons l'aide financière du gouvernement du Canada par l'entremise du Programme d'aide au développement de l'industrie de l'édition (PADIÉ) pour nos activités d'édition.

Gouvernement du Québec – Programme de crédit d'impôt pour l'édition de livres – Gestion SODEC.

Les Éditions Québec Amérique bénéficient du programme de subvention globale du Conseil des Arts du Canada. Elles tiennent également à remercier la SODEC pour son appui financier.

Québec Amérique
329, rue de la Commune Ouest, 3ᵉ étage
Montréal (Québec) Canada H2Y 2E1
Téléphone : 514-499-3000, télécopieur : 514-499-3010

Dépôt légal : 3ᵉ trimestre 2008
Bibliothèque nationale du Québec
Bibliothèque nationale du Canada

Révision linguistique : Diane-Monique Daviau et Diane Martin
Conception graphique : Isabelle Lépine
Montage : André Vallée – Atelier typo Jane
Cartographie : François Goulet (www.fgcartographix.com)

Imprimé au Canada

« *Ma vie s'est édifiée sur un mensonge* »
Jeremy Thornton

*À Noémi, Elvire, Mathilde et Mary Steamboat.
Elles incarnent toutes ces femmes qui, d'hier à aujourd'hui,
ont accouché dans la honte et la clandestinité.*

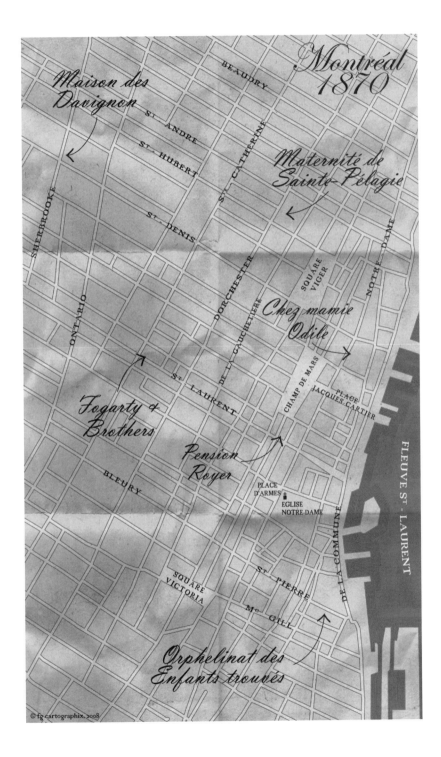

Montréal
1870

BEAUDRY

Maison des
Davignon

St ANDRE

St HUBERT

St CATHERINE

Maternité de
Sainte-Pélagie

St DENIS

SHERBROOKE

NOTRE-DAME

ONTARIO

DORCHESTER

DE LA GAUCHETIÈRE

SQUARE
VIGER

Chez mamie
Odile

St LAURENT

CHAMP DE MARS

PLACE
JACQUES-CARTIER

Fogarty &
Brothers

Pension
Royer

BLEURY

PLACE
D'ARMES

ÉGLISE
NOTRE-DAME

DE LA COMMUNE

FLEUVE St LAURENT

SQUARE
VICTORIA

St PIERRE

Mc GILL

Orphelinat des
Enfants trouvés

© fg cartographix, 2008

1

La fille des empoisonneuses

Elles étaient quatre. Quatre filles tombées aussi différentes que le jour et la nuit. Tout ce qu'elles avaient en commun, c'était leur gros ventre. Peut-être aussi la honte d'être confinées entre les murs de cette maternité de malheur, dont les pensionnaires avaient fort mauvaise réputation. Devant l'édifice délabré, sis rue Saint-André, à Montréal, une palissade percée de trous invitait les voyeurs à s'y mettre le nez pour les invectiver. Dieu sait qu'ils ne s'en privaient pas ! Ça vociférait à qui mieux mieux entre les planches de bois pourries : débauchées, filles à matelots, dévoyées…

Elles n'étaient ni les premières ni les dernières à s'être réfugiées à la Maternité de Sainte-Pélagie pour accoucher, mais leur séjour devait créer tout un émoi. Cela s'est passé en juillet de l'an 1852. On peut dire que ces filles-là se sont mises dans de beaux draps !

La plus âgée, Elvire, une cocotte se prostituant dans les bordels de la rue Saint-Laurent, à Montréal, avait été admise la première à huit mois de grossesse. Du temps qu'elle chantait dans les cabarets, elle avait eu un fils qu'elle avait refusé de placer à l'Orphelinat des Enfants trouvés, malgré sa situation précaire. Pour payer sa nourrice, elle recevait des hommes après le spectacle. Au début, des messieurs bien passaient un moment chez elle, mais après, elle ramenait n'importe qui, même des matelots soûls. Quand ces voyous refusaient de lui remettre son dû, elle fouillait dans leurs poches et se servait.

Elle avait dû être belle autrefois, Elvire. Bien en chair, avec des hanches fortes. Ses cheveux très noirs encadraient un visage au teint cuivré. Comme si du sang indien coulait dans ses veines. À l'orée des années mille huit cent cinquante, avec sa tignasse décolorée et sa peau vérolée, elle avait perdu de son éclat, mais elle n'en séduisait pas moins les hommes.

Dans la salle où elle passait le plus clair de son temps avec ses compagnes d'infortune, Elvire portait la tunique noire obligatoire et un bonnet blanc fabriqué dans de vieilles taies d'oreillers. Elle détestait cet uniforme, mais n'avait pas le choix de se conformer au règlement. Au moment de leur admission, les pensionnaires recevaient aussi une médaille de la Vierge attachée à un ruban noir qu'elles devaient nouer autour de leur cou.

Percée de lucarnes, la pièce se donnait des airs de salon bourgeois tombé en décrépitude, avec ses chaises droites plus ou moins défoncées, ordonnées en demi-cercle. Pourtant, on ne passait pas ses journées à cancaner à Sainte-Pélagie. Au-dessus de la porte, le crucifix vous rappelait que le silence était de rigueur. La conversation entre les filles se réduisait à peu de choses : « Passez-moi la laine », « Pouvez-vous m'aider à me lever ? », « J'ai mal aux reins »…

La vie d'avant leur faute était taboue. Si l'une s'avisait de questionner l'autre sur la cause de son déshonneur, les sœurs menaçaient de la renvoyer sur-le-champ. Naturellement, personne ne suivait la consigne et, pendant les rares récréations, Elvire ne manquait pas de raconter des histoires croustillantes pour régaler son modeste auditoire. Il lui arrivait même de glisser des remarques grivoises au milieu des échanges les plus anodins. Pour enterrer ses blasphèmes, la surveillante, qui ne savait pas se faire obéir, récitait des *Ave* à haute voix.

« Je vous salue, Marie, pleine de grâce… »

Ce sont les policiers qui avaient amené Elvire à la maternité. Elle n'avait pas résisté à son arrestation. Cela avait de quoi étonner, car elle se montrait habituellement agressive lorsqu'un agent l'interpellait dans la rue ou au bordel. Mais avait-elle vraiment le choix? Où aurait-elle pu accoucher, sinon à Sainte-Pélagie? Elle connaissait déjà les habitudes de la maison et savait que la vie y était cent fois meilleure qu'à la prison. De toute manière, elle mettait bas comme une chatte et se promettait de décamper sitôt débarrassée de son rejeton. Pour narguer les bonnes sœurs, elle se vantait d'ignorer qui l'avait rendue grosse. L'aumônier avait dû s'en mêler :

« Si vous êtes venue ici simplement pour vous décharger de votre fruit, prenez la porte, lui avait-il lancé en grimaçant de dégoût. Nous n'admettons que celles qui se repentent de leurs fautes. Avez-vous, oui ou non, la ferme intention de vous exercer à être vertueuse? »

Elvire avait fait amende honorable. Était-elle sincère? Pas sûr. Quoi qu'il en soit, elle n'avait pas pris la porte, comme le saint homme l'en avait menacée. Mieux valait se soumettre, d'autant plus que ça lui semblait rassurant de partager sa galère avec d'autres infortunées. Sous sa carapace, se cachait un être plein de compassion.

Au début de la soirée, Noémi, la plus jeune des quatre, a commencé à se tortiller sur sa chaise. Mère de la Nativité savait que le moment de la délivrance approchait, mais Noémi prétendait que la sœur s'énervait pour rien. Celle-ci l'observait à la dérobée. Ça sautait aux yeux, la petite cherchait à dissimuler ses contractions. Tout à coup, une énorme flaque visqueuse est apparue sous sa chaise. Sa jupe était détrempée. Mère de la Nativité l'obligea à la suivre dans la chambre des accouchées. Elle lui demanda doucement, comme à une enfant, de se coucher sur le matelas garni de paille et recouvert d'un drap propre. « Tout ira bien », l'assura-t-elle. Ensuite, elle tira le rideau, ce qu'elle faisait toujours dans ces moments-là. Elle prit le pot en grès sur la commode et versa de l'eau dans le bassin pour lui humecter le visage. La pauvre enfant suppliait la sœur de ne pas appeler le médecin, de l'accoucher elle-même. Surtout, elle ne voulait pas qu'on laisse le jeune docteur Gariépy l'approcher.

Noémi avait à peine seize ans. Ses parents l'avaient placée comme bonne chez un commerçant qui brassait de grosses affaires rue McGill, à Montréal. C'est le fils aîné du patron qui l'avait engrossée. Ou le père, on ne l'a jamais su. Naturellement, sitôt sa grossesse devenue apparente, on l'avait renvoyée. À la rue et sans ses gages ! La malheureuse ne connaissait pas âme qui vive en ville. Elle n'avait pas osé s'en retourner à la campagne. Rien n'aurait pu la convaincre de se présenter dans cet état devant ses parents. Sûrement, ils l'auraient reniée.

Jamais les filles n'oublieraient son regard de petit oiseau effaré. Noémi était pétrifiée, ça faisait pitié. Toute menue, fragile, des yeux en amande qui imploraient Mère de la Nativité de la sauver des griffes de l'accoucheur, ses cheveux blonds comme du blé trempés de sueur…

Alors, Mathilde, la troisième fille de mon histoire, s'est avancée jusqu'au lit de la petite, comme pour la protéger, et s'est adressée à la religieuse d'un ton ferme :

« Faites quelque chose, ma sœur. Votre bon Dieu ne va tout de même pas abandonner Noémi dans un moment pareil ? »

Mathilde se donnait des airs de grande dame qui n'impressionnaient personne. Elle avait accouché deux jours plus tôt. La supérieure l'avait autorisée à garder son enfant à la maternité, le temps de ses relevailles, puisque le nouveau-né était soi-disant légitime. Mathilde jurait ses grands dieux qu'elle était mariée et, devant la mine incrédule de ses compagnes, elle prétendait commodément que son époux séjournait en Angleterre pour ses affaires. Sitôt rentré, il viendrait les chercher, elle et leur enfant.

Fille d'un banquier de la rue Saint-Jacques – c'est du moins ce qu'elle prétendait –, Mathilde avait l'aisance des demoiselles de bonne famille. À son arrivée, plusieurs avaient remarqué comme sa robe tombait bien. Le tissu était fin et la dentelle, de bonne qualité. À voir la façon dont la nouvelle venue lissait les plis de sa jupe, on sentait qu'elle avait de belles manières. Elle avait dû revêtir l'uniforme de l'établissement, mais même chichement accoutrée, elle se distinguait des autres. Avait-elle réellement promené sa jeune vingtaine dans les salons huppés de la ville? Peut-être. Une chose était sûre, cependant, elle mentait comme un arracheur de dents.

Pendant les récréations, tandis que les pénitentes – c'est ainsi qu'on appelait les filles tombées – raccommodaient des chaussettes ou tricotaient des foulards au coin du poêle, Mathilde racontait le mémorable dîner auquel elle avait assisté chez le gouverneur Elgin. Elle soignait chaque détail, depuis les bougies sur la grande table jusqu'au gigot de mouton à la moutarde. En gesticulant, elle décrivait sa robe de soie ivoire importée de Paris et vantait son carnet de bal incroyablement rempli. Car, naturellement, ses soupirants étaient légion… Le lendemain, elle avait les pieds couverts d'ampoules. Comme elle regrettait le retour de lord Elgin dans son Angleterre natale!

Bien malin qui eût pu démêler le vrai du faux dans ce conte de fées.

Un jour, Mathilde avait triché au paquet voleur. Les filles, qui l'avaient attrapée la main dans le sac, en avaient fait tout un plat. Pour se venger, la coupable avait colporté à la supérieure que les pénitentes jouaient aux cartes, malgré l'interdit, et ce, en présence de leur surveillante qui défiait le règlement. Mère de la Nativité avait été privée de communion et les pénitentes, réduites au silence pendant la récréation. Pour punir Mathilde de cette trahison, celles-ci l'avaient ignorée toute une journée.

Malgré ses défauts, Mathilde en imposait à son entourage et, dès le lendemain, elle avait repris sa place au centre de la salle commune où elle avait recommencé le récit de ses folles équipées, peut-être inventées de toutes pièces, que les filles – et même la surveillante qui faisait semblant de prier – suivaient comme s'il s'agissait d'un roman-feuilleton.

De taille moyenne, Mathilde avait la peau claire et d'épais cheveux brun foncé qu'elle coiffait comme une magicienne. Tour à tour, les pensionnaires lui tendaient leur brosse afin qu'elle ajuste leur chignon, sous l'œil indigné de la sœur. À leur arrivée, elles avaient pourtant accepté de quitter leurs bijoux et tous les apanages de la vanité, afin de paraître comme il convient à une personne repentante de ses péchés. On leur avait lu le code de conduite et les filles avaient promis de s'y conformer sous peine de renvoi. Elles savaient aussi que les amitiés particulières étaient tenues pour suspectes. Fallait-il leur relire cet autre point du règlement que l'aumônier leur rappelait à chacune de ses visites ? « Si une pénitente développait pour une autre une affection qui les incitait à rester seules, toutes deux seraient considérées comme dangereuses au bon ordre de la maison et renvoyées. »

Mathilde, qui prenait l'initiative des apartés, ignorait le règlement, malgré les rappels à l'ordre de la surveillante. Parfois, elle affrontait Elvire qui ne se laissait pas piler sur les pieds. La trivialité de celle-ci et la prétention de l'autre créaient une tension telle qu'il valait mieux sortir de la pièce et laisser se battre – façon de parler ! – ces coqs de foire. Toutes deux rivalisaient d'ingéniosité dans l'art de se donner en spectacle. Il y eut plusieurs accrochages, puis le ton s'est finalement adouci. Après, on aurait dit de vieilles complices s'amusant à scandaliser leurs compagnes.

En ce triste jour de juillet 1852, devant la terreur de Noémi, elles se sont mises à deux pour supplier Mère de la Nativité :

« Vous êtes sage-femme, aidez la petite à accoucher. Ce sera notre secret, nous ne le répéterons à personne, c'est promis. »

La chose était impossible et elles le savaient. Depuis un an déjà, l'entente signée entre le Collège des médecins et chirurgiens du Bas-Canada et la Maternité de Sainte-Pélagie reléguait les sages-femmes au second plan. Les accouchements devaient être menés par un médecin ou un étudiant en médecine, même si les religieuses détenaient un diplôme de sages-femmes dispensé par le Collège. Monseigneur Ignace Bourget, l'évêque de Montréal, insistait fortement pour qu'il en soit ainsi.

Respectant son vœu d'obéissance, la vieille sœur manda le bon docteur Trudel, dont la présence aurait rassuré Noémi. Hélas! le médecin attitré de la maternité avait été appelé d'urgence à l'Hôtel-Dieu et c'est le jeune docteur Gariépy, venu l'avant-veille accoucher Mathilde, qui se présenta. Il ne cacha pas son agacement qu'on le dérangeât à l'heure où l'on sort s'amuser avec des camarades.

Avant d'entrer dans la salle d'accouchement, une cellule minuscule, mal éclairée et sans fenêtre, le jeune médecin retira sa redingote noire et la suspendit au crochet. Puis, il retroussa les manches de sa chemise et tira le rideau derrière lui en maugréant. Mère de la Nativité le suivit, bien décidée à ne pas le lâcher d'une semelle. Mais il la poussa si brusquement hors de la cellule qu'elle en resta pétrifiée. Il n'avait nullement besoin de son aide et ne se gêna pas pour lui marteler derrière le rideau :

« Pas de sages-femmes ici. Vous savez ce que je pense des sorcières et de leur pseudo-science ! Apportez-moi de l'eau, c'est tout ce que je vous demande. »

Rien de bien surprenant dans cette réaction. Depuis quelque temps, les jeunes médecins menaient dans les journaux une virulente campagne contre les sages-femmes qu'ils accusaient d'incompétence et à qui ils reprochaient de leur enlever le pain de la bouche. Comme si les pauvres filles qui se réfugiaient à Sainte-Pélagie avaient les moyens de payer les sœurs pour leurs services ! Mère de la Nativité regagna son siège sans protester, c'eût été inutile.

Derrière la cloison, les cris perçants de Noémi enterraient ses prières. Des gémissements de douleur qui se transformèrent bientôt en grognements inhumains. Elvire lâcha ses aiguilles à tricoter pour tenir son gros ventre. À côté d'elle, Mathilde, à peine remise de ses couches, se redressa sur sa chaise :

« Petite mère, faites quelque chose, ordonna-t-elle. Il va nous la tuer. »

L'avant-veille, Mathilde avait passé un mauvais quart d'heure entre les mains du jeune médecin. Dans la pièce sombre, la même où se débattait maintenant Noémi, le docteur Gariépy avait cherché ses instruments à tâtons, sous l'œil amusé de deux internes invités au « spectacle ». Leurs plaisanteries à propos des filles de rien qui accouchaient dans cet établissement s'étaient mêlées aux plaintes de Mathilde. Dieu merci, l'enfant n'avait pas fait de manières pour venir au monde. Il n'empêche qu'elle avait pensé sa dernière heure arrivée. Les clercs badinaient en appliquant les grosses éponges pour arrêter le sang. Les sœurs disaient que c'était pur miracle si Mathilde n'avait pas contracté la fièvre du lait, par suite de ces mauvais traitements.

Noémi lâcha un cri plaintif, puis un autre plus clair venant du nouveau-né se fit entendre, suivi d'un ordre lancé sans méchanceté mais avec désinvolture :

« Cesse de te plaindre, ma belle. Tu n'as que ce que tu mérites ! »

Toujours le même mépris ! Les autres filles échangèrent un regard de tristesse. Mathilde n'en doutait pas : le docteur Gariépy avait un verre de trop derrière la cravate. Il n'avait probablement pas dessoûlé depuis deux jours.

« Priez, mes enfants. Priez pour notre Noémi », dit Mère de la Nativité en baissant les yeux, résignée.

Soudain, derrière le rideau, on n'entendit plus un son. Cette fois, c'est Mary qui implora la sœur. Jusque-là muette, apparemment indifférente à ce qui se passait, la quatrième fille prit dans les siennes les deux mains de la vieille sœur en répétant son imploration :

« *Please, please, do something. The poor girl is in pain…* »

Mary, une Irlandaise de dix-huit ans, avait débarqué quelques jours plus tôt d'un *steamer* battant pavillon britannique. C'est le charretier de la brasserie Molson qui l'avait trouvée non loin du port en faisant sa tournée de livraison. Assise par terre, rue des Commissaires, vis-à-vis du quai Bonsecours, elle était recroquevillée, l'air hagard. L'homme l'avait aidée à se hisser dans sa charrette, entre deux barils de bière, et l'avait déposée à Sainte-Pélagie. Elle n'avait pas desserré les dents du trajet.

Comme elle refusait de dévoiler son identité, la registraire de l'institution l'avait inscrite sous le nom de Mary Steamboat. Nul doute, sa longue crinière indomptable couleur de feu et son teint diaphane trahissaient ses origines irlandaises. Elle ne connaissait pas un traître mot de français et ne faisait aucun effort pour participer à la vie de la maternité. Malgré les tentatives d'Elvire et de Mathilde, il avait été impossible de savoir comment elle avait abouti là. En dépit de son mutisme, les filles l'aimaient bien, à cause du ravissant sourire qu'elle leur décochait dans les moments les plus inattendus.

« J'y vais, fit Mère de la Nativité en traversant la salle d'un pas décidé. Vous avez raison, le bon Dieu ne veut pas faire souffrir cette malheureuse enfant. »

Elle était toute menue, Mère de la Nativité. La presque soixantaine, un visage rond comme une lune et une peau de soie. Impossible de voir la couleur de ses cheveux cachés sous son bonnet de sœur. Toutefois, son regard franc, incisif, perçait derrière des paupières tombantes. Elle trottinait comme un canard. Cela amusait les filles de la voir circuler dans la salle en se dandinant. Ce soir-là, personne ne riait à ses dépens.

La vieille sœur tira le rideau et s'approcha de Noémi. La petite semblait tombée en syncope. Le clerc médecin venait de déposer l'enfant sur la table d'appoint, à côté des fers qu'il avait appliqués. Il y avait du sang partout et Mère de la Nativité s'en alarma, elle qui pourtant n'en était pas à sa première expérience du genre.

« Seigneur ! que lui avez-vous fait ? s'enquit-elle, prise d'une effroyable panique. Et pourquoi les fers ? Ne savez-vous pas qu'on ne les emploie qu'en cas de nécessité absolue ? »

Le jeune médecin ne se donna même pas la peine de répondre, se contentant de tendre le bébé à la sœur pour qu'elle le nettoie. Sans même se laver les mains maculées de sang, il attrapa sa redingote et quitta les lieux en annonçant son retour plus tard dans la nuit, sinon au matin. Inutile de rester au chevet de la fille, dit-il, il lui avait donné assez de laudanum pour l'assommer pendant des heures.

~

Après le départ du docteur Gariépy, Mary tremblait de tous ses membres, Elvire hurlait des insanités contre l'accoucheur, un boucher ni plus ni moins, cependant que Mathilde tenait sa minuscule fille blottie contre son sein, comme pour la protéger d'un danger.

Avant toute chose, Mère de la Nativité ondoya le nouveau-né, au cas où le petit Jésus le rappellerait à lui.

À partir de là, les choses allèrent de mal en pis. Malgré le soporifique, Noémi reprit conscience rapidement. Elle se tordait de douleur. Fiévreuse, très agitée, elle délirait. Le diable cherchait à l'étouffer, il la criblait de coups. Mouillée de sueur, elle se débattait si violemment que sa couchette se déplaça. La malheureuse s'accrochait à la jupe ou au bras de la religieuse en la suppliant de ne pas l'abandonner avec le monstre. Elle donnait des coups de poing dans le vide en hurlant qu'il la griffait, mais c'est elle qui, de sa main libre, s'égratignait le visage. Sa respiration devint oppressée et des paroles confuses émaillèrent son délire. On aurait juré que ses couvertures se soulevaient d'elles-mêmes. Pendant un moment, les trois filles la crurent possédée du démon. Elles se signèrent. Elvire suggéra de faire brûler une chandelle sur son ventre pour la tirer des griffes de Satan, mais la sœur jugea plus sage d'asperger la malade d'eau bénite.

Mathilde épongea le visage de Noémi, ce qui aurait dû la calmer. Mais les hallucinations redoublèrent, plus effrayantes encore. La jeune accouchée se tourmentait à cause de ses péchés et avait peur de mourir sans s'être confessée. Mère de la Nativité lui passa son chapelet autour du cou en lui disant que le bon Dieu l'accueillerait à bras ouverts. Cela sembla l'apaiser, car sa respiration devint moins saccadée. La tête posée sur l'oreiller, elle sombra tout doucement dans l'inconscience. Plus inquiétant, son teint devenait cireux. Mary lui prit le visage dans ses mains et souffla de l'air dans sa bouche. Aucune réaction ne s'ensuivit. Les filles ne voulurent pas le croire, mais Noémi venait de s'éteindre.

Il était minuit passé lorsqu'elles admirent finalement que leur amie avait rendu l'âme. Mère de la Nativité lui ferma les yeux et lava son corps barbouillé de sang, en priant pour que son «cher trésor» aille tout droit rejoindre le petit Jésus. Elle peigna ses beaux cheveux blonds et lui mit une chemise propre. La pauvre petite pesait une plume. La sœur lui croisa les mains sur la poitrine et lui glissa une médaille de la Vierge entre les doigts, pendant qu'une des filles s'occupait du nouveau-né. Mary coupa une mèche des cheveux de Noémi étalés sur le drap blanc et la glissa dans la poche de son tablier.

Laquelle des trois pénitentes eut alors l'idée d'exercer une terrible vengeance contre l'accoucheur damné? Difficile à dire, dix-huit ans après les faits. Ce dont je suis sûre, c'est qu'elles ont passé le reste de la nuit à veiller la dépouille de Noémi. Mère de la Nativité a bien essayé de les convaincre d'aller se coucher. Elles ont refusé. La vieille sœur n'a pas jugé bon d'insister. Le regard triste, elle a saisi son bougeoir et est montée seule au dortoir.

Il était écrit que le docteur Gariépy ne l'emporterait pas en paradis. Comme prévu, il se pointa à la maternité au petit matin, en état d'ébriété avancé, et signa distraitement le certificat de décès. Le reste du drame, personne n'a encore voulu me le raconter. Si j'ai bien compris en mettant bout à bout les confidences glanées ici et là, avant que le médecin n'ait quitté la maternité, l'une des trois filles – ou les trois – lui avait réglé son compte.

∼

Voilà pour l'histoire lointaine. Il eût été plus sage de l'enterrer à tout jamais. Pourquoi la ressasser aujourd'hui?

Je m'appelle Rose. Je suis née en ce même mois de juillet 1852 à la Maternité de Sainte-Pélagie, une vieille bâtisse toute décrépie où l'humidité était insoutenable. «Étuve en été, glacière en hiver», disaient les vieilles sœurs qui n'ont jamais oublié leurs misères. C'était la canicule. On se serait cru sous les Tropiques, à ce qu'elles m'ont raconté. Au matin de ma naissance – ou la veille, impossible de le savoir avec certitude –, un gigantesque incendie a ravagé Montréal. Des odeurs de putréfaction et de brûlé enveloppaient la ville, lorsque Mère de la Nativité, celle-là même qui avait vu Noémi passer de vie à trépas, s'engagea dans les rues poussiéreuses et enfumées pour me conduire, aussitôt née, à l'Orphelinat des Enfants trouvés, situé rue Saint-Pierre, non loin du port, à l'autre extrémité de la ville. En sa qualité de marraine, elle a apposé sa griffe au bas de mon certificat de naissance et m'a donné un prénom, le sien.

Si j'en parle, c'est parce que cette femme a compté dans ma vie. Bien que je l'aie trop brièvement connue, je pense souvent à sa tendresse et à sa générosité. Seule tache d'ombre, malgré mes supbliques, jamais elle n'a consenti à me dévoiler d'où je venais ni qui était ma mère. Même sur son lit de mort, elle s'entêtait à me répéter : «Tu es tombée du ciel, ma belle Rose.»

Comme pour ajouter au mystère de mes origines, les orphelines avec qui j'ai grandi m'appelaient «la fille des empoisonneuses». Qui d'Elvire, de Mathilde ou de Mary Steamboat m'a mise au monde? Ou peut-être était-ce plutôt cette pauvre Noémi?

Les bonnes sœurs n'ont jamais été chaudes à l'idée de me voir chercher ma génitrice. Elles auraient préféré que je songe à mon avenir. Bel euphémisme, car, en réalité, elles multipliaient les neuvaines dans l'espoir de me décider à prendre le voile. Je me gardais de les détromper, de peur qu'elles m'expédient en usine.

N'allez pas croire que je m'apitoyais sur mon sort de pauvre orpheline. Bien au contraire. Je ne ressemblais pas à cette Cosette en guenilles qui traîne sa misère dans les pages du roman de Victor Hugo, *Les Misérables*, que j'ai lu en cachette, malgré l'interdit. Au contraire, j'ai eu pas mal de chance dans ma malchance. Mais le grand trou de mes origines m'obsédait. D'où mon entêtement à vouloir recoller les morceaux du passé. Je n'avais pas encore soufflé mes dix-huit bougies que je décidais de mener une enquête. Rien ni personne n'allait m'arrêter.

2

Le *Journal des pénitentes*

C'est Marie-Madeleine qui, la première, m'a mise sur la piste des empoisonneuses. Je m'en souviens, le mois de juin 1870 commençait à peine. J'allais bientôt avoir dix-huit ans. Il pleuvait des clous sur Montréal et j'étais arrivée toute détrempée à la Maternité de Sainte-Pélagie pour remplir mes fonctions de copiste. Assise bien droite derrière sa grande table, Marie-Madeleine s'appliquait à rédiger une lettre officielle. Depuis bientôt un an, elle agissait comme secrétaire de la supérieure et aussi, si l'on veut, comme archiviste de la maison.

Bien que cela puisse sembler un manque flagrant de politesse, je l'appelais simplement Marie-Madeleine pour la bonne raison qu'elle n'avait pas droit au titre de sœur. En effet, celles qu'on appelait les « madeleines », en souvenir de la pécheresse repentante de l'Évangile, ne prononçaient pas, comme les religieuses, des vœux de pauvreté, de chasteté et d'obéissance. En réalité, elles étaient des filles tombées qui, après leur accouchement, avaient choisi de demeurer à la maternité pour aider leurs semblables. Une décision que plusieurs d'entre elles prenaient parce qu'elles se croyaient appelées par le Très-Haut, mais la plupart du temps parce qu'elles n'avaient nulle part où aller. Comme de raison, jamais je n'osai interroger Marie-Madeleine sur sa faute passée.

Tout était ordonné, chez elle. Ses dossiers se répartissaient dans les trois tiroirs de chaque côté de sa table. La comptabilité de la maternité à gauche, la correspondance avec l'évêché et le registre des admissions à droite. Derrière elle, dans une armoire à battants garnie de tablettes, elle remisait les cahiers noircis d'une écriture maladroite par les rares pionnières de la communauté qui savaient écrire et les témoignages qu'elle recueillait elle-même auprès des sœurs illettrées ou de celles qui n'avaient pas le temps de rassembler leurs souvenirs. Chargée de rédiger l'histoire de la Maternité de Sainte-Pélagie fondée par Rosalie Jetté, dite Mère de la Nativité, en 1845, elle consignait tout, ne négligeant aucun détail, aussi insignifiant soit-il.

Une véritable encyclopédie, Marie-Madeleine. Rien de ce qui s'était passé à la maternité en un quart de siècle ne lui avait échappé. Chaque épisode rapporté par une vieille sœur se retrouvait griffonné sur un bout de papier qu'elle enfouissait dans la poche de son tablier. Ensuite, elle le classait dans ses multiples cartons. Je lui posais une question ? Elle tirait des notes d'une chemise et en sortait la réponse.

Dans le nouvel édifice, voisin de l'ancien, Marie-Madeleine était installée de façon rudimentaire. La supérieure avait promis de la reloger bientôt dans la pièce adjacente à son propre cabinet de travail, à deux pas du parloir. Cela éviterait à Marie-Madeleine de courir d'un bout à l'autre du couloir. En attendant la fin des travaux, son minuscule bureau lui convenait. Quand la supérieure la réclamait, elle sonnait une clochette et sa secrétaire accourait.

En fait, Marie-Madeleine préférait ce local de fortune un peu tristounet à tout autre, car elle s'y sentait vraiment chez elle. Non pas qu'elle ait eu des choses à cacher, mais les sœurs avaient tendance à s'épier, ce qui la mettait hors d'elle. Ainsi logée au bout d'un corridor peu fréquenté, elle pouvait tout à son aise jouir d'un semblant d'intimité. Elle avait fini de confesser les vieilles sœurs. À présent, elle couchait sur papier son récit intitulé *Vie de Rosalie*.

Elle avait demandé qu'on ajoute une petite table pour moi, de biais avec la sienne. Trois avant-midi par semaine, je mettais ses brouillons – elle disait ses « brouillards » – au propre. Elle m'avait choisie parmi les jeunes filles qui vivaient à l'une des annexes de l'Orphelinat des Enfants trouvés, parce que j'avais une belle calligraphie.

À partir de douze ans, les orphelines qui n'avaient pas été adoptées étaient dispersées dans différentes maisons tenues par des sœurs aux quatre coins de la ville. Elles y restaient jusqu'à ce qu'elles entrent en service domestique. Par chance, la mienne était située à petite distance de Sainte-Pélagie. Cela me permettait de circuler assez librement d'un établissement à l'autre. Je passais des heures à décrypter les affreux gribouillis de Marie-Madeleine. J'adorais ce travail.

Cela faisait aussi le bonheur des sœurs qui ne savaient plus comment m'occuper, en attendant que je me décide enfin à entrer en religion. Le règlement stipulait qu'à seize ans, les orphelines ne souhaitant pas consacrer leur vie à Dieu devaient quitter l'établissement. J'avais tardé à débarrasser le plancher et pour cause ! La vie de servante ne me disait rien, mais j'allais m'y résigner, car mon amie d'enfance, Honorine, qui m'avait devancée sur le marché du travail, s'échinait dix heures par jour pour moins que rien à coudre des boutons chez *Valois & Sons.*

Pauvre Honorine ! C'est elle qui, la première, m'avait affublée du sobriquet de « fille des empoisonneuses ». Elle était tout bêtement jalouse parce que la surveillante m'avait choisie pour lire les prières à la chapelle. En réalité, j'étais la seule parmi les orphelines à pouvoir réciter sans bafouiller les livres saints. Honorine s'en était longtemps voulu de m'avoir fait de la peine. Elle ne savait pas quelle mouche l'avait piquée ni pourquoi elle m'avait balancé cette sordide histoire d'empoisonneuses qui m'était restée en travers de la gorge. Le surnom m'avait collé à la peau. Pas moyen d'offrir un verre d'eau ou un bout de pain à une camarade, sans qu'elle me soupçonnât d'y avoir incorporé un mystérieux poison.

À l'époque, plusieurs orphelines m'enviaient, parce que je savais lire, écrire et compter mieux que les autres. Elles me

traitaient de chouchou et c'était injuste. Par chance, une religieuse instruite m'avait prise sous son aile. Sans doute m'avait-
elle choisie parce que j'apprenais vite? Là où les autres faisaient
dix fautes, j'en échappais à peine trois ou quatre. Je ne donnais
pas ma place, non plus, pour réciter par cœur une fable ou
chanter un cantique.

À dix-sept ans passés, j'aurais dû remplir mon baluchon et
décamper. Mais comme personne ne me pressait, je continuais
mon petit train-train, en faisant mine d'ignorer ce que les sœurs
attendaient de moi. Je suis donc devenue la copiste de Marie-
Madeleine. Habituellement, nous travaillions en silence, mais
parfois elle consentait à me fournir des explications, soit parce
que je n'arrivais pas à déchiffrer ses pattes de mouche, soit parce
que je ne saisissais pas le sens de ses propos. Elle se montrait
d'une patience angélique avec moi, toujours prête à éclairer ma
lanterne. Jamais avant ce jour-là, elle ne m'avait parlé de la
fameuse nuit au cours de laquelle une certaine Noémi avait perdu
la vie, épisode macabre qui avait ébranlé la confiance des bienfaiteurs de l'œuvre.

J'avais fini de copier le premier chapitre de *Vie de Rosalie*. Il
était question des débuts de l'œuvre fondée par celle-ci pour
venir en aide aux filles tombées. Une histoire triste à mourir. Nul
doute dans mon esprit, la fondatrice avait fait preuve d'un
courage peu commun! Elle s'était entourée de veuves, mais la
première équipe comptait aussi quelques vieilles filles. On les
appelait les « Dames de Sainte-Pélagie ». Sans ressources, elles
habitaient un taudis si délabré que les fentes dans les murs
laissaient pénétrer l'air et la lumière. L'humidité rongeait les
planchers. Pour se chauffer, elles n'avaient qu'un vieux poêle
sans tisonnier, ce qui les forçait à brasser le feu avec la louche
utilisée pour servir la soupe. La misère noire!

Malgré sa pauvreté et son dénuement, leur masure ne désemplissait pas. Comme une usine, elle fonctionnait à pleine capacité. Des filles dans le pétrin, il en arrivait matin, midi et soir, si

bien qu'on ne savait plus où les mettre. Et pour cause ! Monseigneur Bourget envoyait à la veuve Jetté toutes les filles déshonorées qui imploraient son aide. Jamais elle n'en refusait une. Celle-là au moins aurait droit à un accouchement décent. On manquait de lits, les paillasses étaient usées et les chaises n'avaient pas été rempaillées depuis belle lurette. Les Dames de Sainte-Pélagie couchaient dans le grenier où, en hiver, on faisait dégeler les draps qui avaient séché dehors sur la corde. L'odeur de savon, mêlée au sang imprégné dans le linge, se répandait dans le dortoir.

De temps à autre, je m'arrêtais pour poser une question :

« Marie-Madeleine, j'ai une colle pour vous. Qui était cette Pélagie qui a laissé son nom à la maternité ?

— Une actrice réputée d'Antioche qui menait une mauvaise vie au cinquième siècle après Jésus-Christ. À quarante ans, elle s'est convertie et a ensuite édifié son entourage. »

Je la gratifiais d'un sourire reconnaissant, avant de remettre le nez sur ma copie. J'allais bientôt apprendre qu'à Sainte-Pélagie, la vie suivait un rite immuable entre le réfectoire, le dortoir des pénitentes et la salle des douleurs. La nourriture était frugale et de piètre qualité. Les filles, comme leurs surveillantes, se contentaient de la viande que les bouchers du voisinage leur refilaient gratuitement. Des têtes de mouton, des jarrets et de la fressure qu'un bienfaiteur, Jos Beaudry, leur apportait. Tôt, le matin, il déversait sa poche d'un coup sec sur le plancher de la cuisine et repartait en sifflant. Certains jours de vache maigre, elles dînaient d'un bol de soupe claire, dans lequel elles trempaient le pain rassis qu'elles allaient chercher au Dépôt des pauvres ou à la boulangerie des Sœurs de la Providence.

Je raffolais des anecdotes dont Marie-Madeleine émaillait son récit. L'épisode des trois petits cochons que les Dames de Sainte-Pélagie avaient engraissés, le premier hiver, m'avait tiré des larmes. Imaginez ! Deux des bêtes étaient mortes de faim. La troisième avait été débitée, ce qui tombait à pic, compte tenu de la maigreur de leurs provisions, à l'orée du printemps. Leur aumônier, l'abbé Venant Pilon, n'avait pas digéré cette boucherie, loin s'en faut. « Allez-y, engraissez-vous au lard, tant qu'à y être ? » avait-il lancé, cinglant. Pour lui, des queues d'oignons et un bout de pain suffisaient amplement pour leur repas.

Citant plusieurs sources, Marie-Madeleine affirmait que cet abbé méprisant et sans pitié conseillait aux femmes enceintes de jeûner pour faire pénitence, et ce, malgré leur état. Je n'en croyais pas mes oreilles. J'aurais aimé savoir s'il s'était trouvé au moins une bonne sœur pour lui rappeler que les filles tombées étaient des êtres humains et que la nourriture du bon Dieu leur était destinée autant qu'à lui. À l'évidence, il n'avait rien compris à l'Évangile ! Malheureusement, j'ai dû rester sur ma faim, car le brouillon de Marie-Madeleine s'arrêtait là.

La tête penchée sur son travail, celle-ci ne remarqua ni mes états d'âme ni mon agitation. Sa correspondance terminée, elle s'était attaquée au bilan annuel de la maternité, dû avant la fin de la journée. Le temps pressait et ma patronne paraissait fabuleusement empêtrée dans ses colonnes de chiffres.

« Si je peux vous aider, Marie-Madeleine…

— Non merci, Rose. C'est trop compliqué, je vais y arriver toute seule. »

Elle promena son regard sur sa table avant d'ajouter :

« Tenez, prenez le *Journal des pénitentes* et poursuivez la transcription, là où j'ai glissé un signet. Ça devrait vous occuper pour le reste de l'avant-midi. Nous reprendrons la vie de Rosalie demain. »

〜

Marie-Madeleine avait-elle pleinement réalisé qu'elle venait de me fournir la pièce maîtresse de mon enquête ? Le *Journal des pénitentes* répertoriait les entrées et les sorties de la maternité. Ce registre, un paquet de feuilles volantes maculées et froissées, contenait des renseignements confidentiels sur toutes les filles qui y avaient accouché depuis l'ouverture : nom, âge, lieu de résidence, date de l'accouchement, sexe de l'enfant, etc. Marie-Madeleine était chargée de remettre le tout au propre. J'ouvris ce grand cahier à la page marquée par un signet. Elle avait recopié toutes les informations jusqu'au numéro 618 qui correspondait aux admissions du mois d'avril 1852. À trois mois, donc, de ma naissance. Quel heureux hasard ! me suis-je dit.

Je tremblais en tournant les pages. Si tout se passait comme prévu, dans moins d'une heure, j'arriverais aux inscriptions de juillet. Mon cœur battait à tout rompre. J'allais enfin connaître le secret de mes origines. Les yeux rivés sur ma feuille, j'évitai tout mouvement rapide qui aurait pu attirer l'attention de Marie-Madeleine et compromettre mes chances de succès. Le plus absurde, c'est que je me sentais coupable. J'avais une peur bleue qu'elle me retire le registre. Du temps, c'est tout ce que je lui demandais.

Onze heures venaient de sonner quand j'inscrivis le numéro 633 sur ma feuille lignée. J'avais complété la transcription des cinq entrées correspondant aux naissances de mai. J'en comptai sept en juin, que je m'empressai de recopier. Un bref coup d'œil m'indiqua ensuite que, des dix naissances de juillet, six étaient des garçons et quatre des filles. À coup sûr, j'étais l'une d'elles. Le numéro 633 m'intrigua. Dans le casier réservé au nom de la mère, la registraire avait simplement inscrit « pensionnaire privée ». Je l'ignorais alors, mais les filles de la bourgeoisie qui payaient pension avaient droit à l'anonymat, les autres pas. Voilà qui allait me compliquer la vie. Âgée de vingt ans, cette personne avait accouché à une date non précisée d'une fille dont le prénom manquait. Aucune mention non plus du lieu d'origine ou de la destination de la mère. Déçue, je tempêtai en moi-même contre ce privilège accordé aux riches qui me privait de renseignements essentiels.

J'ai ensuite cherché à savoir si l'une des mères était morte en couches. De fait, il y avait bel et bien eu un décès dans la nuit du sept au huit. La victime, Noémi Lapensée, portant le numéro 634, avait tout juste seize ans. Elle était native de Lachine et travaillait comme servante à Montréal. Dans la colonne réservée à la cause de la maladie, on avait écrit « morte de convulsions ». Sa fille lui avait survécu. Et si c'était moi, cette petite, orpheline de mère ? Ça m'aurait soulagée de savoir que ma mère ne m'avait pas abandonnée délibérément.

Poursuivant ma lecture, je constatai que le nom de famille de la pensionnaire numéro 635 avait été rayé d'un trait noir. Âgée de vingt-cinq ans, cette Montréalaise prénommée Elvire avait été amenée à Sainte-Pélagie par les policiers. Elle avait accouché le huit juillet, comme aussi la dernière inscrite sous un nom fictif, Mary Steamboat, une jeune femme de dix-huit ans originaire d'Irlande. Quant aux six autres naissances du mois de juillet, elles concernaient des petits garçons : un Pierre, un Renaud, deux André, un Télesphore et un Xavier.

J'étais à la fois désappointée et soulagée. Ma récolte me semblait franchement maigre, mais le fait de pouvoir restreindre le champ de mes recherches à ces quatre femmes me réconfortait. Le mystère entourant mes origines m'obsédait depuis si longtemps sans que je sache par où commencer pour l'éclaircir. À présent, je détenais des indices concrets.

J'achevais de transcrire tous ces précieux renseignements sur une feuille à part que je voulais conserver, lorsque Marie-Madeleine émergea de son long silence.

« Dieu soit loué ! j'ai fini, s'écria-t-elle en déposant son crayon. » Puis, voyant ma mine déconfite, elle plissa les yeux : « Ah ! mais, dites donc ! vous en faites une tête ?

— C'est que… bafouillai-je, votre *Journal des pénitentes* est plein de trous. Prenez, par exemple, le mois de juillet 1852, quelqu'un a biffé des noms au crayon noir. Impossible de lire les renseignements qui avaient été inscrits. Comment voulez-vous que je complète le registre à la satisfaction de Mère supérieure si je n'arrive pas à lire ? »

Marie-Madeleine hésita un moment.

« Juillet 1852 ? répéta-t-elle, comme si elle cherchait dans sa mémoire. Attendez, c'est l'année du drame. Enfin, je veux dire de l'incendie. » Elle me parut troublée, mais pas outre mesure. « Vous n'avez qu'à laisser des blancs, fit-elle en refermant son cahier de comptes.

— Quel drame ? Quel incendie ? osai-je demander en priant le bon Dieu pour que ma voix sonne parfaitement normale.

— Une fille est morte dans des circonstances jamais éclaircies, dit-elle, évasive. Elle avait à peine seize ans. Quelle pitié ! C'est un médecin qui l'a accouchée et non une sage-femme. »

Elle s'arrêta net, comme si elle venait de faire le lien entre ma modeste personne et ce triste mois de juillet 1852. Je retenais mon souffle :

« Continuez, je vous en supplie, continuez… »

Les mains jointes sur les genoux, j'étais tout ouïe. Surtout, qu'elle n'arrête pas de parler. La porte du petit bureau que nous occupions était fermée. À cette heure, il n'y avait pas âme qui vive dans les corridors de la maternité. L'angélus allait bientôt sonner. Les sœurs et les pénitentes priaient à la chapelle avant de descendre au réfectoire.

C'est alors qu'elle me raconta l'agonie de Noémi. Prudemment, en choisissant soigneusement ses mots. À la fin, elle baissa les yeux et marmonna comme pour elle seule :

« Il y avait trois autres pensionnaires sur les lieux. Celles-là, on peut dire qu'elles ont manqué de jugement ! Heureusement pour elles, l'incendie a brouillé les pistes et fait diversion. »

Derrière la cloison, la voix chantante des sœurs de la chorale parvenait jusqu'à nous. Sereine, presque céleste. Marie-Madeleine fixait la porte, comme si elle avait peur d'être prise en flagrant délit de désobéissance. Elle n'avait pas le droit de réveiller ces vieux fantômes. Quelqu'un nous épiait, elle le sentait. Je n'en croyais rien et je refusai qu'elle se laissât distraire. Des pas traînants s'éloignèrent, comme pour lui donner raison.

« Et alors ? » dis-je en feignant de ne pas remarquer que mon insistance la torturait.

Dehors, le vent du nord soufflait. La pluie battait contre les carreaux. Marie-Madeleine se leva et marcha jusqu'à la fenêtre, qu'elle referma. Le mécanisme répondit à sa commande sans difficulté. Tout était neuf dans cet édifice récemment construit, rue Dorchester. Quelle amélioration par rapport à l'ancien qu'elle décrivait en piteux état dans *Vie de Rosalie* ! Sans se retourner, Marie-Madeleine reprit le fil de son récit, plus bas, cependant.

« Alors ? répéta-t-elle. À ce moment-là, la maternité accueillait les étudiants et les médecins fraîchement diplômés afin qu'ils y apprennent l'art d'accoucher. Certains manquaient de sérieux, d'autres étaient maladroits… Il y eut des accidents. Celui-là fut pire que les autres.

— Mais pourquoi n'a-t-on pas eu recours à une des sages-femmes de la maternité pour assister Noémi ?

— Parce que celles-ci n'étaient plus autorisées à le faire. C'était d'autant plus absurde que nos religieuses avaient reçu leur certificat de compétence. Pensez donc ! Les docteurs s'imaginaient que les sœurs faisaient de gros profits en accouchant toutes ces filles pauvres. L'affaire a fait tant de tapage qu'un beau jour, Monseigneur Bourget a ordonné aux sages-femmes de cesser les accouchements.

— Pourquoi cette décision de Sa Grandeur, si tout se passait bien à la maternité ?

— D'après les pionnières, Monseigneur Bourget n'a pas été très loquace à ce sujet. Il leur a simplement dit : " Le bon Dieu le voulait et maintenant, il ne le veut plus. " À compter de ce jour, les sœurs sont devenues les assistantes des médecins. »

Elle me sourit tristement en haussant les épaules. Voilà comment les choses étaient arrivées, les sœurs n'y étaient pour rien, on ne pouvait pas les blâmer. Elles surveillaient de leur mieux les clercs pour qu'il ne se passât rien d'inconvenant ou de dangereux, mais ces jeunes écervelés ignoraient leurs rappels à l'ordre.

« Vous savez comment sont les étudiants ? dit-elle. Toujours prêts à faire les pitres ! Inconscients du mal qu'ils causent ! » Elle esquissa un nouveau signe d'impuissance.

Elle était sans âge, Marie-Madeleine. Quarante ans ? Trente-cinq ans ? Impossible de l'affirmer avec certitude. Filiforme dans sa longue robe noire, elle se déplaçait avec grâce. La tête enveloppée dans une coiffe qui ne laissait voir que son visage d'une pâleur cireuse, elle ne souriait pas facilement. Elle était de ces êtres réservés qui demeurent inconnus même de leurs proches. Je remarquai qu'elle détournait le regard, cependant qu'elle regagnait sa place. Les coudes appuyés sur le dessus de la table en chêne solide recouverte de documents bien alignés, elle griffonna un mot. Un point précis avait-il surgi de sa mémoire ? Elle faisait ça tout le temps, Marie-Madeleine : noter ce qui lui venait à l'esprit pendant une conversation. Tôt ou tard, cela pouvait lui servir.

Dans la chapelle, les sœurs continuaient de réciter leur chapelet tout haut : …*Que votre nom soit sanctifié, que votre règne arrive…* Leurs voix haut perchées conféraient au moment un caractère étrange. Mais l'odeur de la soupe au chou qui montait des cuisines me ramena à des considérations d'un autre ordre. Je plaignais les religieuses de devoir tremper leur pain dans ce bouillon gras. N'aurait-on pas pu changer de menu de temps en temps ? *Gloire soit au père, au fils et au Saint-Esprit…*

Je me rapprochai de Marie-Madeleine pour ne rien manquer de ses confidences. Ses traits s'étaient figés sur son visage osseux. Ses yeux habituellement si perçants se perdaient dans le vide. Elle faisait un effort pour demeurer maîtresse d'elle-même. Pendant un moment, j'ai cru qu'elle avait été témoin du drame qu'elle me racontait, tant les détails me semblaient précis et stupéfiants. Elle m'assura qu'il n'en était rien. Ce qu'elle savait, elle le tenait d'une surveillante décédée depuis.

Je pressentais qu'elle allait mettre fin à la conversation sans égard pour ma curiosité parfaitement légitime. Je détournai le regard, de peur de l'indisposer avec mon air inquisiteur. Après une hésitation, je risquai tout de même une dernière question :

« Vous m'avez dit : " Elles se sont mises dans de beaux draps. " Qu'entendiez-vous par là ?

— Quelqu'un a été empoisonné. On a soupçonné les trois filles…

— Qui a été empoisonné ? L'accoucheur ? Je vous en prie, Marie-Madeleine… »

Mon insistance commençait à paraître déplacée.

« Oui, oui, oui, le jeune médecin. Cessez de m'importuner à la fin », s'emporta-t-elle sans jamais me regarder en face.

Je soupirai bruyamment :

« Dites-moi au moins ce qui est arrivé ?

— Assez, Rose ! Cette affaire est morte et enterrée. Jamais je n'aurais dû m'en ouvrir à une incorrigible petite curieuse comme vous. »

Sa remarque me fit l'effet d'une gifle. Occupée à recouvrer ses esprits, Marie-Madeleine n'en eut pas conscience. D'un geste nerveux, elle ouvrit son carnet, comme pour faire oublier son désarroi. Elle regrettait ses confidences. J'avais envie de protester, mais je m'entendis lui demander sur un ton anodin :

« Et la petite orpheline, la fille de Noémi, a-t-elle été conduite à l'Orphelinat des Enfants trouvés ? »

Elle releva la tête et, cette fois, me fixa d'un air surpris :

« Évidemment, répondit-elle un peu sèchement. Nous confions tous les enfants aux religieuses de l'orphelinat. Pourquoi en aurait-il été autrement pour la fille de Noémi ? Vous savez bien que nos pensionnaires n'ont pas les moyens de garder leur nouveau-né. »

Alors, j'ai cru qu'elle allait me livrer un terrible secret. L'instant d'après, elle était redevenue fuyante. Elle farfouilla dans ses papiers en maugréant :

« Vous jacassez comme une pie, Rose. Par votre faute, j'ai pris du retard et je serai réprimandée. »

Ça y est, ai-je pensé, elle va passer sa colère sur moi. Je restai bouche bée, cependant qu'elle récitait sa litanie :

« Vous ne respectez pas la consigne du silence, vous négligez vos écritures, vous vous fourrez le nez dans les affaires des autres... »

Docilement, je repris ma plume et la trempai dans l'encrier. Je m'appliquai à recopier les noms des pensionnaires du mois d'août 1852 en pestant contre elle. Ce qu'elle pouvait se montrer injuste, cette bonne sœur ! Je rongeais mon frein en passant ma main sur les pages du cahier que j'avais remplies de ma plus belle écriture penchée. La boucle de mes f était bien formée, le trait sur mes t, si délicat, et mes lettres moulées à la perfection. J'étais une irréprochable copiste. Rapide et efficace, malgré mon tempérament extroverti et mon insatiable curiosité.

～

Entêtée comme je l'étais, je réussis, le lendemain, à soutirer à Marie-Madeleine quelques détails ô combien précieux, mais noyés dans un flot d'anecdotes sans importance. Un jour, c'était Mathilde, la petite bourgeoise capricieuse, qui piquait une sainte colère parce qu'on lui avait servi un morceau de viande filandreux. Un autre, c'était Elvire, aussi effrontée que grossière, qui enseignait des vilains mots à Mary pour contrarier Mère de la Nativité : il ne fallait pas dire *whore*, mais putain ; les orphelins n'étaient pas des « petits enfants du bon Dieu » mais des *bastards*. Oui, oui, des bâtards... La pauvre Irlandaise en rougissait, tandis que la surveillante se signait :

« Doux Jésus ! Vous allez corrompre cette pauvre fille ! »

J'appris aussi que Mathilde avait menti. Elle n'avait pas de mari et son enfant était illégitime, comme ceux de ses compagnes. Ses parents, des gens fortunés, avaient accepté de la reprendre après ses couches, à condition qu'elle ne ramène pas sa bâtarde à la maison. En découvrant le mensonge de Mathilde, la supérieure était entrée en fulminant dans la salle commune, lui avait arraché le nourrisson des bras et avait ordonné à l'une des surveillantes d'aller le déposer à la crèche. Le geste me sembla cruel, mais Marie-Madeleine m'expliqua qu'il le fallait bien, les sœurs n'étant pas autorisées à garder les enfants du péché dans leur établissement. Elle admit cependant que la supérieure aurait pu faire preuve de plus de compassion.

De la mort de Noémi, il ne fut plus question entre nous, ni de la terrible vengeance qui, je n'en doutais pas, m'avait valu le surnom peu reluisant de « fille des empoisonneuses ». L'une de ces femmes était ma mère, cela ne faisait aucun doute. Encore me fallait-il découvrir laquelle.

Après plusieurs séances de confidences, Marie-Madeleine se referma comme une huître. Le dernier matin, elle garda ses distances. Plus moyen de lui tirer un mot, pas même un commentaire sur le temps de chien qui nous accablait depuis trois jours. Brusquement, sur la fin de l'avant-midi, elle déposa sa plume et me dit :

« Écoutez-moi bien, Rose. Rien de ce que je vous ai raconté ces jours derniers n'est vrai. J'ai tout inventé. Je vous demande pardon et vous prie d'oublier mon affabulation. »

Sa confession n'avait ni queue ni tête. J'arpentai la pièce en réclamant la vérité. J'insistai lourdement : elle n'avait pas le droit de se jouer ainsi de moi, c'était cruel. Nous n'avions jamais abordé les raisons de mon intérêt pour cette histoire, mais celui-ci n'était pas innocent et, ça non plus, elle ne pouvait pas l'ignorer.

« Je m'en veux tellement de vous avoir confié le *Journal des pénitentes*, ajouta-t-elle en me pressant le bras. Si cela parvenait aux oreilles de notre mère supérieure, j'en serais blâmée. »

J'eus la nette impression qu'elle devenait livide. Elle toussa pour dissimuler son malaise, mais je ne me laissai pas émouvoir. J'allai jusqu'à lui promettre de ne jamais répéter ses confidences, pourvu qu'elle me les confirme. Elle prit un air accablé et s'enferma dans un mutisme presque hostile. L'angélus vint à sa rescousse. Elle rangea ses cahiers, je fis de même, en proie au découragement. À peine esquissa-t-elle un signe de tête, quand je tournai la poignée de la porte en lui disant « à mercredi, ma sœur ».

Sans doute l'ai-je fait claquer un peu violemment. Quand je me fâchais contre elle, je l'appelais « ma sœur », titre qu'elle ne porterait jamais.

∼

Le mercredi suivant, j'arrivai à la maternité animée des meilleures intentions. Une seule chose m'importait : rétablir les ponts entre Marie-Madeleine et moi. Je ne lèverais pas le nez de mon travail. Elle n'aurait plus à se plaindre. J'entrai dans l'édifice par la porte de la cuisine et je jetai ma pèlerine sur le dossier de la première chaise, au grand dam de Sainte-Trinité, la sœur cuisinière, qui serait forcée de la suspendre au crochet.

« Attends que je t'attrape, Rose de malheur !

— Essayez donc, pour voir… »

Sans même me retourner, j'enfilai le corridor du rez-de-chaussée et grimpai l'escalier comme une flèche. Je courus jusqu'au bureau de Marie-Madeleine, non sans redouter de la retrouver taciturne comme l'avant-veille. Étrangement, la porte était grande ouverte, mais je ne la vis nulle part dans la pièce. Assise à sa place, la mère supérieure parcourait des documents épars sur la grande table. Elle avait sa tête des mauvais jours. En entendant mes pas, elle se redressa :

«Ah! c'est vous, mademoiselle Rose. Vous désirez?»

À croire qu'elle ne le savait pas! Elle m'apostrophait comme si j'étais une pure étrangère faisant irruption dans un lieu interdit. Au premier coup d'œil, je remarquai qu'elle tenait dans ses mains le dossier des filles tombées contenant le fameux registre habituellement rangé dans le tiroir de droite du bureau.

«Je viens aider Marie-Madeleine, comme d'habitude, ma sœur, lui répondis-je le plus naturellement du monde.

— Eh bien! Madeleine Marie-Madeleine ne viendra pas aujourd'hui, m'annonça-t-elle en insistant sur le premier "madeleine", que j'avais omis parce que je trouve ridicule de le répéter.

— Ce n'est pas grave, elle m'a sûrement laissé des notes à recopier ou des papiers à classer.»

Tout en parlant, la supérieure feuilletait le registre des entrées et des sorties dans lequel j'avais transcrit les données de 1852. Elle en tira une page qu'elle me tendit.

«Est-ce bien votre écriture, Rose?

— Oui, ma sœur. Comme vous voyez, j'ai laissé des blancs. Madeleine Marie-Madeleine m'a dit que vous comprendriez.

— Bien sûr, l'incendie. Nous avons perdu de précieux documents, ce jour-là. Et certaines inscriptions rédigées trop longtemps après les faits sont truffées d'erreurs. Mais comment se fait-il que ce registre vous ait été confié? Il s'agit d'un document hautement confidentiel, vous n'auriez pas dû en prendre connaissance.

— Ce n'est pas la faute de madeleine Marie-Madeleine, protestai-je sur un ton plus cordial, car je voulais protéger ma patronne contre les foudres de la supérieure. Elle n'a pas réalisé que...»

Je m'arrêtai net, sûre d'être sur le point de gaffer.

« Auriez-vous profité d'un moment d'inattention de sa part pour rechercher des informations concernant vos origines ? me demanda-t-elle, scandalisée. Ce serait très mal, ma fille.

— Elle sait que je recherche ma mère. J'ai pensé qu'elle pourrait m'aider à la retrouver. »

Je mentais avec aplomb. J'ai dû rougir, car la supérieure redressa ses lunettes perchées sur son nez long et fin, se racla discrètement la gorge et dit en posant la main sur mon épaule :

« Madeleine Marie-Madeleine est assez au fait du règlement pour savoir que nous ne divulguons aucune information concernant les parents naturels des enfants du péché. Je doute fort qu'elle vous ait laissé quelque espoir en ce sens. Cependant, connaissant votre tempérament buté, je ne serais pas étonnée d'apprendre que vous avez essayé de lui soutirer des renseignements. »

Sans attendre ma réplique, elle se leva et s'adressa à la jeune novice plantée derrière elle qui attendait ses ordres :

« Rassemblez tous les documents que vous trouverez dans les tiroirs et dans l'armoire. Ensuite, vous les apporterez à mon bureau. »

Son impressionnante personne me défiait :

« Madeleine Marie-Madeleine ne viendra ni aujourd'hui ni un autre jour. Il est inutile de vous présenter ici dorénavant. Vous devriez plutôt songer à votre avenir, mon enfant.

— Puis-je savoir où elle est ? » lui demandai-je d'une voix mal assurée.

Ma bravade la fit sourire. Elle tourna les talons sans me répondre. Tandis que la jeune sœur vidait l'armoire sans se soucier de ma présence, je m'emparai discrètement du cartable de Marie-Madeleine resté sur le coin de ma table. Il avait échappé au regard inquisiteur de la supérieure. J'y tenais, car il contenait les dernières notes que ma patronne avait rassemblées sur la vie à Sainte-Pélagie. À mon tour, je me dirigeai vers la sortie.

« Je vous salue, ma sœur », dis-je à la jeune religieuse, qui me croyait probablement trop sonnée pour lui adresser la parole.

~

Aussi troublée que dépitée, je repassai par la cuisine pour récupérer ma pèlerine. J'espérais en apprendre un peu plus sur l'absence inexpliquée de Marie-Madeleine. Ça tombait bien, à cette heure, les vieilles sœurs étaient réunies autour de la table pour aider la cuisinière à éplucher les légumes. Elles placotaient à qui mieux mieux. Mon irruption ne les étonna guère. Je venais souvent faire mon tour et les religieuses m'avaient pour ainsi dire adoptée. J'étais bien la seule à m'adresser à elles en sautant le « sœur » unetelle, plus respectable, pour les appeler un peu cavalièrement par leur nom en religion : L'Assomption, Sainte-Trinité, Sainte-Victoire… C'était ma façon de leur exprimer mon affection. Après tout, elles étaient mon unique famille.

J'attrapai le premier couteau sur la *pantry* et me laissai choir sur la chaise vide devant le sac de carottes.

« Vous n'y arriverez jamais, les bonnes sœurs, lançai-je à la ronde. Laissez-moi vous aider.

— Tiens donc ! Notre Rose vient aux nouvelles. Elle a des oreilles tout le tour de la tête, la p'tite. »

Mon excuse était cousue de fil blanc et Sainte-Victoire, toujours aussi alerte, n'allait pas se laisser berner. Une carrure d'homme, cette religieuse chargée des gros ouvrages dans la communauté. Depuis un quart de siècle, elle bûchait le bois, fabriquait les meubles, réparait les poêles… Toujours tranchante mais sans malice, cette vaillante touche-à-tout. Tant mieux si elle avait deviné mes arrière-pensées. Cela m'éviterait de perdre mon temps à la sonder.

« Je viens de causer avec mère supérieure, attaquai-je insolemment. Il paraît que Marie-Madeleine a été congédiée.

— Holà ! » s'écria Sainte-Marie-de-l'Assomption en levant les yeux au ciel.

À peine avait-elle remué les lèvres. À soixante-quinze ans bien sonnés, L'Assomption n'était plus qu'un long squelette recouvert d'une peau jaunie. On aurait dit un vieil arbre desséché. Elle pouvait rester pendant des heures, sans bouger, à vous fixer de ses yeux éteints. Impossible de savoir si elle vous voyait et vous entendait. Puis, tout à coup, elle lâchait des petits cris qui faisaient sursauter tout le monde. Sainte-Victoire me fit un signe du revers de la main pour me signifier de ne pas troubler la vieille religieuse qui ne supportait plus les contrariétés.

« Vous débitez des balivernes, Rose, me sermonna-t-elle. Notre chère Marie-Madeleine n'a pas été congédiée. Elle est partie fonder une maternité à New York. Comme elle parle couramment l'anglais, elle a été préférée aux autres. »

Sainte-Victoire était l'amie et la confidente de la supérieure. Je n'étais pas la seule à la soupçonner de bavasser dans le dos de ses compagnes. Peut-être aurais-je dû faire preuve d'un peu de retenue ? L'affaire me sembla soudain plus tarabiscotée que je ne l'avais imaginé. Tant pis pour la prudence, je m'enhardis :

« On l'a expédiée chez les Yankees du jour au lendemain ? Sans même un au revoir à ses amies ? Vous me cachez des choses, les bonnes sœurs. Ce n'est pas beau. Le bon Dieu va vous punir.

— Laissez le bon Dieu en dehors de ça, voulez-vous, protesta Sainte-Victoire.

— Plaît-il ? fit L'Assomption en plaçant sa main en cornet derrière son oreille.

— Rose aurait bien aimé dire au revoir à Marie-Madeleine, répéta Sainte-Trinité en articulant de façon exagérée pour que sa consœur entende.

— N'empêche, elle n'a pas tort, Rose, objecta L'Assomption d'une voix chevrotante. Moi aussi, j'aurais aimé embrasser Marie-Madeleine avant son départ. »

Celle-là, au moins, penchait de mon bord. Cependant, avec elle, je restais toujours sur mes gardes. J'évitais de la mettre en rogne, car son cœur pouvait lâcher à tout moment. Ça faisait une dizaine d'années qu'on la savait en sursis. Toute sa vie religieuse, elle l'avait passée à s'occuper des pensionnaires, mais depuis quelque temps, elle se contentait d'effectuer de menus travaux. Autour de la table, les autres sœurs lui donnèrent raison et cela déclencha une série de commentaires. J'épluchais ma carotte en silence, pendant qu'une à une elles déballaient leur sac, sans même que j'aie à leur tirer les vers du nez. C'était comme une deuxième nature : mes vieilles amies ne savaient pas tenir leur langue. Et, grâce à leur caquetage, j'ai pu reconstituer l'affaire.

Tout avait commencé le lundi, à l'issue de mon dernier tête-à-tête avec Marie-Madeleine. Je venais à peine de la quitter quand elle s'était rendue à la chapelle pour se confesser. Peu après, elle avait ressenti un malaise et avait obtenu la permission de monter au dortoir sans dîner. On ne l'avait pas aperçue au souper non plus. Dans la soirée, à la demande de la supérieure, Sainte-Victoire était passée la voir. La pauvre avait une forte fièvre et, par précaution, on l'avait conduite à l'infirmerie. Elle paraissait agitée et des sueurs perlaient sur son front. Comme elle se plaignait aussi de douleurs intestinales, on lui avait donné du calomel pour la soulager. Peut-être avait-on un peu forcé la dose ?

Au milieu de la nuit, elle avait fait un cauchemar. Elle hurlait si fort que tout l'étage était demeuré en état d'alerte. Même la grabataire presque sourde qui occupait le lit à l'autre extrémité de l'infirmerie avait sursauté sur sa couche. À partir de là, les opinions se contredisaient. L'Assomption soutenait que Marie-Madeleine ne divaguait pas, qu'elle tenait une conversation tout à fait cohérente avec la défunte Mère de la Nativité, morte six ans plus tôt. Toutes deux parlaient d'une certaine Noémi, probablement une fille tombée qu'elles avaient connue jadis.

« Vous êtes sûre ? » demandai-je, incrédule.

Alors, Sainte-Trinité, qui s'activait aux fourneaux, posa son lourd chaudron en fer sur le poêle et s'invita dans la conversation : elle aussi croyait en la version de l'apparition miraculeuse. Elle avait clairement reconnu la voix de la fondatrice qui cherchait à apaiser Marie-Madeleine, toujours pantelante.

Mère de la Nativité n'en était pas à sa première apparition. Là-dessus, chaque sœur avait son histoire à raconter. L'une l'avait vue, au beau milieu de la nuit, circulant comme une ombre dans le dortoir, une lanterne à la main. Elle s'était arrêtée au pied du lit d'une pénitente très malade pour lui annoncer sa guérison prochaine. Le lendemain, la jeune fille allait mieux. Une autre se souvenait d'un miracle survenu le jour de la mort de la fondatrice. Chargée de l'ensevelir, la religieuse avait remarqué que les plaies infectées sur ses jambes avaient disparu… Pour les religieuses âgées, le surnaturel n'avait rien de surprenant. Chaque fois que l'une d'elles obtenait une faveur sollicitée pendant la prière, le mérite en revenait toujours à Mère de la Nativité. Même moi, qui ne gobe pas ces histoires de revenants, il m'arrivait de lui confier mes causes les plus désespérées.

L'Assomption profita de l'occasion pour nous rabâcher pour la énième fois la chronique de son genou droit miraculeusement guéri :

« Un dimanche, avant la communion, je souffrais le martyre, commença-t-elle en se frottant la jambe. J'ai demandé à Mère de la Nativité de me guérir. Après la messe, je suis retournée me coucher et, en me réveillant, je n'avais plus mal.

— C'est peut-être un miracle, après tout. Mais revenons-en à nos moutons », l'interrompis-je impoliment. J'avais si souvent entendu parler des guérisons de ma marraine que cela ne m'impressionnait plus. « Que s'est-il passé, après ? Marie-Madeleine vous a-t-elle donné les raisons de son départ ? »

Sainte-Victoire vasouilla :

« Marie-Madeleine a dû partir à la fin de l'avant-midi, pendant que nous vaquions à nos occupations. Elle n'aura pas voulu nous déranger. À midi, au réfectoire, mère supérieure nous a informées de son départ. Et nous avons prié pour le succès de sa nouvelle mission. »

Sur le point de perdre patience, je leur posai la seule vraie question : pourquoi avoir expédié Marie-Madeleine aux États-Unis ? En cachette, par-dessus le marché ? Aucune des sœurs ne semblait pressée de m'en fournir la raison. Au contraire, elles se renvoyaient la balle.

« Vous êtes de vrais Ponce Pilate, les bonnes sœurs, lançai-je pour les secouer. Le sort de Marie-Madeleine, vous vous en lavez les mains. »

Ma remarque fit son effet. Sainte-Victoire fronça les sourcils. Le projet de fondation d'une maison pour accueillir les filles-mères de New York était dans l'air depuis longtemps, répliqua-t-elle posément. Le poste avait été promis à sœur Elena, une Irlandaise dont l'anglais était la langue maternelle. Ce choix faisait l'unanimité, mes vieilles amies s'entendaient là-dessus. Elena avait complété son cours de sage-femme et œuvrait à Sainte-Pélagie depuis des années. Mais à la dernière minute, elle avait prévenu la supérieure qu'elle préférait demeurer à Montréal. L'affirmation me semblait d'autant plus farfelue que la règle d'obéissance lui interdisait l'insoumission.

« Vous voulez me faire croire qu'Elena a refusé une promotion ? »

Il y avait trop de zones grises dans leur version des faits. Pourquoi la supérieure aurait-elle choisi Marie-Madeleine, une femme peu préparée à assumer de telles fonctions ? Là encore, Sainte-Victoire me fit poliment remarquer que je parlais à travers mon chapeau. Je n'étais nullement qualifiée pour juger des mérites de l'une ou l'autre candidate. Peut-être ! Mais jamais je n'avais entendu Marie-Madeleine dire un traître mot en anglais. Je continuai de me creuser la cervelle, en quête d'une explication logique.

«Ça ne vous étonne pas, vous, des religieuses, qu'une simple madeleine soit nommée directrice d'un couvent?

— *Primo*, Marie-Madeleine ne dirigera pas l'établissement, mais assistera la directrice américaine de l'œuvre. Elle sera préposée aux livres, comme elle l'était ici. *Secundo*, nous n'avons pas à questionner les décisions de notre bien-aimée supérieure, point, à la ligne», trancha Sainte-Victoire pour couper court à mon interrogatoire.

Je quittai les sœurs peu après, en me promettant de faire parler Elena-la-laissée-pour-compte un jour prochain. Je ne la connaissais guère, mais je trouverais sûrement le moyen de tirer d'elle quelques potins utiles. Je l'imaginais déçue, fâchée même, contre Marie-Madeleine, qui avait obtenu la promotion à sa place.

3

La lectrice

Je me sentais terriblement coupable. Ça ne prenait pas la tête à Papineau pour deviner ce qui s'était passé. Bourrée de remords, parce qu'elle avait commis une indiscrétion en livrant à une orpheline des informations à propos de ses origines, Marie-Madeleine avait voulu soulager sa conscience en se confessant. Sans doute croyait-elle que, lié par le secret de la confession, l'aumônier ne la trahirait pas. Malheureusement pour elle, celui-ci s'était précipité chez la supérieure pour la dénoncer. On avait châtié la coupable de la plus cruelle façon.

Si seulement je n'avais pas harcelé Marie-Madeleine avec mes questions à répétition ! Certes, il était légitime de chercher sa mère, mais fallait-il pour autant tourmenter la seule personne qui pouvait m'aider ? Toujours cette vilaine impatience qui me poussait à précipiter les événements. À cause de mon égoïsme, j'avais perdu un être cher et un travail que j'adorais. J'étais inconsolable.

Marie-Madeleine partie, j'ai commencé à espacer mes visites à Sainte-Pélagie. Les sœurs continuaient à me confier de petites tâches, comme fabriquer des cierges ou tailler des hosties, mais mon métier de copiste me manquait. J'habitais toujours à l'annexe de l'orphelinat, rue Sainte-Catherine, où j'apprenais à lire à une ribambelle d'orphelines plus jeunes que moi. En fait, j'étais la seule grande, les autres filles de mon âge ayant déjà été placées en service. La surveillante, qui en avait plein les bras, appréciait infiniment mon aide. Toutefois, ça ne pouvait plus durer. Il était temps de me prendre en main.

Peu après, à la mi-juin, si j'ai bonne mémoire, j'ai déniché un petit emploi de lectrice. Ç'a été un changement de vie radical. Sans blague, j'avais l'impression d'arriver sur une autre planète. Plus de cornettes, plus de punitions, plus de neuvaines obligatoires.

Ma nouvelle patronne, Madame Odile Lavigne, habitait rue Notre-Dame, à petite distance du marché Bonsecours. Je me déplaçais à pied, car je n'avais pas les moyens de prendre l'omnibus. Elle occupait le premier étage d'un édifice en pierre qui en comptait deux. Chez elle, les persiennes restaient ouvertes en permanence. Au rez-de-chaussée, le propriétaire, Alphonse Cléroux, un marchand de fourrures bien en vue dans le faubourg, tenait boutique. Il avait installé son atelier de confection sur le devant, tandis que sa cuisine s'ouvrait sur un minuscule jardin ombragé, à l'arrière. Son voisin de gauche, un dénommé Quesnel, était marchand de tabac et celui de droite tenait la *laundry*.

La veuve Lavigne était entrée dans ma vie par le plus heureux des hasards. Trois fois déjà, la directrice de l'annexe m'avait prévenue que je devais songer à voler de mes propres ailes. Façon de parler car, quand une orpheline était renvoyée, elle sautait dans l'inconnu, avec pour unique bagage un modeste baluchon contenant des bas, deux tabliers et une jupe de rechange. La plupart des filles avec qui j'avais grandi s'étaient retrouvées du jour au lendemain à la manufacture de chaussures ou dans l'un des ateliers de couture de la rue Saint-Laurent. Les autres avaient été engagées comme servantes chez des bourgeois de l'ouest de la ville.

J'anticipais ce saut dans le vide que j'appréhendais tout à la fois. Je serais enfin libre – et pour toujours –, après ces longues années passées dans un orphelinat aux murs désespérément gris. Finies les cloches qui vous cassent les oreilles à toute heure du jour : debout ! assis ! à genoux !... Terminée la vie de régiment :

lever à l'heure des poules, débarbouillage du museau dans un bassin d'eau glacée, bol de soupane collante, prière, prière, prière... Oubliées, les sempiternelles mises en garde contre les péchés mortels qui guettent les petits enfants du bon Dieu. Plus jamais de Magnificat à la gloire du Seigneur pour lui rendre grâce de m'avoir fait naître dans le giron de son Église. Encore un peu et il aurait fallu le remercier de m'avoir privée d'un papa et d'une maman !

Sous leur carapace, les orphelins sont fatalistes, voire résignés, sans doute à cause de l'illégitimité de leur naissance. Mon tempérament combatif détonnait. Coûte que coûte, je voulais sortir de la misère. Très tôt, j'ai développé un penchant pour la lecture, comme si je savais d'instinct que l'éducation ouvrait toutes les portes. Missel, livre de prières, vie des saints... Je lisais tout ce qui me tombait sous la main. Absolument tout. Avec avidité. Je me demande parfois ce que je serais devenue si je n'avais pas appris à lire et à écrire. Ce don que j'ai développé grâce aux bonnes sœurs m'a sauvée ni plus ni moins.

Je bénis ce jour de juin 1870, un mardi suffocant. Odile Lavigne avait eu la bonne idée de frapper à la porte de l'annexe de l'orphelinat. Veuve depuis une dizaine d'années, cette dame souffrait d'une forme virulente de diabète. Sa vue avait baissé dramatiquement depuis quelque temps, conséquence de son incurable maladie. Comme elle adorait lire, elle recherchait une orpheline capable de lui faire un brin de lecture deux après-midi par semaine, moyennant rétribution, naturellement. Elle s'engageait à ne lui mettre entre les mains que des ouvrages pieux.

« Nous avons exactement la jeune fille qui vous convient », s'était exclamée la directrice, trop contente de pouvoir me caser chez une personne jouissant d'une excellente réputation. Notre Rose fera l'affaire. »

Le lendemain, les saints évangiles sous le bras, j'ai sonné chez Madame Lavigne. Je me sentais un peu craintive, mais je m'efforçais de n'en rien laisser paraître. La veuve m'a gentiment invitée à retirer la mante à capuchon que la couturière de l'orphelinat m'avait confectionnée à la hâte dans un vieux manteau d'homme. De sa main potelée, elle prit le livre pieux que je tenais à la main et le déposa sur la console à l'entrée.

« Celui-là, mademoiselle, nous ne l'abîmerons pas. Vous le reprendrez en partant. »

Elle m'entraîna dans son boudoir, une pièce remplie d'objets lui rappelant le passé, qu'elle appelait son bric-à-brac. J'apprendrais plus tard l'histoire du beau jeune homme sur le daguerréotype au milieu du manteau de cheminée, l'origine du châle jeté négligemment sur la causeuse, le secret du vase d'albâtre d'Italie posé sur la table.

Je suis tout bonnement tombée à la renverse devant les rayonnages remplis de livres reliés de cuir souple à tranche dorée. J'eus un moment de panique en réalisant qu'ils étaient dans la langue de Shakespeare. Un legs du défunt mari de Madame Odile qui lisait l'anglais comme un Américain. Après son exil forcé au Vermont, dans les mois ayant suivi la Rébellion de 1837, il avait fréquemment voyagé aux États-Unis où il s'était procuré la plupart des titres qui lui faisaient envie, sans craindre la censure de Monseigneur Bourget. Il possédait tout Shakespeare et presque tout Swift. Madame Odile s'empressa de me rassurer. Elle ne comprenait pas plus que moi la langue de nos voisins du sud. Aussi, pour ses propres lectures, elle s'approvisionnait plutôt à la bibliothèque paroissiale. Il lui en coûtait cinq chelins par année, ce qu'elle considérait comme une aubaine, compte tenu de sa consommation boulimique de livres. Elle me tendit un ouvrage recouvert d'un feutre vert déposé sur une petite table à côté de son fauteuil :

« Nous allons commencer par celui-ci. »

C'était *Le Comte de Monte-Cristo*, écrit par Alexandre Dumas, un auteur français apparemment célèbre, mais que je ne connaissais ni d'Ève ni d'Adam. En parcourant ce roman – mon premier ! –, j'eus une pensée pour les bonnes sœurs.

Elles auraient fait une syncope si elles m'avaient vue en train de lire à haute voix l'histoire d'un homme emprisonné injustement dans une forteresse, où il ruminait une redoutable vengeance contre le vrai coupable du délit pour lequel il avait été condamné. Il eût mieux valu qu'il tende l'autre joue, comme le préconisait l'Évangile. Franchement, ce livre n'était pas mauvais, loin s'en fallait, mais dans la province de Québec, toutes les importations étrangères étaient jugées contraires aux bonnes mœurs.

Les premiers temps, j'avais rendez-vous chez Madame Lavigne les mardis et les jeudis après-midi. Comme elle appréciait ma lecture, elle réclama bientôt ma présence trois, puis quatre fois par semaine. Mes gages n'augmentèrent pas au même rythme, bien entendu, mais puisque je ne payais qu'une modeste pension à l'annexe de l'orphelinat, je ne m'en souciais guère. Parfois, l'amie de ma patronne, Madame Éléonore Davignon, et quelques distinguées dames du faubourg se joignaient à nous. Il m'arrivait de lire devant cinq ou six d'entre elles. La séance commençait à deux heures pour se terminer avant quatre heures. Lorsque l'intrigue rebondissait, elles me demandaient de poursuivre pendant trente ou quarante minutes encore. La veuve me présentait comme sa lectrice, ce qui, ma foi, me plaisait assez. Après la lecture, nous prenions le thé, que je servais accompagné d'un plateau de petits gâteaux.

Ce n'était pas si mal. Après avoir été copiste, j'étais devenue lectrice.

Une fois le Dumas lu d'un couvert à l'autre, nous avons attaqué un George Sand – ce George est une femme, malgré son prénom masculin. Ensuite, j'ai commencé *Madame Bovary*, un roman qui figurait en tête de liste des ouvrages défendus par notre évêque. À ce moment-là, j'ai trouvé curieux que des livres à l'Index se retrouvent dans la maison d'une dame à qui l'on aurait pu donner le bon Dieu sans confession. Des romans dans lesquels déambulaient des amants sans morale ou des assassins qui s'en tiraient blancs comme neige. Allez comprendre ! Jamais la veuve ne me demandait de l'accompagner à la bibliothèque paroissiale pour y choisir nos lectures, elle qui pourtant se déplaçait difficilement sans aide. Comment, diable ! se procurait-elle ces ouvrages dont je ne voyais jamais la couverture, puisqu'ils m'étaient présentés sous une liseuse en cuir, soi-disant pour les protéger.

Il m'a fallu deux semaines pour découvrir le pot aux roses. Nous poursuivions la lecture de *Madame Bovary* de Gustave Flaubert. Cette Emma, une dame mal mariée, s'ennuyait à mourir dans sa maison provinciale. Alors, elle a pris un amant qu'elle voyait en cachette, les jeudis. Ils s'embrassaient et tout le reste dans un grand lit d'acajou en forme de nacelle. Après, ils buvaient du vin de champagne en roucoulant. Heureusement, ce jour-là, j'étais seule avec Madame Odile, sinon, cela m'aurait gênée de lire à haute voix. Ma patronne aussi paraissait embarrassée. Sans doute se demandait-elle si ce livre convenait vraiment à une jeune fille élevée chez les sœurs ?

Je profitai de son absence – elle était partie se soulager – pour faire glisser le couvre-livre. Et alors, j'ai vu de mes yeux qu'il appartenait à la Bibliothèque de l'Institut canadien. Sur le coup, j'ai eu un choc, car Monseigneur Bourget jugeait les ouvrages de cette salle de lecture contraires aux bonnes mœurs. Nul doute, je lisais des romans que Sa Grandeur condamnait avec véhémence.

Mon petit doigt me disait que Monsieur Alphonse n'était pas au-dessus de tout soupçon. Non seulement le propriétaire de Madame Odile déblatérait fichument contre les épîtres de l'évêque, mais en plus il possédait une carte de membre de l'Institut canadien. Je l'avais vue tomber de sa poche.

Les scrupules ont commencé à me tarauder. En lisant les mauvais ouvrages qu'il faisait entrer dans la maison, étais-je sa complice ? J'en vins même à me demander si j'étais en état de péché mortel. J'habitais encore chez les sœurs, à ce moment-là, et mon jugement s'embrouillait facilement.

Je jonglais avec la pensée désagréable d'avoir à me confesser du plaisir que je retirais de cette activité illicite, quand la servante de Madame Odile, la vieille Laura, se fractura la hanche en chutant dans l'escalier. Il fallut la conduire à l'hospice des Sœurs de la Providence qui s'occupaient des femmes âgées et démunies. Ma patronne aurait bien aimé garder sa fidèle domestique à la maison, en reconnaissance de vingt ans de loyaux services. Mais comme elle-même était assez mal en point, Monsieur Alphonse l'a convaincue de confier sa bonne aux religieuses de la défunte mère Gamelin.

Si j'en parle, c'est que, peu après l'admission de Laura à l'hospice, deux ou trois filles vinrent offrir leurs services à Madame Odile, qui n'en retint aucune. Un après-midi, elle me demanda de rester après notre séance de lecture. Avant de me parler de choses sérieuses, elle tenait à ce que je goûte à sa tarte aux pommes. « Vous m'en donnerez des nouvelles ! » Elle s'en servit une pointe, même si les sucreries étaient bannies de son alimentation à cause du diabète. Je l'entends encore me dire, un sourire coupable aux lèvres : « Je me paie la traite, une fois n'est pas coutume… » Tandis que j'avalais ma dernière bouchée, elle me demanda si je voulais vivre avec elle, dans son logis. J'occuperais la chambre de Laura et je serais logée et nourrie.

Sur le coup, j'ai pensé : elle veut m'engager comme servante pour remplacer Laura. J'étais folle de joie à l'idée de décrocher une place chez une personne aussi avenante. Ça ne pouvait pas mieux tomber, car les sœurs m'avaient posé un dernier ultimatum : je devais entrer en religion ou faire de l'air. C'était aussi tranché que ça. Le règlement leur interdisait de me garder plus longtemps. Elles avaient fermé les yeux jusqu'ici, au risque de contrarier Sa Grandeur. Je crois qu'elles avaient perdu espoir de me voir prendre le voile.

Les choses se précipitaient pour moi et j'allais saisir comme une formidable chance la proposition de la veuve. Je n'avais pas sitôt ouvert la bouche pour la remercier qu'elle m'arrêta :

« Comprenez-moi bien, Rose, vous n'aurez pas de gros ouvrages à faire chez moi. Alphonse a trouvé une bonne grosse fille pour les planchers et les châssis doubles. Pour la cuisine, je peux encore me débrouiller. Non, ce que je souhaite, c'est une demoiselle de compagnie. Naturellement, il vous faudra parfois faire les courses seule, mes vieilles jambes ne me permettent pas toujours de marcher longtemps. Vous devrez aussi laver les draps, mais, en échange, je vous apprendrai la couture. Et vous pourrez continuer vos visites à Sainte-Pélagie. Vos avant-midi sont à vous. Moi, j'ai atteint l'âge respectable où l'on fait la grasse matinée. Si vous êtes d'accord, nous discuterons de vos gages. Je ne suis pas riche, mais je sais reconnaître la valeur du travail. »

Demoiselle de compagnie. L'idée me plaisait. Et elle me paierait pour lire ? Toute une aubaine !

Mes adieux aux sœurs furent néanmoins tristes. Elles m'avaient toujours traitée avec bonté. Ce n'était pas leur faute si je ne voulais pas me faire nonne. Malgré leurs prières, je n'avais pas entendu l'appel du Très-Haut.

« Allons, les bonnes sœurs, vous n'allez pas brailler sur mon sort ? Que je n'en voie pas une s'inquiéter de mon salut ! »

La main sur le cœur, je m'engageai à ne jamais sauter mes prières. Et je promis de leur rendre visite souvent.

Le dernier jour, le propriétaire de Madame Odile m'attendait à la porte de l'annexe dans sa voiture couverte. Monsieur Alphonse pensait probablement que j'avais une grosse malle. Il s'était déplacé bien inutilement, tout mon petit bagage tenait dans un mouchoir. Il ne me restait plus qu'une jupe, car j'avais encore grandi, deux tabliers, deux paires de bas et ma vieille pèlerine. J'emportais aussi ma mante à capuchon.

Chez la veuve, ma chambre donnait sur la rue Notre-Dame. C'était un peu bruyant à l'aurore, quand la ville recommençait à bourdonner. Certains jours de l'été, les hennissements des chevaux auraient pu réveiller une marmotte. Ma nouvelle patronne avait tout remis à neuf après le départ de la vieille Laura.

En un tour de main, elle avait confectionné des rideaux en mousseline vert pomme et un couvre-pied fleuri dans les mêmes tons. C'était adorable et ça faisait jeune. Couturière de métier, Madame Odile avait longtemps tenu une boutique de modiste et de lingère au 381 de la rue Notre-Dame, coin Saint-Jean, avant d'avoir son propre atelier de couture, rue Saint-Amable. Elle y habillait les Montréalaises de la belle société. Lors de la venue du prince Édouard, pour l'inauguration du pont Victoria, en 1860, elle se rappelait avoir cousu huit toilettes de modèles différents, dont celles de Madame Hortense Cartier, l'épouse du premier ministre, et de ses deux filles.

Je ne suis pas près d'oublier ma première nuit loin du dortoir de l'orphelinat. Autant l'avouer, cette chambre rien qu'à moi m'intimidait. J'ai commencé par ranger mes modestes effets dans la commode surmontée d'un miroir, un meuble assez ancien mais en parfait état. J'ai délacé mes bottines et retiré mes bas, puis mes jarretières. Ensuite, j'ai enlevé ma jupe, que j'ai laissée tomber sur la chaise droite à côté du lit, et je me suis glissée entre les draps frais. Jamais je n'avais connu un lit aussi douillet, ni posé ma tête sur un oreiller en plumes d'oie ! Une fois éteinte la bougie placée sur une petite table de nuit, je suis restée long-temps immobile, incapable de fixer mon regard sur un meuble ou un bibelot et trop excitée pour fermer l'œil. Au bout d'un moment, je me suis levée et, pieds nus, j'ai arpenté la pièce de la porte à la fenêtre en me répétant comme pour m'en convaincre : c'est ma fenêtre, ma chambre, mon lit ! Je rêvais sûrement. Je tombais de sommeil et, pourtant, je résistais, de peur de me réveiller pauvre orpheline seule au monde. Tout doucement, au bout d'une heure, je me suis assoupie. Au matin, la lumière inondait la pièce. Rien n'avait bougé. J'avais bel et bien un chez-moi.

À l'orphelinat, je caressais des rêves minables : dénicher une paire de gants chauds avant l'hiver, manger à ma faim, obtenir la permission d'aller me promener dans la rue Saint-Paul avec mon inséparable amie Honorine. Maintenant, je me sentais comme les jeunes filles de bonne famille qui brodent ou lisent des romans à l'eau de rose, en attendant le prince charmant. Mamie Odile, comme je l'appelais désormais, se souciait en effet de mon avenir. Je n'aurais pas été étonnée d'apprendre qu'elle dressait, à mon insu, des plans pour mon futur mariage. À peine quelques semaines après mon installation chez elle, j'avais déjà un début de trousseau. Elle m'apprenait à coudre et à broder.

« Plus tard, quand je serai dans l'autre monde, me serinait-elle en m'enseignant comment tailler un vêtement, vous pourrez gagner votre vie dans la couture. Moi, ce métier m'a sauvée de la déchéance. »

Ça m'ennuyait de l'entendre évoquer sa fin prochaine, car je m'étais attachée à elle rapidement. C'était comme si, après m'avoir offert une existence de rêve sur un plateau d'argent, elle me menaçait de me l'enlever sans crier gare. Le diabète, je le savais, était une terrible maladie et le bon Dieu vient nous chercher comme un voleur. Le docteur Masson n'avait pas caché à Madame Odile le sérieux de son état. Depuis, elle refusait de le revoir. Elle traitait le diabète comme un ennemi sournois, qui finirait par avoir sa peau. Elle aurait dû faire davantage attention à ce qu'elle mangeait. Quand elle trichait, je la grondais. Ça lui faisait du bien de voir que je voulais la garder longtemps.

Au début, nous faisions les courses ensemble. Elle s'appuyait à mon bras et s'aidait de sa canne. Nous avancions à petits pas. Ensuite, quand ses jambes ont cessé de la supporter, Monsieur Alphonse lui a déniché un fauteuil monté sur roues que je poussais sur les trottoirs. Mon plus grand plaisir, c'était d'arrêter chez le marchand de tissus à la verge. On y vendait des coupons à bon marché. Du drap, des flanelles, des satins, des tartans, du Vichy…

Petit à petit, ma patronne a cessé de m'accompagner, à cause de l'escalier qui lui demandait trop d'efforts.

J'étais triste de la voir infirme, mais ça ne m'embêtait pas d'aller seule au marché Bonsecours. J'ai rapidement pris goût à ce rituel qui me procurait des sensations jusque-là inconnues. Pour la plupart des gens, cela devient banal d'observer les volailles en cage, de se tasser pour laisser passer le vendeur d'eau itinérant qui se faufile dans la cohue avec son attelage ou de goûter au beurre, au sirop d'érable ou à la crème que vous proposent les fermiers. Moi, la néophyte, je n'avais pas assez de mes deux yeux pour tout voir. J'aimais le spectacle des ménagères affairées qui palpaient la viande avant de la marchander. Et celui, coloré, des montagnes de pommes rouges et juteuses qui n'attendaient qu'à être croquées.

Les mardis et les vendredis matin, je partais de bonne heure car je voulais arriver à temps pour voir décharger la marchandise. C'est le secret, si l'on veut trouver des légumes frais et choisir les pièces de bœuf les plus tendres. Je lançais un « bien le bonjour ! » par-ci et un « comment allez-vous aujourd'hui ? » par-là. Les cultivateurs qui vendent leurs produits en ville sont engageants. La casquette vissée sur le derrière de la tête, les plus jeunes me reluquaient comme s'ils cherchaient une fille à marier. Au début, je ne me doutais pas de l'effet que je leur faisais et je pensais, pauvre idiote ! qu'ils se moquaient de moi, parce que j'étais mal attifée. J'étais dans les patates. Lorsque j'ai enfin compris ce qu'ils fricotaient dans mon dos, j'évitais de m'attarder dans les allées, surtout celles où les bouchers étalaient leurs carcasses de veau et de mouton. L'un d'eux, rougeaud et ventru, débitait sa viande sur sa table de bois épais en me dévisageant de manière impertinente. Parfois, il lâchait des gaillardises.

En revanche, je ralentissais devant l'étal du vendeur de légumes qui criait à tue-tête « blé d'Inde, blé d'Inde » en agitant sa clochette. Lorsque j'arrivais à sa hauteur, il exhibait pour moi ses épis de maïs fraîchement cuits et placés dans le couvercle d'un chaudron de fer. Alors, il en piquait un avec sa fourchette et me le tendait en disant : « Pour la p'tite demoiselle, c'est gratuit. » Je n'en revenais pas qu'un étranger m'offre un présent sans rien attendre en retour. Je rougissais, bien entendu, mais j'acceptais volontiers, car derrière lui, je voyais qu'il y avait des douzaines d'épis entassés dans des poches de jute. Parfois, je lui en achetais, mais seulement six, c'était suffisant pour nos besoins.

Vers midi, au plus fort du marché, c'était noir de monde et on se pilait sur les pieds. Malgré le chahut, plusieurs cultivateurs faisaient la sieste sur leurs sacs de céréales. Je terminais mes courses au comptoir des œufs. Je les payais un chelin la douzaine. Il fallait me montrer très attentive aux prix. Quand on me demandait plus d'un chelin et six pennies pour une livre de beurre frais ou six pennies pour une tresse d'oignons, je flairais le profiteur et je disais merci, bonjour.

Sur le chemin du retour, il m'arrivait d'espérer croiser, par un hasard providentiel, une dame dont je serais la réplique vivante. Encore belle, elle porterait ses cheveux châtain clair remontés en chignon. Sa peau couleur de pêche et sa taille fine me la rendraient plus familière encore. Ma mère ! J'étais sûre de la reconnaître entre mille. Je me demandais si j'oserais l'aborder dans la rue sans autre présentation. Difficile à dire. D'ailleurs, cela ne s'est jamais produit.

～

Les samedis, Monsieur Alphonse montait souper avec nous. Il apportait un énorme chaudron de bœuf mitonné par sa cuisinière.

« Aurore sait que j'ai une faim d'ogre, alors elle a préparé à manger pour une armée, lançait-il en déposant sa casserole au milieu de la table. Allez, régalez-vous, mes belles dames. Et pas de gaspillage ! Dans ma maison, rien ne se perd. »

Monsieur Alphonse était un grand échalas qui rivalisait avec n'importe quel beau parleur pour le bagout. Il avait la tête lisse et de longs doigts noueux, signe visible de douleur arthritique dont il ne se plaignait jamais. Son physique efflanqué tranchait avec sa voix caverneuse qu'on aurait dite sortie tout droit d'une gorge puissante et d'un poitrail volumineux.

Ses visites illuminaient les jours de Madame Odile. Jamais il ne se présentait à table sans son jabot de dentelle sous sa redingote brune. Si notre hôtesse se levait pendant le repas, il s'empressait de tirer sa chaise et attendait qu'elle soit de retour avant de se rasseoir. Pour l'anniversaire de sa chère amie, il lui avait offert des estampes représentant la vieille Europe qu'elle ne verrait jamais. Cela lui avait fait un immense plaisir, étant donné sa tristesse de n'avoir pas traversé l'Atlantique, quand elle en avait les moyens et alors qu'elle ne vacillait pas encore sur ses jambes.

Ce samedi-là, c'était à la mi-août, je pense, nous avons joué au whist après le repas, comme à l'accoutumée. Monsieur Alphonse se choqua noir parce qu'il perdait. Nous raillions gentiment ses maladresses, mamie Odile et moi, ce qui le mit en rogne. Il prétendit, faussement d'ailleurs, que nous trichions dès qu'il avait le dos tourné. En réalité, il s'était laissé distraire par la politique. Tout au long de la partie, il nous avait cassé les oreilles avec les prochaines élections. Odile était bleue et Alphonse, rouge. Rien n'aiguillonnait ce dernier comme d'asticoter sa locataire à propos des rumeurs de corruption qui flottaient autour du tandem conservateur Macdonald/Cartier et qu'Odile avait de plus en plus de mal à défendre.

Quand elle fut à court d'arguments, elle lui rabattit le caquet avec la bulle d'excommunication lancée par Monseigneur Bourget contre les membres de l'Institut canadien dont il faisait partie. À Rome, l'évêque avait tout mis en œuvre pour convaincre le tribunal de la Congrégation de l'Inquisition que les libres-penseurs de l'Institut méritaient d'être bannis de l'Église car, plutôt que de cultiver leur esprit par des lectures saines, ils fréquentaient les livres obscènes. Naturellement, Monsieur Alphonse répliqua en fustigeant les curés, sa marotte. La conversation aurait facilement pu dégénérer en dispute, mais Madame Odile se savait vulnérable. En tant que lectrice de tous ces formidables livres à l'Index, elle eût été mal avisée de blâmer trop vigoureusement son ami Alphonse.

De mon côté, je demeurai silencieuse tout le temps que dura le plaidoyer de Monsieur Alphonse en faveur de la tolérance. Ses arguments avaient plein de sens, mais l'ardeur qu'il mettait à vouloir me convaincre provoquait chez moi un profond malaise. Mon éducation religieuse n'appréciait pas ses opinions anticléricales tranchées ni ses attaques en règle contre le clergé. J'aimais cent fois mieux lorsqu'il nous racontait une page de l'histoire du pays, sa deuxième passion après la politique.

La discussion bifurqua ensuite sur l'affaire Guibord, une histoire somme toute banale qui ne méritait pas de déchaîner les passions. Rien ne prédestinait le typographe Joseph Guibord, un bon chrétien, à se voir refuser la sépulture catholique à sa mort. C'est pourtant le sort que lui avait réservé Monseigneur Bourget. Pourquoi ? Parce que, comme tous les membres de l'Institut canadien, il avait été excommunié. Lorsque sa femme et ses amis s'étaient présentés au cimetière Notre-Dame-des-Neiges avec ses restes, ils s'étaient heurtés aux grilles verrouillées sur ordre de la fabrique. Le gardien n'avait rien trouvé de mieux que de suggérer à la famille d'enterrer le défunt dans la section des criminels. Monsieur Alphonse, qui accompagnait la dépouille, n'en avait pas cru ses oreilles. Jamais il n'aurait pu imaginer un tel acharnement de la part de l'Église. Madame Odile n'était pas loin de lui donner raison. Cependant, elle trouvait indécent de poursuivre la fabrique. En agissant ainsi, la veuve Guibord jetait de l'huile sur le feu, pensait-elle. Il eût mieux valu chercher un terrain d'entente dans l'harmonie.

À dix heures pile, voyant que son soupirant – c'est ainsi que Madame Odile désignait Alphonse – ne songeait nullement à tirer sa révérence, la veuve le mit à la porte.

«Vous reviendrez la semaine prochaine, mon cher, lui dit-elle. La petite se lève tôt demain, elle va aider les vieilles sœurs à tailler les hosties. Elle a besoin d'une bonne nuit de sommeil.

— Je comprends donc! Ça doit être éreintant sans bon sens», ironisa Monsieur Alphonse en me jetant une œillade.

Avant de refermer la porte, il demanda malicieusement à Madame Odile s'il devait passer à la bibliothèque de l'Institut canadien pour lui prendre un livre. À moins qu'elle ne refusât dorénavant de s'approvisionner chez des excommuniés? Auquel cas, elle n'avait qu'à se présenter elle-même au Cabinet de lecture des Sulpiciens, Petite rue Saint-Jacques. Lui, il ne pouvait pas y mettre les pieds, car il était *persona non grata* chez les curés.

~

J'adorais ma nouvelle vie. L'été filait, exceptionnellement chaud. Madame Odile supportait mal cette touffeur et sortait peu. Un après-midi particulièrement lourd et orageux, elle eut la surprise de recevoir la visite d'une de ses anciennes clientes, Mrs Charlotte Hatfield. Celle-ci portait une robe en taffetas gris un peu trop serrée à la taille et voulait savoir si son ex-couturière pouvait reprendre les coutures. Elle se désolait d'avoir pris quelques livres, sans toutefois les attribuer à des abus alimentaires mais plutôt à son âge canonique.

Madame Odile jugea la toilette un peu démodée, mais l'examina tout de même. Malheureusement, il eût été bien difficile de la retoucher sans ajouter une bande de tissu, ce qui en aurait altéré le style. Mrs Hatfield ne cacha pas sa déception : elle espérait prolonger la vie de cette robe si pratique en toute occasion. Je m'étais retirée à la cuisine pour préparer le thé, mais je pouvais suivre la conversation. Mrs Hatfield s'exprimait en français, avec un accent assez prononcé.

Lorsque je les rejoignis avec l'assiette de beignets aux pommes, Madame Odile me présenta comme sa demoiselle de compagnie.

Cela sembla impressionner Mrs Hatfield, qui voulut savoir quel genre de services je pouvais rendre. Elle me demanda si je parlais l'anglais et parut déçue d'apprendre que je ne maîtrisais pas sa langue maternelle. Pendant sa courte visite, elle manifesta à plusieurs reprises son intérêt pour ma personne. Chaque fois que je levais les yeux, je croisais son regard. Elle alla jusqu'à suggérer à Odile de la prévenir si jamais elle voulait se séparer de moi. Il ne lui déplairait pas de m'engager pour lui tenir compagnie dans ses voyages autour du monde. Elle me trouva l'air distingué et remarqua mes excellentes manières. La présence d'une jeune femme comme moi égaierait sa vie monotone.

Je l'ignorais alors, mais Mrs Hatfield allait jouer un rôle crucial dans ma vie.

4

Montréal brûle

L'affaire Guibord avait beau passionner le tout-Montréal, le mystère entourant les événements de juillet 1852 m'occupait bien davantage. Depuis le départ de Marie-Madeleine, ma recherche sur mes origines avançaient à pas de tortue. J'étais coupée de ma source d'information la plus précieuse. Le temps passait et j'étais toujours sans nouvelles d'elle. Je n'avais pas osé lui écrire, mais j'espérais un mot d'elle qui n'est jamais venu.

Elena, la madeleine pressentie, puis écartée du poste de préposée aux livres, à la maternité de New York, me rembarra sans ménagement. Je n'ai pas réussi à tirer d'elle un seul renseignement utile. Cela m'embêta diablement. Convaincue que je n'étais pas étrangère au départ subit de Marie-Madeleine, départ qui avait toutes les apparences d'un congédiement déguisé, je me torturais les méninges. Quel lien y avait-il entre ses confidences et le malaise qu'elle avait ressenti après notre dernière conversation? Peut-être en savait-elle plus long sur l'identité de ma mère qu'elle ne l'avait laissé voir.

Quand j'allais fureter aux cuisines de Sainte-Pélagie, les sœurs me voyaient venir avec mes gros sabots. Il n'y avait plus moyen d'obtenir la moindre information. À croire qu'elles avaient promis à la supérieure de ne rien répéter de ce qui s'était passé entre les murs de la maternité, dix-huit ans plus tôt. Comme de raison, Sainte-Victoire-la-bavasseuse veillait au grain.

Le cahier de Marie-Madeleine que j'avais volé dans son bureau le dernier jour m'avait cependant réservé toute une surprise. Il y était question de Mary Steamboat, l'Irlandaise au visage tacheté de son, qui avait disparu le lendemain même de la mort de Noémi.

D'après les notes de Marie-Madeleine, Mary s'était évanouie dans la nature le huit juillet 1852. Ce jour-là, il y avait, à Sainte-Pélagie, pas moins de sept filles tombées, plusieurs encore grosses, d'autres fraîchement accouchées. Le matin, à dix heures, toutes les cloches de la ville avaient carillonné en chœur. Sur le coup, personne n'y avait accordé d'importance. Mais les sœurs avaient bientôt réalisé qu'il s'agissait d'un signal d'alarme avertissant la population d'un grave danger. En effet, un feu avait pris naissance dans la cheminée d'une forge, rue Saint-Laurent, près de la rue Sainte-Catherine. Rapidement, l'incendie s'était propagé à un grenier à foin voisin. Le vent s'était mis de la partie et ce qui avait commencé comme un incident isolé s'était transformé en un gigantesque brasier ravageant le faubourg Saint-Laurent.

Les maisons de bois, en particulier celles de la rue Saint-Denis, avaient flambé comme du papier. Au nord, le feu s'était propagé jusqu'à la Côte-à-Baron, après avoir dévoré l'évêché et l'église Saint-Jacques. En quelques minutes, la belle cathédrale de notre évêque et son palais épiscopal orné de colonnes ioniques, achevé à peine quatre mois plus tôt, avaient été réduits en cendres. Seuls la résidence des vieux prêtres, l'Asile de la Providence pour les femmes séniles et la Maternité de Sainte-Pélagie avaient échappé par miracle aux flammes. Toute la journée, les cloches avaient continué de déferler sur la ville. De grands coups lugubres qui avaient ajouté à l'angoisse des sœurs.

Dans son cahier, Marie-Madeleine reconstituait le drame, d'après les impressions recueillies auprès des sœurs qui en avaient été les témoins. Nul doute, elles l'avaient échappé belle. Son récit me tenait en haleine :

Pendant qu'une flamme intense poussée par un vent violent engloutissait avec fracas les maisons du voisinage et que des brandons ardents retombaient sur notre toit ou dans notre jardin, avait écrit

Marie-Madeleine, qui aimait ménager des effets dramatiques, ici et là, *les sœurs sortirent en toute hâte leur modeste ameublement qu'un voiturier ami transporta à l'autre bout de la ville. Elles peinèrent comme des mercenaires pour se garantir du feu qui les menaçait par l'arrière. Jusqu'à épuisement, elles se passèrent de main à main les seaux d'eau. Une fois leurs livres et une partie de leurs effets déposés en lieu sûr, elles enterrèrent leurs chaudrons, ustensiles et vaisselle au fond de la cour.*

Vers huit heures du soir, alors que tout semblait être rentré dans l'ordre, même si les ruines n'étaient pas encore refroidies, des colonnes de fumée s'élevèrent dans le ciel. Un second incendie venait d'éclater dans une écurie derrière le nouveau Théâtre Royal-Hays. Les belles résidences de la place Dalhousie flambèrent à leur tour. Le feu embrasa tout le faubourg Québec, de Water Street à De la Gauchetière.

Les flammes progressaient rapidement, malgré les efforts courageux des sauveteurs. Voyant les charbons enflammés qui pleuvaient, nos sœurs affolées jugèrent plus prudent de conduire leurs pensionnaires au refuge pour les filles exposées à se perdre, situé plus à l'est, rue Panet, là où le danger n'était pas imminent. Elles y passèrent la nuit. L'élément destructeur ne fut maîtrisé qu'à l'aube.

Lorsque, le lendemain midi, nos sœurs et les filles réintégrèrent Sainte-Pélagie, soulagées de revoir leur maison qu'elles pensaient perdue à tout jamais, elles s'aperçurent qu'une pensionnaire manquait à l'appel. On la chercha toute la journée dans les abris et sous les décombres. En vain, hélas! Il fallut se rendre à l'évidence : Mary Steamboat faisait partie de la cohorte des victimes dont les corps ne seraient jamais retrouvés.

Les dernières phrases de Marie-Madeleine me firent l'effet d'un coup de poignard. Comme si ma mère venait de mourir sous mes yeux.

≈

Ici s'arrêtaient les notes de Marie-Madeleine. J'ai recopié jusqu'au dernier mot, croyant contre tout bon sens qu'ainsi reproduites dans le cahier que je m'étais procuré à cet effet, ces notes me livreraient leur secret. Il n'en fut rien, même si de nouvelles pistes s'offraient à moi.

J'étais franchement embêtée. Mon petit doigt me disait qu'à dix-huit ans, on ne disparaît pas mystérieusement d'une grande ville comme Montréal, même lorsque le chaos y règne. Qu'était-il réellement advenu de Mary Steamboat?

Cela peut sembler farfelu, mais pour en savoir plus, j'ai questionné sœur Sainte-Marie-de-l'Assomption. Incapable de se rappeler si elle avait communié la veille et à quand remontait sa dernière confession, ma vieille amie conservait des images précises du lointain passé. Cela n'avait rien d'anormal; chez les gens âgés, la mémoire immédiate se perd, tandis que la mémoire lointaine s'imprime.

Nous étions seules à l'infirmerie, elle et moi. L'Assomption soignait un vilain rhume et la supérieure lui avait ordonné de garder le lit. Je dus promettre de ne pas fatiguer la malade avec mes sempiternelles questions. Les sœurs avaient fini par admettre que rien ne me découragerait dans mes recherches. Quelques-unes consentaient même à m'aider.

Surprise, mais contente de ma visite, et nullement réfractaire à l'idée de parler de l'incendie, malgré la consigne, L'Assomption s'est d'abord étendue sur les desseins impénétrables du Très-Haut qui avait frappé Montréal le jour même où le réservoir de l'aqueduc de la Côte-à-Baron était à sec. Imaginez! Les employés de la ville avaient eu la brillante idée de procéder à son nettoyage au beau milieu de la canicule. Sans eau, il avait été à peu près impossible de circonscrire les flammes qui bondissaient à une vitesse folle.

«Ce jour-là, si j'ai bonne souvenance, des milliers de personnes se sont retrouvées sans toit, commença-t-elle en haussant les sourcils, comme si elle n'en revenait toujours pas. Des vieillards et des enfants jetés pêle-mêle à la rue. Une désolation!»

Cela, je le savais déjà. Je n'ignorais pas non plus que, pendant des semaines, les braves gens qui avaient perdu leurs biens avaient campé à la ferme Logan et dans des tentes plantées au Champ de Mars. Plusieurs avaient même été forcés de mendier pour pouvoir se procurer du pain.

«Allez comprendre pourquoi le bon Dieu l'a voulu ainsi! soupira la vieille sœur. J'ai pour mon dire que c'est une punition du Ciel. Rarement la colère divine s'est manifestée avec autant de virulence.»

Si le Seigneur avait épargné la maternité, affirma-t-elle, c'est parce qu'Il avait eu pitié des filles repenties. Après une pause qu'elle s'accorda en joignant les mains, elle ajouta :

«En face de chez nous, la maison de débauche a été complètement détruite, alors que notre maternité a résisté. Il ne faut pas chercher midi à quatorze heures, le bon Dieu était d'un côté de la rue et le diable de l'autre.»

Elle avait les yeux pleins d'eau en pensant à ce pauvre Monseigneur Bourget forcé de se faire héberger par les Sœurs de la Providence, en attendant la reconstruction de son évêché.

«Et Mary Steamboat? l'avez-vous revue?

— Jamais, fit-elle, catégorique. Elle n'a pas survécu à l'incendie. Brûlée vive, asphyxiée, frappée par une poutre… Je n'en sais rien.

— Je n'arrive pas à comprendre comment elle a pu disparaître en plein jour, alors que la maternité n'a même pas été touchée.

— Mary a accouché le matin même de l'incendie. Un accouchement assez difficile, si je ne me trompe pas. C'est notre bon docteur Trudel qui l'a assistée. Je m'en souviens, parce que les cloches se sont mises à sonner juste au moment de sa délivrance. J'ai remercié le Seigneur. C'était de bon augure pour le nouveau-né.

— Et après ?

— Après ? On a senti des odeurs de brûlé. La fumée qui s'échappait du brasier nous prenait à la gorge. Sans plus attendre, il a fallu déménager les filles en commençant par celles qui ne pouvaient pas se déplacer toutes seules. Une fois enroulées dans des couvertures mouillées, nous les avons hissées dans la charrette. La petite Steamboat a refusé de suivre. Nous étions trois à essayer de la lever de sa paillasse, mais elle s'agrippait aux montants de sa couchette. Alors, on l'a laissée derrière. Vous comprenez, il fallait penser aux autres. Mère de la Nativité a décidé de rester aussi. Elle croyait qu'une fois seule avec Mary, elle réussirait à la convaincre d'aller s'abriter en lieu sûr.

— Donc, elle n'était pas seule, sans aide.

— J'ai pour mon dire qu'elle s'est effondrée quelque part sur la route. Comme elle avait perdu beaucoup de sang, elle devait être trop faible pour aller bien loin, avec ce mur de fumée qui épaississait à vue d'œil. J'imagine qu'elle est morte étouffée. Ou, alors, elle a été blessée. Les maisons s'écroulaient les unes après les autres. Seules les cheminées restaient debout, au milieu du tas de cendres. Une hécatombe, je vous dis. Le feu s'attaquait aux branches des arbres qui tombaient sur les passants. C'est peut-être ce qui lui est arrivé, après tout.

— Mère de la Nativité ne vous a fourni aucune explication ?

— Pendant leur fuite, Mary et elle ont été séparées. Vous comprenez, les gens couraient dans tous les sens. Mère de la Nativité tenait le bébé de Mary dans ses bras. Dieu merci ! celui-là, au moins, est arrivé sain et sauf à l'Orphelinat des Enfants trouvés.

— Celui-là ? Je croyais qu'elle avait eu une fille ?

— Un garçon ou une fille, est-ce que je sais ? »

Inutile d'insister. Je jetai une autre ligne à l'eau :

« Mary a peut-être profité du tohu-bohu pour s'enfuir ? Après l'empoisonnement, elle devait être dans ses petits souliers ? »

L'Assomption plissa les lèvres de mécontentement en ramenant ses mains osseuses sur sa poitrine. Certaines choses ne se disaient pas.

« Je ne sais rien de cette affaire d'empoisonnement, trancha-t-elle après une minute de silence. Une calomnie. Nos pénitentes étaient de bonnes filles. Pas toutes des demoiselles, bien entendu, mais pas des empoisonneuses non plus.

— C'est tout ce que vous a dit Mère de la Nativité ?

— Oui, c'est tout. Si vous voulez jouer les " saint Thomas ", allez donc questionner son fils Pierre qui est cordonnier dans la rue Notre-Dame. Après la première alerte, on lui avait demandé de transporter nos filles dans sa charrette. Ensuite, il est revenu chercher sa mère, mais elle avait déjà quitté la maternité. Apparemment, il l'aurait rattrapée aux alentours de la place d'Armes.

— Était-elle avec Mary Steamboat ?

— Tu le lui demanderas.

— Et les autres ? Qu'est-il advenu des autres ?

— Plaît-il ?

— Les autres pensionnaires, Mathilde, Elvire…

— Ça ne me dit rien, ces noms-là.

— Je vous en prie, L'Assomption, forcez-vous, je ne vous demande pas la lune.

— Des Mathilde, sais-tu combien j'en ai vu passer en vingt-cinq ans ?

— Allez, un dernier effort…

— Non, laisse-moi tranquille maintenant. J'ai des palpitations. »

L'Assomption me tutoyait quand elle était à court d'arguments. Ayant épuisé toutes les autres excuses, y compris ses trous de mémoire parfois un peu commodes, elle se retranchait derrière son extrême fatigue. Il ne me restait plus qu'à lâcher prise.

≈

Sur le chemin du retour, poussée par l'impératif besoin de savoir, je n'ai pas résisté à l'envie de m'arrêter chez le cordonnier. Je n'eus même pas à inventer une excuse, la semelle de ma bottine gauche était réellement trouée. La porte de sa boutique était entrebâillée. Pierre Jetté taillait une empeigne. Il m'a fait signe de prendre une chaise. J'ai dû attendre deux minutes tout au plus. Il m'a aidée à me déchausser et a entrepris de me poser une nouvelle semelle. Tandis qu'il la cousait, je lui ai dit sans autre préambule :

« Je suis la filleule de votre mère.

— Ah oui ? L'une de ses trente ou quarante filleules ? » répondit-il sur un ton moqueur.

Il avait raison, c'était bête de me présenter comme la filleule d'une femme qui les comptait à la douzaine.

« Ça vous étonnera peut-être, mais elle m'aimait plus que toutes les autres orphelines réunies, repris-je, frondeuse. Si elle n'avait pas été une bonne sœur, elle m'aurait gardée avec elle.

— Et moi, si elle n'avait pas été bonne sœur, je l'aurais volontiers gardée chez moi.

— Comment se fait-il qu'elle soit devenue religieuse ? lui demandai-je.

— Notre père était mort, ses enfants étaient grands, alors elle a décidé de consacrer tout son temps aux bonnes œuvres... Je ne sais trop par quel hasard elle s'est intéressée aux filles tombées. Peut-être bien parce que ces infortunées n'avaient nulle part où aller.

— Mais elle aurait pu faire du bien sans fonder une communauté religieuse, il me semble ?

— Ce n'était pas l'avis de son confesseur. Monseigneur Bourget tenait à ce que les filles enceintes d'un commerce illicite soient prises en charge par des femmes consacrées à Dieu. Et quand l'évêque voulait quelque chose...

— Ah ! bon, dis-je sans conviction. J'aimerais aussi vous parler de l'incendie de 1852. Vous avez transporté les pensionnaires et les sœurs de Sainte-Pélagie en lieu sûr, à ce qu'on m'a rapporté. Votre mère n'a pas suivi, ç'a dû vous inquiéter ? »

Il se gratta la tête, surpris de ma question. Puis, il fit mine de se concentrer sur son travail. Ce n'était pas sorcier, il venait de comprendre que j'étais passée le voir sous un faux prétexte. Après un moment, il posa les yeux sur moi et dit d'un ton dégagé :

« Oui, Mademoiselle, ça m'a bougrement inquiété de ne pas la trouver à la maternité, quand je suis retourné la chercher. La ville flambait. Des ruines à demi consumées à perte de vue. Un toit s'est effondré sous mes yeux et j'ai aidé à dégager un homme enseveli sous les décombres. Peu après, il a expiré.

— Ç'a dû être terrible. Je me serais évanouie.

— Que voulez-vous ? La ville était dirigée par une bande d'incapables qui donnaient des ordres contradictoires aux volontaires. Les pompiers ? Ils étaient trop peu nombreux pour dompter une calamité pareille. L'eau manquait, les pompes étaient en mauvais ordre et les gens, épouvantés, couraient dans tous les sens. »

Il me remit ma bottine ressemelée en m'assurant que je ne risquais plus de me blesser. Puis, il attrapa une chaussure au talon arraché et poursuivit sa besogne en silence. Sans doute espérait-il que je détale, mais je ne bougeai pas de mon siège. Au contraire, après une hésitation, je revins à la charge :

« Finalement, l'avez-vous retrouvée ? »

Il s'arrêta net :

« Pourquoi me posez-vous toutes ces questions ?

— J'ai de bonnes raisons de penser que votre mère et la mienne ont fui ensemble.

— Alors là, vous vous trompez, j'en ai bien peur. Quand je suis revenu de la rue Panet, le feu se rapprochait dangereusement de la maternité. Ma mère avait eu raison de ne pas m'attendre. Elle était débrouillarde, votre marraine. » Il me sourit. « J'ai pris De la Gauchetière vers l'ouest. Mon cheval avançait au pas. La rue était encombrée de débris. Dans leur fuite, les gens échappaient leurs affaires et ne prenaient pas la peine de les ramasser. »

Ah non! ai-je pensé, il ne va pas recommencer à me décrire le flot humain en fuite. Je l'implorai du regard :

« Votre mère était sûrement rendue à la place d'Armes.

— Plutôt au coin de la rue des Enfants trouvés. Elle tenait un nourrisson sur sa poitrine. Il pleurait comme un perdu, le pauvre petit. Il y avait une religieuse blessée accrochée à son bras. Je les ai fait monter dans ma charrette. La petite sœur tenait à peine sur ses jambes. Je les ai déposées devant l'orphelinat, rue Saint-Pierre. Ma mère m'a dit que les Sœurs Grises ne refuseraient pas de les héberger, elle et sa compagne. Je n'ai pas insisté, vu que je les savais à l'abri. J'ai su par la suite que la jeune sœur avait été transportée à l'Hôpital général, où elle est morte le lendemain. »

◦

Étrange! Jamais Marie-Madeleine ne m'avait mentionné qu'une sœur avait été blessée dans l'incendie. L'Assomption ne m'en avait pas soufflé mot non plus. Pourtant, une religieuse qui meurt à l'hôpital des suites de ses brûlures, ça ne passe pas inaperçu. J'ai pensé : Pierre Jetté a dû se tromper. Ou, alors, la jeune sœur mal en point, c'était peut-être Mary? Mais que diable aurait-elle fait vêtue comme une religieuse?

Sitôt arrivée à la maison, je filai à ma chambre, pressée de noter ce fait nouveau. Comme Marie-Madeleine jadis, j'avais contracté l'habitude d'écrire sur des bouts de papier tout ce que j'apprenais. Je les jetais ensuite pêle-mêle dans un tiroir de ma commode où ils s'empilaient.

Ma rencontre avec Pierre Jetté suscitait plus de questions qu'elle ne fournissait de réponses. Mary Steamboat se serait-elle déguisée en sœur pour échapper à une arrestation certaine, à cause de cette histoire d'empoisonnement? Aurait-elle fui avec la complicité de Mère de la Nativité? C'était possible, mais peu probable, sinon j'en aurais entendu parler. Une des vieilles sœurs se serait coupée.

Décidément, dans cette histoire, trop de fils pendaient.

La journée fut désespérément longue. J'ai fait le repassage et un peu de couture avec Madame Odile. Nous avons parlé de tout et de rien. J'étais peu encline aux confidences, moi habituellement si bavarde. Après le souper, au cours duquel je n'ai guère eu d'entrain, j'ai flâné un moment avec elle dans le boudoir. Tout en comptant les mailles de son tricot, elle m'observait du coin de l'œil. Je devais avoir l'air préoccupée, car elle m'a libérée tôt. Elle a invoqué sa propre fatigue pour ne pas m'obliger à poireauter avec elle toute la soirée.

Je regagnai donc mes quartiers, soulagée de ne pas avoir à faire bonne figure plus longtemps. J'avais le moral à plat. Même si je refusais de l'admettre, tout indiquait que Mary Steamboat était bel et bien morte, sinon j'aurais le début d'un commencement de preuve du contraire. Allongée dans le noir, ma couverture remontée jusqu'au cou, j'attendis en vain le sommeil. Au bout d'une heure à me retourner dans tous les sens, je me levai et j'allumai ma bougie, que je posai sur ma table de travail. Il y avait longtemps que je me proposais d'écrire à Marie-Madeleine. C'était le moment ou jamais.

Après quinze minutes de vains efforts, je dus me déclarer vaincue. Mes phrases me semblaient alambiquées et mes propos, sans queue ni tête. L'une après l'autre, les feuilles à moitié remplies et barbouillées atterrissaient dans la corbeille. Un beau gaspillage, car le papier n'était pas donné. Toute mon attention se portait sur Mary Steamboat et le reste m'indifférait. Si c'était elle, ma mère, eh bien, je ne la connaîtrais jamais.

Dans le tiroir de ma commode, la pile de petits papiers tantôt pliés en quatre, tantôt froissés, me narguait. Il devenait de plus en plus difficile de m'y retrouver dans ce fouillis. Sur un coup de tête, je décidai de profiter de mon insomnie pour mettre de l'ordre dans cette montagne de renseignements, une tâche que je reportais sans cesse à plus tard. Je gardais à cet effet un carnet à couverture noire, cadeau que Madame Odile m'avait offert pour mon dix-huitième anniversaire. Il ne s'agissait pas d'un véritable cahier, mais plutôt d'une série de feuilles cousues les unes aux autres. Je l'ouvris à la première page. Ma main glissa sur la feuille blanche. J'inscrivis la date de ma plus belle écriture : 30 août 1870.

Par où fallait-il commencer ? Ce n'était pas compliqué : l'une des quatre pensionnaires de Sainte-Pélagie qui avait accouché d'une fille en juillet 1852 était l'auteure de mes jours. Par conséquent, je divisai mon carnet ligné en quatre sections. Chaque mère aurait la sienne. J'ai d'abord inscrit leurs noms suivis des informations factuelles trouvées dans le *Journal des pénitentes*, après quoi j'ai noté les confidences de Marie-Madeleine et celles des vieilles sœurs. Toutes les révélations, même en apparence insignifiantes, devaient être rapportées, car elles pouvaient mener à une nouvelle piste. Au bas de chaque page, je me réservais un espace où inscrire les démarches à entreprendre.

J'ai d'abord pensé à Noémi, de loin celle que j'aurais préféré avoir pour mère. C'est bête à dire, mais je refusais d'envisager que ma maman ait pu m'abandonner délibérément, moi, la chair de sa chair. J'aimais mieux la savoir morte plutôt que dénaturée. Dans le haut de la page, j'inscrivis ce que je savais de la vie de Noémi. Une bien triste vie, à vrai dire.

Nom : Noémi Lapensée. Âge : seize ans en 1852. Cheveux blonds, yeux en amande. Habitait Lachine avant de venir à Montréal travailler comme servante. Aurait été engrossée par son patron. Est morte des suites de son accouchement, dans la nuit du sept au huit juillet. Sa fille, née le même jour, a probablement été confiée à l'Orphelinat des Enfants trouvés.

Je traçai un trait noir, après quoi j'écrivis en caractères gras :

À faire : vérifier dans le registre de l'orphelinat si une petite fille dont la mère s'appelait Noémi a été admise aux environs du huit juillet 1852.

Avec le nom de sa mère, la chose était faisable. Toutefois, pour y arriver, je devrais tromper la vigilance de la responsable des admissions et fouiller dans ses papiers. J'en mesurais le risque, mais le jeu en valait la chandelle, car il y avait de bonnes chances que ce soit moi, la fille de Noémi. Petite, j'étais toute blonde, moi aussi. Si jamais mon prénom figurait sur la même fiche, j'en obtiendrais la confirmation.

En cas d'échec, il me restait une autre piste à suivre : retrouver la famille de Noémi à Lachine. Cela ne s'annonçait pas trop compliqué, car dans les campagnes, tout le monde se connaissait. Pour m'y rendre, je mettrais Monsieur Alphonse à contribution. Il ne refusait jamais une promenade dominicale. Avec un peu de chance, les parents de Noémi seraient encore vivants. Peut-être trouveraient-ils des traits de ressemblance entre leur fille et moi ?

Voilà tout ce que je pouvais dire de Noémi. Le cas de Mary Steamboat me déconcertait davantage. Tout portait à croire qu'elle était décédée, elle aussi, mais cette mort, que venait de me confirmer Pierre Jetté, me chicotait.

Nom (fictif) : Mary Steamboat. Âge : dix-huit ans en 1852. Cheveux roux et peau laiteuse marquée de taches de son. Originaire d'Irlande. Débarquée d'un *steamer* peu avant le drame. Déposée à Sainte-Pélagie par un charretier qui l'avait trouvée dans le port. D'abord refusée à la maternité qui, ce soir-là, affichait complet, elle aurait finalement été admise grâce à Mère de la Nativité, qui l'aurait cachée pendant la visite de l'aumônier (Chaque matin, l'abbé Venant Pilon avait la détestable habitude de compter les lits occupés pour s'assurer que les sœurs ne dépassaient pas le nombre permis de pensionnaires.). A accouché le matin de l'incendie, soit le huit juillet. Quelques heures après, elle disparaissait au cours de l'évacuation. Serait morte pendant l'incendie, mais son corps n'a jamais été retrouvé. Ne parlait pas français.

À faire : vérifier au *Catholic Orphanage* et à l'Orphelinat des Enfants trouvés si un nouveau-né a été enregistré sous le nom de Steamboat (Ce qui me paraissait fort peu probable.).

En écrivant ces lignes, il me vint à l'esprit que les associations d'aide aux immigrants irlandais pourraient sans doute m'être utiles. Si jamais Mary Steamboat avait survécu, peut-être avait-elle cherché du secours auprès de ses compatriotes ? Je pouvais aussi écrire à Marie-Madeleine pour la supplier de se creuser les méninges. Elle avait sûrement omis de me confier un ou deux détails au sujet de cette Irlandaise. Toutefois, je redoutais qu'elle n'accueille fraîchement mon insistance.

La troisième fiche, celle d'Elvire, me rebutait. Ça m'aurait mortifiée d'être la fille d'une prostituée, même si je reconnaissais qu'il ne fallait pas juger de l'arbre par l'écorce. Comment savoir ce qui avait pu amener une femme à tomber dans la boue ?

Prénom : Elvire (pas de nom de famille connu). Âge : vingt-cinq ans en 1852. Cheveux noirs décolorés. Ex-chanteuse de cabaret bien connue, elle aurait aussi pratiqué un métier déshonorant dans les quartiers malfamés de la ville. A été amenée à Sainte-Pélagie par la police. A accouché une heure avant le début de l'incendie. Aucun renseignement connu sur sa fille. Avait gardé un fils né d'une précédente grossesse. Pourrait aussi avoir repris sa fille.

À faire : aller voir dans les lupanars du *Red Light* si cette Elvire y opérait encore ou si quelqu'un savait où la trouver.

Je me sentais un peu coupable d'envisager cette virée dans les bas-fonds de Montréal sans en aviser Madame Odile. Cela revenait à me jeter dans la gueule du loup. Si jamais on me voyait entrer dans un bordel, je m'exposais à être congédiée.

Pour Mathilde, ma cueillette n'avait guère porté ses fruits.

Prénom : Mathilde (d'après Marie-Madeleine, car le nom de cette fille n'apparaît pas dans le registre). Âge : vingt ans en 1852. Peau claire, chevelure brune ondulée, allure racée. Issue d'une famille bourgeoise de l'ouest de Montréal. Pensionnaire privée à

Sainte-Pélagie. Aurait accouché deux jours avant la mort de Noémi, donc le cinq juillet. Serait retournée chez ses parents après l'incendie. Sa fille aurait vraisemblablement été confiée à l'Orphelinat des Enfants trouvés.

Que faire dans son cas ? Je n'en avais pas la moindre idée. Sans le nom de famille de la mère, comment retrouver son enfant ? J'écrivis tout bonnement : soumettre à un interrogatoire serré les bonnes sœurs qui surveillaient les pénitentes dans le temps.

Une fois ce travail de transcription terminé à ma satisfaction, je me sentis plus calme. J'avais l'impression de reprendre les choses en main. Devant moi, la tâche s'annonçait ardue, mais au moins j'y voyais clair.

Un élément de ce drame me laissait songeuse, cependant, et je crus utile de lui consacrer une page complète de mon cahier. Je l'intitulai « L'empoisonnement ». C'était quand même étrange, cette histoire sordide dont personne ne voulait me parler. Là-dessus, j'avais réussi à soutirer deux minces confidences à Marie-Madeleine. De une, le jeune médecin ivre était mort des suites d'un empoisonnement. De deux, les trois filles soupçonnées de meurtre avaient payé chèrement leur crime.

Puisque meurtre il y avait eu, les coupables avaient forcément subi un procès, comme cela se produisait toujours dans les affaires d'empoisonnement. Je devais donc dépouiller les annales judiciaires. Des peines de prison avaient-elles été imposées ? Les trois filles avaient-elles été écrouées ? Il fallait éliminer Mary, déclarée morte dans l'incendie de la ville. Toutefois, ses deux complices avaient probablement été reconnues coupables, puisque, à l'orphelinat, on m'avait surnommée « la fille des empoisonneuses ». Je n'osais pas envisager la possibilité d'une sentence de mort. Ma propre mère pendue par le cou, cela m'était insoutenable. Sur ce sujet, j'avais eu beau cuisiner les vieilles sœurs, elles étaient demeurées muettes comme des carpes. En revanche, les gazettes avaient sûrement publié le compte-rendu de ce procès survenu dix-huit ans plus tôt. J'avais tout intérêt à les lire.

Madame Odile, à qui j'avais tout raconté, se souvenait vaguement d'une affaire retentissante à cette époque. C'était flou dans sa mémoire, mais elle m'avait promis d'en parler à ses amies et à Alphonse.

Lorsque nous passions la soirée seules, elle et moi, je lui confiais volontiers les péripéties liées à mon enquête. Tout ce que j'apprenais, je le partageais avec elle : pourquoi Elvire avait été obligée de se prostituer, sans quoi elle n'aurait pas pu faire vivre son premier enfant ; quelle honte habitait Mathilde, forcée d'accoucher chez les pauvres, elle qui se croyait née de la cuisse de Jupiter ; combien la mort de Mary Steamboat me paraissait intrigante. Naturellement, je revenais souvent sur le destin tragique de Noémi, engrossée par son patron, et sur sa mort révoltante qui m'obsédait toujours autant.

Madame Odile pensait que je devais procéder par élimination. Elle me suggérait de rechercher d'abord les trois orphelines nées à peu près le même jour et qui, aujourd'hui, avaient mon âge. Peut-être les avais-je côtoyées à l'Orphelinat des Enfants trouvés ? Comme je pouvais circuler librement dans l'institution, ce serait un jeu d'enfant d'avoir accès aux registres. Ma démarche lui paraissait imprudente, mais je résolus de la tenter néanmoins.

Entre elle et moi, il était souvent question des filles tombées. Mamie Odile ne nourrissait aucun préjugé à leur égard. Des jeunes femmes à la cuisse légère qui se donnaient au premier venu, on en trouvait dans toutes les grandes villes. Mais d'après elle, la plupart des filles qui passaient par Sainte-Pélagie étaient des campagnardes, sans parents ni ressources, obligées de se débrouiller seules à Montréal. Des paysannes violées par leur père ou même par le vicaire de la paroisse, elle en connaissait aussi. Les petites bonnes comme Noémi étaient bien à plaindre. Si elles refusaient les avances de leur patron, elles étaient congédiées. Si, au contraire, elles les acceptaient et se retrouvaient enceintes, on les jetait tout autant à la rue.

J'aimais discuter avec mamie. Nos conversations me réconfortaient. Je me promis de lui montrer mon cahier, le lendemain, au petit-déjeuner. Et puis, je changeai d'idée : je me contenterais de lui en lire des extraits, sinon elle risquait de tomber sur le passage évoquant ma visite dans les bordels du quartier malfamé qu'on commençait à appeler le *Red Light*, à cause des lanternes rouges suspendues devant les maisons closes.

J'éteignis. Tout compte fait, ma nuit blanche avait été fructueuse.

5

La fille de Noémi

Avec le concours de Madame Odile, j'ai écrit une lettre à messire Godefroy Chalifoux, curé de Lachine, en date du premier septembre 1870, pour lui demander de m'aider à retracer les parents de Noémi Lapensée, morte à Sainte-Pélagie dix-huit ans plus tôt. Je prétendais avoir des renseignements à leur fournir.

Le curé m'a répondu par retour du courrier. Il s'étonnait de ma démarche. Le nom des filles tombées n'étant jamais divulgué, il ne comprenait pas qu'on m'ait communiqué celui de sa paroissienne. Quoi qu'il en soit, il n'avait pas l'intention de me mettre en contact avec cette famille. Il ignorait tout de cette histoire et me demandait de ne plus l'importuner.

Je m'attendais à ce genre de réaction. Il fallut donc passer à un autre plan qui, à vrai dire, s'annonçait plus prometteur. Le dimanche suivant, Monsieur Alphonse, mamie Odile et moi sommes allés à Lachine dans l'espoir de faire la connaissance de la famille Lapensée. Août avait été presque aussi chaud que juillet et septembre commençait sous le signe de la pluie. La journée s'annonçait humide, ce qui m'inquiéta, vu l'arthrite de notre chauffeur. Quand nous avons quitté le faubourg, à huit heures, les nuages s'épaississaient déjà. Mes deux anges gardiens me traitaient aux petits oignons. Cette démarche représentait beaucoup pour moi et ils le savaient.

« Quoi qu'il arrive, ça nous aura fait une belle sortie », dit Madame Odile, qui redoutait pour moi une amère déception.

Monsieur Alphonse turluta pendant tout le trajet. Il nous mena à Lachine pour ainsi dire les yeux fermés, tant il connaissait la route. Le temps se faisait de plus en plus menaçant. L'orage de la veille avait laissé les chemins délabrés. Les chevaux butaient contre les ornières, quand leurs sabots ne s'enfonçaient pas carrément dans la boue.

« Pourvu que le déluge ne nous tombe pas dessus ! » répétait-il sans perdre sa bonne humeur.

Jusque-là, il n'avait pas songé à relever la capote de la calèche, mais lorsqu'une pluie fine commença à tomber, il s'en inquiéta. Elle cessa sitôt après. Au bout d'une couple d'heures, nous nous sommes arrêtés devant l'auberge du père Quesnel, à petite distance du quai de Lachine, pour demander notre route. Le patron se tourna vers les rentiers et autres placoteux assis sur la galerie avant de nous renseigner : le dénommé Lapensée habitait au milieu du rang du Ruisseau Nord.

« Beau dommage ! vous le trouverez à sa ferme, dit-il. Comme il y a apparence de pluie, il n'a pas dû aller au champ.

— Il est cultivateur, votre Monsieur Lapensée ? demanda Monsieur Alphonse.

— Ouais, pis avenant avec ça. Sa femme est morte il y a une douzaine d'années, mais il ne s'est jamais remarié. »

L'homme me regarda longuement, avant de demander à Monsieur Alphonse si j'étais la petite demoiselle que le curé envoyait au veuf pour les fréquentations. Je ne donnai pas à Monsieur Alphonse le temps de le détromper.

« C'est ça, oui », répondis-je.

Monsieur Alphonse en resta interloqué, cependant que le bonhomme et ses compères me dévisageaient. Sans doute me trouvaient-ils un peu jeunette pour un homme d'âge mûr.

« Prenez à droite à la sortie du village et enfoncez-vous dans les terres, poursuivit-il en pointant le doigt vers un chemin de traverse. Vous en avez pour deux bonnes lieues. Vous continuez jusqu'à la croix de chemin et là, vous virez à gauche. Trois arpents plus loin, il y a une ferme au milieu d'un champ. C'est là. La maison ne paie pas de mine, mais vous ne pouvez pas la manquer. Il y a un chêne géant juste devant. »

Nous avons repris la route. Monsieur Alphonse n'avait pas digéré que je me fasse passer pour une fille à marier envoyée par le curé. Il me demanda à quoi j'avais pensé de débiter des sottises pareilles. Comme si ç'avait du bon sens qu'une jeune demoiselle comme moi fréquente un veuf qui avait l'âge d'être son grand-père ! Ma répartie l'avait scandalisé.

« Voyons, Alphonse, ce n'est pas la peine de monter sur vos ergots, protesta mamie. Rose n'a pas pensé à mal. »

Je promis à notre chauffeur de me tenir tranquille et il retrouva sa bonne humeur. On entendait les oiseaux piailler. Je gardais le silence pour mieux me concentrer sur ce que j'allais dire à Monsieur Lapensée.

« Alphonse, parlez-nous donc du massacre de Lachine, demanda mamie Odile pour briser le silence. Rose ne connaît peut-être pas cette histoire.

— Ça s'est passé ici même, en 1689, pendant un orage, juste-ment. Les Iroquois ont attaqué le village au beau milieu de la nuit. Ils ont massacré pas loin d'une trentaine de colons et en ont enlevé une soixantaine d'autres. On ne les a jamais revus vivants.

— Ah bon ! »

J'avais dit ça pour être polie. Franchement, j'avais la tête ailleurs. Mais Monsieur Alphonse ne s'est pas découragé pour autant. Il a poursuivi, comme pour me distraire de mes pensées :

« Ce n'étaient pas des enfants de chœur, ces sauvages-là. Des fois, ils faisaient griller leurs prisonniers et les mangeaient.

— Eurk ! »

Il n'était pas mécontent d'avoir obtenu une réaction de ma part. J'aurais dû me taire pour éviter qu'il se lance dans de nou-velles explications, mais à ce moment précis, nous avons atteint la croix de chemin. Un imposant monument érigé dans un champ de blé. Madame Odile me serra la main. La voiture s'enfonça dans un étroit chemin. Les chevaux avançaient au pas et les branches des arbres frôlaient la capote que notre chauffeur avait fini par relever. Personne ne parla jusqu'à notre arrivée devant la maison délabrée qu'on nous avait décrite. La peinture verte des volets s'écaillait et les lattes du toit pourrissaient. À la base d'un chêne touffu poussaient d'énormes champignons. À gauche, à côté d'un tas de purin, deux jeunes garçons, des jumeaux à ce qu'il me sembla, se chamaillaient en ricanant. En entendant le bruit des roues, un chien jaune aboya.

～

Sur le seuil de la porte, une jeune fille de mon âge, les bras appuyés sur son balai, tourna la tête vers moi, comme je descendais de la voiture. En la voyant, je compris. Ses magnifiques yeux en amande, ses cheveux blonds comme les blés, la candeur de son beau visage… Exactement les traits que m'avait décrits Marie-Madeleine. Nul doute, c'était la fille de Noémi. Un ange descendu du ciel. Debout, bien droite, elle me gratifia d'un sourire accueillant. Intimidée par l'insistance de mon regard, elle lissa d'un geste maladroit son tablier gris taché de farine.

Mon sang ne fit qu'un tour. C'en était fini de mon chimérique espoir. Noémi ne pouvait pas être ma mère. Sa copie conforme se tenait devant moi. J'aurais dû inventer une excuse, dire que j'étais perdue, demander mon chemin, au lieu de quoi je restais là plantée, comme une méduse. D'insupportables pensées m'accablaient. Je me répétais : ma mère n'a pas l'excuse d'être morte comme Noémi entre les mains d'un accoucheur ivre. Elle m'a abandonnée... Jamais je ne me ferais à cette idée.

Depuis le matin, je m'étais préparée à tout, sauf à ça. J'avais certes envisagé de faire chou blanc : les Lapensée auraient pu, par exemple, me fermer la porte au nez. Ou, encore, ils auraient déménagé sans laisser d'adresse… Pire, ils auraient succombé aux fièvres typhoïdes ou à la tuberculose.

Jamais je n'avais pensé me trouver nez à nez avec la fille de Noémi. Pourtant, elle était là, à deux pas de moi, et je l'entendis me dire d'une voix chantante :

« Qu'est-ce que je peux faire pour vous, mademoiselle ? »

J'avais la gorge serrée et je dus me cravacher pour paraître naturelle.

« Je cherche Monsieur Lapensée.

— Mon grand-père ? Il fait un somme dans son hamac. Attendez, je vais aller le chercher. »

Alors, elle pivota sur ses talons. Je voulais la retenir, mais aucun son ne s'échappa. Je mendiai un encouragement à mamie Odile. Que devais-je faire ? Elle me fit signe de rappeler la jeune fille.

« Attendez ! Ne le réveillez pas, je peux patienter. Dites-moi plutôt : depuis quand habitez-vous ici ?

— Depuis toujours, répondit-elle en faisant demi-tour. J'y suis née, j'y ai grandi. Peut-être bien que je vais m'y marier ? »

Au même moment, la porte moustiquaire claqua derrière un homme d'âge avancé. Il avait les cheveux gris et le teint cuivré des paysans qui passent leurs journées au franc soleil. Dans une main, il tenait un bout de bois et dans l'autre, un canif. Il déposa sa sculpture, une figurine, me sembla-t-il, sur le bras d'une chaise et descendit les marches pour s'approcher de moi. L'herbe poussait dans l'escalier. J'étais parfaitement consciente de la futilité de ma démarche, maintenant que je connaissais la vérité, et pourtant je tenais à engager la conversation.

« Vous l'avez devant vous, Monsieur Lapensée, dit l'homme. A-t-il fait un mauvais coup ? »

Sa chemise s'ouvrait sur des poils blancs. Elle était mouillée sous les aisselles. Le chien jaune qui marchait sur ses talons me renifla en agitant sa queue. Devant la porte moustiquaire, la fille de Noémi attendait la suite, toujours appuyée sur le manche de son balai. Je pris mon courage à deux mains.

« Êtes-vous le père de feue Mademoiselle Noémi ? »

Ma question le fit sursauter. Il tourna la tête vers sa petite-fille et, d'un signe, lui signifia de rentrer à l'intérieur. Elle poussa la porte, non sans me jeter un regard inquiet.

« Qu'est-ce que vous lui voulez, au père de Noémi ? Elle est morte, Noémi. Ça fait déjà dix-huit ans. »

Il parlait d'une voix sans timbre. Je n'aurais pas répondu que cela ne l'aurait pas dérangé.

« Je… vous… c'est-à-dire que je… je suis une enfant naturelle et je cherche ma mère. Elle a accouché à Sainte-Pélagie en même temps que votre fille. Alors, je me demandais si…

— Eh bien ! non, mademoiselle, vous n'êtes pas sa fille. Vous venez de la voir, la fille de Noémi. Elle ne pourrait pas lui ressembler davantage. J'ai bien de la peine pour vous, mais vous avez fait un voyage inutile.

— Ça ne fait rien, répondis-je en m'efforçant de sourire, malgré mon immense tristesse. Je suis contente de savoir que sa fille a pu échapper à l'orphelinat. Nous avons le même âge, mais moi, je n'ai pas eu cette chance.

— Vous appelez ça avoir de la chance, vous, de perdre sa mère à la naissance ?

— Pardonnez-moi », dis-je, franchement désolée de ma maladresse. J'aurais voulu m'expliquer. Lui dire que je n'avais pas eu, comme sa petite-fille, quelqu'un pour me border dans mon lit, le soir. Mais je préférai laisser tomber. D'un signe de tête, l'homme salua Madame Odile et Monsieur Alphonse restés dans la voiture :

« Vous n'êtes quand même pas seule au monde, me dit-il enfin. Il faut savoir apprécier ce que le bon Dieu nous envoie. Les bonheurs comme les épreuves. »

Aucune émotion sur son visage, à l'évocation de sa fille morte dans des conditions tragiques. Mais, puisqu'il ouvrait une brèche, je m'y engouffrai :

« Vous ne lui en avez pas voulu, au bon Dieu, de vous avoir pris votre Noémi ?

— Je ne voudrais pas être impoli, mademoiselle, mais ça ne vous regarde pas. »

Je cherchai quoi répondre. Coûte que coûte, je voulais prolonger cet entretien, même s'il ne menait à rien. Des images se superposaient dans ma tête. Noémi et sa fille ne faisaient qu'une dans mon esprit. La petite bonniche violée par son patron avait maintenant un visage, je le contemplais à travers la moustiquaire de la porte. Ce beau visage se contractait sous la douleur, pendant que l'accoucheur de Sainte-Pélagie appliquait les forceps, dix-huit ans plus tôt.

Cette jeune fille, dont je n'osai pas demander le prénom, savait-elle combien sa mère avait souffert en lui donnant la vie ? Et l'homme debout devant moi qui faisait de prodigieux efforts pour paraître insensible, mais dont je lisais les regrets sur ses traits ravagés, ce père, lui avait-on caché des pans de cette histoire tragique ?

« Puis-je vous poser une dernière question ? lui demandai-je.

— Si ce n'est pas trop indiscret. Essayez toujours », fit-il en haussant les épaules.

Mes doigts tortillaient nerveusement le coin de ma jupe.

« Le médecin qui a accouché votre fille a été empoisonné. J'aimerais savoir si vous avez suivi le procès... »

Il grimaça, tourna la tête pour s'assurer que sa petite-fille n'était plus dans les parages et me dit sèchement :

« Je ne lis pas les gazettes. »

Il s'épongea le front, avant de plonger son regard dans le mien. Et alors, il ajouta gravement, mais à mi-voix :

« Après les funérailles, j'ai attelé, pis je suis descendu en ville. »
Il toussota pour cacher son malaise. « Ça n'a pas pris goût de

tinette que je l'ai retrouvé, le salaud qui avait mis ma fille en famille. C'est lui, l'assassin de Noémi. Je lui ai donné toute une raclée. Il m'a offert de l'argent pour la petite. C'est bien simple, je lui aurais craché dessus. Pour les bourgeois, nous autres, on est juste des quêteux. Y était mieux de ne pas se montrer la face par ici, sinon je lui aurais arrangé le portrait, moi. »

Il paraissait le premier surpris de s'être laissé aller aux confidences devant une inconnue. Je le sentais mal à l'aise et je l'étais aussi. Il esquissa un geste d'agacement, cependant que je restais muette. J'aurais dû le remercier et m'en aller. Pourtant, je ne bougeais pas. Sans doute eut-il pitié de moi :

« Écoutez, je ne sais pas pour votre mère, mais ma Noémi, c'était une bonne fille. Ma défunte femme ne s'est jamais pardonné de l'avoir laissée partir pour la ville. Noémi était bien trop jeune, pis trop naïve. »

Il passa sa main sur son visage, dit qu'il ne quêtait pas ma compassion ni ma pitié, que ça ne servait à rien de s'apitoyer sur son sort. Mais il tenait à ce que je sache qu'il n'était pas un mauvais père. À l'époque, il avait sept bouches à nourrir. Noémi avait seize ans. Il lui avait demandé de faire sa part, mais personne ne lui avait dit d'aller s'engager comme servante à Montréal.

« Ce que je voulais, c'était la marier. Je lui avais trouvé un prétendant. Un homme plus vieux qu'elle, c'est vrai, mais les bons partis sont rares par ici. »

J'ai insisté et il a fini par admettre que le propriétaire du magasin général, à l'entrée du village, reluquait sa fille depuis un bon moment déjà. Noémi ne l'aimait pas d'amour, mais l'homme était prêt à l'attendre. De toute manière, lui, son père, n'avait jamais pensé que Noémi s'habituerait à la vie de bonne.

« On était sûrs qu'elle nous reviendrait avant les fêtes. »

L'homme soupira. Il essuya du revers de sa manche les larmes qui coulaient sur ses joues. Des larmes qu'il n'essaya pas de dérober à mon regard. Il hocha la tête :

« On n'a jamais su qu'elle attendait un enfant, c'est ça le pire »,
dit-il plus bas encore.

J'aurais voulu le prendre dans mes bras pour le consoler.
Madame Odile, qui suivait la conversation depuis son siège dans
la voiture, eut, elle aussi, pitié du pauvre homme. Délicatement,
elle s'immisça dans la conversation :

« Vous avez fait pour le mieux, mon cher monsieur. Personne
ne peut vous lancer la pierre.

— Vous êtes bien charitable, madame. Rien n'empêche que
je ne me le pardonne pas. »

Le bon mot de mamie le réconforta. Je m'interdis de parler,
voyant qu'il n'avait pas fini d'épancher sa peine. Il se pencha
pour ramasser un bout de bois et le lança au chien jaune, qui
détala au galop. Et puis, il craqua. Sa Noémi était la plus belle fille
du village. Belle à damner un saint ! Elle était son rayon de soleil.
Depuis sa mort, pas un jour ne s'était écoulé sans qu'il n'ait une
pensée pour elle. Maintenant, il pleurait pour de bon, silencieuse-
ment. J'avais gratté une plaie qu'il croyait probablement cicatrisée.
Je me sentais comme une voyeuse. A-t-il deviné que j'avais autant
de chagrin que lui ? Mon regard se posa sur l'une des fenêtres de
la façade. Le rideau bougea, une ombre s'éloigna. Nul doute, la
fille de Noémi suivait la conversation. En un éclair, je me suis vue
à sa place.

« Toutes ces belles choses que vous nous racontez à propos de
votre Noémi, les dites-vous à sa fille ? »

Il sortit un grand mouchoir de sa poche et se moucha bruyamment.

« Pas comme je viens de le faire, non. Ma petite-fille ne
sait pas que sa maman a accouché toute seule comme un chien
en ville. J'aurais trop honte de lui avouer que je n'ai pas su la
protéger. »

Il me fit un signe de la main et je compris qu'il ne voulait rien
ajouter. J'aurais aimé le convaincre que sa petite-fille devait
connaître la vérité à propos de sa naissance. J'imaginais sans mal

les questions qu'elle se posait intérieurement : comment décoder la gêne qui s'emparait de ses proches, lorsqu'elle les interrogeait à propos du décès de sa mère ? Qui était son père, dont personne ne parlait jamais ? Pourquoi son grand-père pleurait-il comme un veau tous les sept juillet ? Toutefois, je me voyais mal faisant la morale à un homme pétri de culpabilité. Je le sentais sans défense. Pour rien au monde je ne lui aurais raconté la nuit d'horreur que sa fille avait vécue dans la salle des labeurs de Sainte-Pélagie. C'eût été franchement cruel de ma part.

Il n'empêche que j'aurais aimé l'avoir pour grand-père, ce monsieur vieilli prématurément, mais ça non plus je n'ai pas osé le lui mentionner. Je le remerciai chaudement. Au moment où je m'apprêtais à reprendre ma place dans le fond de l'équipage, il me dit :

« Je ne vous ai même pas écoutée. Vous allez me trouver bien mal élevé.

— Au contraire, j'ai beaucoup apprécié votre sincérité. »

Il baissa les yeux et, pour faire diversion, flatta son chien revenu avec son bâton.

« Je sais, j'ai commis une grave faute en laissant ma fille seule dans la grande ville, admit-il. Mais, croyez-moi, j'ai été bien puni. »

Il ferma les yeux et se rappela le jour du départ de Noémi. Elle lui avait demandé de la reconduire à Montréal.

« Pendant tout le trajet, elle se serrait contre moi. Vous dire combien de fois j'ai failli virer de bord ! Alors, elle m'a dit avec son sourire angélique : " Son père, ne vous en faites pas pour moi, je vais me débrouiller. La famille a besoin de mes gages et je vous les enverrai. Moi, je ne resterai pas en ville assez longtemps pour dépenser. " »

Il leva les bras et les laissa retomber pesamment de chaque côté.

« Je ne sais pas pourquoi je vous raconte tout ça, mais c'est la pure vérité. »

Mamie Odile s'essuyait les yeux avec son mouchoir de dentelle. Monsieur Alphonse souleva son chapeau de paille et fit claquer son fouet. Le marchepied se releva et la voiture partit au petit trot. Tandis que nous nous engagions sur la route cahoteuse, je jetai un dernier regard. Monsieur Lapensée marchait tête basse vers l'étable où ses vaches mugissaient. Il ne se retourna pas, le chien jaune non plus. À la fenêtre, derrière les carreaux, la fille de Noémi ne cherchait plus à se cacher. Elle me fixa jusqu'à ce que la voiture ait complètement disparu de son champ de vision. Je fis de même.

~

Finalement, l'orage passa plus au nord. Sur le chemin du retour, mamie Odile me tint la main, la caressant et la pressant au gré des émotions qui la saisissaient au fur et à mesure qu'elle découvrait l'ampleur de mon chagrin. Elle l'avait compris, je n'avais pas envie de parler.

De son côté, Monsieur Alphonse chercha mollement à ranimer la conversation. En pure perte. Malgré ses efforts, malgré aussi l'énergie que je mettais à suivre ses propos plutôt décousus, le silence finit par l'emporter. Je n'arrivais pas à m'évader de mes pensées. Après la tristesse, l'inquiétude s'installait insidieusement en moi. Je savais maintenant que Noémi ne pouvait pas être ma mère. Dès lors, la mienne était peut-être en vie? Qui était-elle? Mathilde, Elvire ou moins sûrement Mary Steamboat?

Nous sommes arrivés à la maison à la fin de l'après-midi. Je n'avais pas faim et je me suis retirée sans manger. Plus tard, Madame Odile a fait l'effort de venir me porter un bol de chocolat chaud, elle qui, pourtant, ne tenait plus sur ses jambes. Cela m'a touchée.

«Allons, ma belle Rose, ne vous laissez pas abattre. Vous la retrouverez, votre maman.»

Elle me félicita de mon courage et de ma détermination. Ma capacité de provoquer les confidences l'émerveillait. J'aurais fait un excellent confesseur, me dit-elle en me tapotant la joue. Je la remerciai de ses paroles réconfortantes, avant de refermer la porte sans la prier d'entrer. Elle n'insista pas. Je souhaitais rester seule avec ma peine. Pour la première fois, l'envie de tout laisser tomber m'effleura l'esprit. La tâche me semblait titanesque et le succès peu probable.

C'est donc sans enthousiasme que je me lançai sur une autre piste le lendemain. L'idée s'imposa d'aller reluquer du côté des archives de l'Orphelinat des Enfants trouvés, une démarche que j'avais trop longtemps différée. Le nom ou, à tout le moins, le prénom de ma mère figurait sûrement à côté du mien dans le registre des admissions. En juillet 1852, Mère de la Nativité avait forcément rempli un questionnaire, au moment de me confier aux bonnes sœurs.

Toute la question était de savoir comment tromper la vigilance de la registraire. Pour l'occasion, je mis Honorine à contribution. Dans nos jeunes années, nous étions comme les deux doigts de la main, elle et moi. Rien de ce qui préoccupait l'une ne laissait l'autre indifférente.

Honorine ressemblait à une souris besogneuse. Petite brunette aux yeux marron dans un visage ovale égayé par un nez en trompette. Elle coiffait ses cheveux en boucles serrées contre ses tempes. À la Joséphine, comme on dit. Lorsqu'elle souriait, deux fossettes se creusaient dans ses joues. Ça lui donnait un air candide et, ma foi, assez mutin. Elle était si minuscule que Madame Odile pouvait lui tailler une jupe dans un restant de coupon. Sans les vêtements que je lui cousais, mon amie n'aurait rien eu à se mettre sur le dos.

D'aussi loin qu'il m'en souvienne, elle n'avait jamais eu la langue dans sa poche. D'ailleurs, elle venait de perdre son emploi chez *Valois & Sons*, parce qu'elle avait répondu cavalièrement à son patron. Le lendemain, elle avait été embauchée à la manufacture de chaussures et de bottes *Fogarty & Brothers*, rue Saint-Laurent, au coin de Sainte-Catherine. L'apprentissage était ardu et son moral, presque aussi à plat que le mien. Et pour cause : elle vivait douloureusement son premier chagrin d'amour. Son soupirant avait rompu, après qu'elle eut refusé de lui «prouver» son amour, si vous voyez ce que je veux dire. Depuis, elle se languissait, sûre d'être passée à côté de l'homme de sa vie. Ne lui avait-il pas répété cent fois qu'il l'aimait à la folie? N'avait-il pas promis de l'épouser, dès qu'il aurait mis suffisamment d'argent de côté?

Je n'en croyais rien, bien au contraire, et je la félicitai de n'avoir pas flanché devant ce beau parleur. J'avançai de bons arguments pour lui ramener les deux pieds sur terre. Voulait-elle se retrouver à Sainte-Pélagie comme sa mère et la mienne? Nous étions bien placées, toutes les deux, pour savoir ce qui arrivait aux filles tombées et à leurs rejetons. Mais le mot danger ne figurait pas dans le vocabulaire de mon amie. Pour tout dire, elle se moquait éperdument de mes appels à la prudence. Elle adorait faire tourner les têtes et s'amusait du désir qu'elle éveillait chez les jeunes gens. Je n'insinue pas qu'elle leur permettait des privautés, mais elle flirtait avec une étonnante insouciance.

C'était surprenant de la retrouver si casanière, si déprimée. Pour lui changer les idées, et afin de me sentir moins seule, je l'associai à mon enquête. Contrairement à moi, Honorine n'avait pas la moindre envie de retrouver ses géniteurs. Puisqu'ils l'avaient abandonnée à sa naissance, elle ne gaspillerait pas une minute de son temps à les rechercher. À son avis, ni l'un ni l'autre n'en valaient la peine. Une étrangère l'avait laissée sur le perron de l'église, un mot griffonné à la hâte épinglé à sa bavette : «Occupez-vous d'elle, je n'en peux plus, mais de grâce, ne la donnez pas en adoption.» Personne n'était jamais revenu la chercher. Tout cela pour dire qu'Honorine avait tiré un trait sur son passé. Par désœuvrement ou par amitié pour moi, elle accepta néanmoins de me donner un coup de main.

Nous avions grandi à l'Orphelinat des Enfants trouvés et nous savions dans quelle armoire les sœurs cachaient leurs documents confidentiels. Mon plan me paraissait infaillible. Il suffisait qu'Honorine fasse sortir la registraire, sœur Saint-Jean-Baptiste, de son bureau, le temps que je fouille dans ses dossiers. Nous la connaissions assez pour savoir qu'elle ne se méfierait pas de nous. Il ne restait plus qu'à trouver une bonne raison pour l'éloigner du registrariat le temps nécessaire pour dévaliser l'armoire.

C'est Honorine qui eut le génie de lui offrir un livre pieux en cadeau. À la librairie Beauchemin, nous avions l'embarras du choix. Honorine vota pour *Sentiments d'une âme pénitente* et moi, pour *Pensées sur l'éternité*. Nous avons tiré à pile ou face et elle a gagné.

Le dimanche suivant – l'unique jour de congé d'Honorine –, nous nous sommes présentées au parloir, notre colis sous le bras. Mine de rien, nous avons filé à la chapelle, où nous avons facilement repéré le prie-Dieu de notre bonne sœur, le premier en avant, près d'une gerbe de fleurs. Ça a été un jeu d'enfant de glisser le livre soigneusement emballé entre son missel et son recueil de cantiques. Ensuite, nous avons emprunté le sombre corridor menant à son bureau. Honorine a frappé.

«Qui est là? demanda une voix fluette, de l'autre côté du mur.

— Vos deux petites diablesses.»

Nous avions répondu en chœur.

«Ah! Mais entrez, voyons.»

La sœur se leva pour nous accueillir. Cette visite surprise la rendait toute joyeuse.

«Qu'est-ce qui me vaut cet honneur, mes belles filles?

— Devinez quoi? Nous sommes honteuses d'avoir oublié l'anniversaire de votre saint patron, dit Honorine. Alors, pour nous faire pardonner, nous vous avons apporté un cadeau.»

Mon amie mentait avec un naturel déconcertant, j'en étais presque jalouse.

« Comme c'est touchant, fit la sœur. Saint Jean-Baptiste ne vous en tiendra pas rigueur. »

Prenant sa main dans la sienne, Honorine lui demanda de la suivre à la chapelle où l'attendait la surprise.

« Vous ne nous accompagnez pas, Rose ? me demanda la sœur en se tournant vers moi.

— Savez-vous, je préfère vous attendre ici. Je me suis foulé une cheville en arrivant et ça me fait un peu mal.

— Rose ferait mieux de se frictionner pour éviter l'enflure », ajouta Honorine.

Sœur Saint-Jean-Baptiste n'insista pas. Je l'entendis marmonner :

« Vous deux ! Qu'avez-vous encore inventé pour me faire gagner mon ciel ? »

Une fois la porte refermée derrière elles, je disposais de peu de temps pour réaliser mon larcin et je mis chaque seconde à profit. J'avais calculé qu'il faudrait à ma complice environ trois à quatre minutes pour arriver à la chapelle, autant pour le retour. Je pouvais compter sur Honorine pour étirer les secondes. Elle s'extasierait devant les fleurs embaumant l'air ambiant, demanderait la permission de s'agenouiller afin de prier la Vierge dont la statue ornait l'autel latéral et s'arrêterait pour parler à quiconque croiserait son chemin.

Je me précipitai vers le classeur bourré d'archives. Catastrophe ! la clé était introuvable. J'eus beau la chercher, elle ne se trouvait ni à son crochet ni dans les tiroirs. Zut, zut, zut. Je me suis alors souvenue que Saint-Jean-Baptiste la conservait attachée au cordon qui lui enserrait la taille. J'étais furieuse. Comment avais-je pu oublier ce détail ? Sans grand espoir, je tentai de forcer la serrure en y insérant un coupe-papier. Par miracle, elle céda.

J'avais déjà perdu un gros trois minutes lorsque la cloche tinta. Ma chance tournerait court si je n'accélérais pas. J'allais bientôt me heurter à une deuxième tuile : sur la tablette, le registre d'origine avait été remplacé par un cahier neuf, dans lequel on avait recopié les admissions par ordre chronologique. J'arrivai sans trop de mal au mois de juillet de l'année 1852 pour constater la pauvreté des données. La plupart des filles s'appelaient Marie et les garçons, Joseph. Un nouveau-né couvert de vermine et dont le sexe n'était pas spécifié était inscrit comme ayant été trouvé enveloppé dans un journal et abandonné au bord de la rivière. Un autre, une fille celle-là, était née à la prison des femmes. Lorsqu'on l'avait amenée à l'orphelinat, la petite était sous l'influence de l'opium, aussi incroyable que cela puisse paraître. Un enfant de sexe masculin gisant dans la rue avait été ramassé par un passant. Les os broyés par des chevaux, il n'avait pas survécu.

Quelques orphelines inscrites venaient bel et bien de Sainte-Pélagie. Seuls leurs prénoms avaient été transcrits. Outre les Marie, il y avait une Rose et une Anne. Mais, dans ces deux cas comme dans les autres, les blancs réservés au nom de la mère, à son âge et à son lieu d'origine étaient vierges. Au bas de la page, la registraire en fournissait l'explication : *Dans les jours qui ont suivi l'incendie de la ville, le registre d'origine n'a pas été rempli de manière appropriée et fiable. Pour éviter les erreurs sur la personne, nous avons préféré ne pas recopier les données pouvant soulever un doute ou prêter à confusion.*

C'était à sécher sur pied ! Je jonglais avec les moyens de retrouver le fameux document d'origine lorsque j'entendis le rire forcé d'Honorine dans le corridor. Sa façon de m'avertir de son retour me sembla cousue de fil blanc. La bonne sœur ne serait pas dupe, pensai-je en refermant le classeur sans faire de bruit. Au même moment, la poignée de porte tourna.

Trop émue pour flairer le subterfuge, sœur Saint-Jean-Baptiste me demanda de lui lire un extrait de *Sentiments d'une âme pénitente* qu'elle tenait serré sur son cœur. Comme si j'avais la tête à ça !

6

Dîner chez les Davignon

La meilleure amie de Madame Odile, Éléonore Davignon, recevait tous les mardis à sa résidence cossue de la rue Sherbrooke, à l'ouest de Saint-Hubert. Son mari, Émile, importateur et négociant, s'était créé une situation honorable dans le monde des affaires. On le considérait comme l'un des Canadiens français les plus fortunés du Bas-Canada. Autrefois, il avait été l'associé du mari d'Odile, Paul Lavigne, mort du choléra lors de l'épidémie de 1854. Du temps qu'ils roulaient sur l'or, les deux hommes étaient comme cul et chemise. *Davignon & Lavigne* avait pignon sur Beaver Hall Terrace. Leur prospérité, ils la devaient surtout au rhum blanc et aux cigares de La Havane, mais le saumon fumé du Nouveau-Brunswick et les vins Clairet, Sauternes et Chablis leur rapportaient gros aussi. Les boissons alcoolisées se vendaient à la caisse ou au gallon et, malgré la croisade des ligues de tempérance, le Bas-Canada ne risquait pas de mourir de soif.

Autant Émile Davignon avait la bosse des affaires, autant Paul Lavigne se compromettait dans des placements hasardeux, ce que sa veuve avait découvert au moment de déposer le bilan du défunt. Le passif de Paul s'avérait trop élevé et ses dettes si exorbitantes qu'elle avait été contrainte de refuser sa succession.

Pour se tirer d'affaire, Madame Odile avait heureusement pu compter sur l'appui affectueux d'Éléonore et sur la générosité de son mari Émile. Toutefois, comme elle ne voulait pas vivre aux crochets de ses amis, elle avait ouvert, rue Saint-Amable, un élégant salon de couture qui avait rapidement attiré leurs relations. Beau temps mauvais temps, la bonne société montréalaise s'y donnait rendez-vous. Les dames Viger, Fabre, Cartier et

Cuvillier défilaient chez la veuve, qui pouvait tailler un tissu sans patron, rien qu'en regardant les formes de sa cliente. Ses élégantes créations ne versaient jamais dans l'excentricité, car peu de femmes, selon elle, pouvaient se permettre les audaces de la mode européenne.

C'est ainsi, en travaillant dur, que Madame Odile s'était remise à flot et avait réussi à maintenir un train de vie convenable, bien qu'inférieur à celui qu'elle avait connu du temps de son défunt mari. Hélas! la maladie l'avait convaincue de céder sa clientèle à d'autres mains. Malgré sa santé fragile, elle tenait à m'enseigner les rudiments de la couture. Le souvenir de ses embarras financiers l'avait rendue prévoyante et elle voulait me mettre à l'abri des mauvais coups du destin. Aussi ne manquait-elle jamais une occasion de me rappeler que « prudence est mère de sûreté ».

Chaque fois qu'Éléonore tenait salon, mamie Odile insistait pour que je l'accompagne. Les Davignon m'accueillaient comme un membre du cercle.

Ce jour-là, ça devait être le dimanche de la Toussaint, il était six heures lorsque Monsieur Alphonse nous a déposées, Madame Odile et moi, rue Sherbrooke, en promettant de venir nous chercher vers onze heures, après sa réunion de la Société Saint-Jean-Baptiste. Dans l'imposant salon aux fenêtres tendues de velours bleu poudre, il y avait déjà cinq ou six invités à notre arrivée. Le feu crépitait dans la cheminée. Éléonore avait fait allumer pour absorber l'humidité qui nous glaçait depuis le matin. Novembre s'annonçait coriace.

La maison des Davignon, qui serait l'une des premières demeures de Montréal à posséder l'électricité, était aménagée avec goût. Pas de luxe extravagant, quelques tableaux rares, et des meubles de style. Je ne connaissais rien à la peinture, mais je pouvais distinguer l'œuvre d'art de la toile médiocre.

La soirée se voulait intime. Éléonore Davignon n'attendait que quelques proches. Elle guérissait d'une vilaine toux et son mari, qui la dorlotait comme un jeune marié, tenait à lui épargner toute fatigue. La mince Éléonore donnait l'impression d'avoir reçu de la nature une constitution fragile. Cependant, il ne fallait pas s'y tromper, elle était robuste et rarement indisposée. Charmante dans sa robe à damiers marine et blanc, un foulard de cachemire dénoué sur les épaules, elle avait glissé un mouchoir de dentelle à son poignet empesé.

Mamie Odile portait une robe brune mi-laine mi-lin qui l'avantageait. Elle s'assit à côté d'Éléonore Davignon dans la causeuse de soie cramoisie et moi, on m'invita à prendre place sur la chaise de style tout à côté. Debout, le maître des lieux devisait gentiment avec son vieil ami du Séminaire de Nicolet, le docteur Eugène-Hercule Trudel, dont je connaissais l'excellente réputation pour avoir entendu les sœurs de Sainte-Pélagie vanter ses talents d'accoucheur. Je savais aussi que jamais il ne leur avait demandé un sou pour ses services. Les deux hommes échangeaient des nouvelles de leurs camarades de classe du temps de leur lointaines études classiques. Il fut d'abord question de Monseigneur Louis-François Laflèche, évêque des Trois-Rivières, puis d'Antoine-Aimé Dorion, chef du Parti libéral canadien-français, deux personnalités en vue. Un autre éminent médecin, le docteur Jean-Philippe Rottot, chirurgien à l'Hôtel-Dieu de Montréal, fut bientôt introduit au salon. Son large front dégarni, ses cheveux uniformément gris et ses longs favoris à peine plus pâles donnaient à croire qu'il se dirigeait allègrement vers la cinquantaine. Ses épais sourcils noirs lui conféraient un air sévère qui tranchait avec son sourire narquois.

Peu après, le fils des Davignon s'est joint à nous et alors, la soirée a vraiment commencé à s'animer. Antoine avait vingt-deux ans et il étudiait la médecine. Il était beau comme un dieu, mais un peu trop prétentieux à mon goût. Grand et élancé comme son père, il frappait par son élégance raffinée. La crinière blonde indisciplinée, il secouait constamment la tête, comme pour s'assurer que ses cheveux retombaient en place. Un semblant de moustache se dessinait au-dessus de sa lèvre supérieure, donnant à sa physionomie une expression dédaigneuse. Je pouvais l'observer tout à loisir, car jamais il ne posait le regard sur moi.

« On se croirait au beau milieu de la réunion mensuelle du Collège des médecins et chirurgiens du Bas-Canada », lança l'exubérant Émile Davignon, trop content de voir son fils frayer avec les plus grands praticiens de la province.

De mon siège, j'écoutais ce feu roulant d'opinions émanant de l'un ou de l'autre. Plutôt réservé, le docteur Trudel s'exprimait lentement sans jamais élever la voix. Son épouse Françoise, elle-même fille d'un médecin réputé de Saint-Hyacinthe, l'observait affectueusement. Plus volubile, le docteur Rottot surprenait par sa prodigieuse mémoire qu'il mit à profit pour nous raconter les débuts de la médecine, dans le but de nous démontrer les progrès accomplis au fil des ans.

« C'est vrai, on meurt aujourd'hui comme on mourait alors, lança-t-il en haussant le ton légèrement, car le cercle avait fait silence pour l'écouter. Il n'empêche que la science avance à pas de géant. »

Pour renseigner les dames, moins au fait du chemin parcouru par la médecine moderne, il remonta jusqu'au Moyen-Âge. La formation médicale se résumait alors à l'étude des philosophes Socrate, Platon et Aristote, à laquelle s'ajoutait une connaissance approfondie de la théologie chrétienne. À cette époque, précisa-t-il, sans doute pour nous dérider, il y avait peu de différence entre le médecin et le guérisseur.

« Au moins, le guérisseur soignait avec des médicaments à base de plantes, ce qui ne mettait pas en danger la vie de ses patients. On ne pouvait pas en dire autant du médecin ! »

Le docteur Trudel approuva d'un signe de tête :

« Pas seulement au Moyen-Âge, mon cher confrère. En 1800, les meilleurs praticiens abusaient toujours des saignées et appliquaient les sangsues pour tout et pour rien. Et ils gavaient les lépreux de bouillon de serpent ! »

J'étais soufflée, sans pour autant oser m'immiscer dans la conversation de ces hommes de science. N'empêche, j'aurais aimé connaître les vertus curatives recherchées chez les reptiles. Le docteur Rottot y alla alors d'une nouvelle boutade :

« Même aujourd'hui, on soigne encore en aveugle. Si on jetait à la mer tous les médicaments utilisés par les médecins, ce serait une bonne chose pour les patients, mais un grand malheur pour les poissons. »

Dans la pièce, le rire fut général.

« Ce n'est pas moi qui le dis, c'est le docteur Oliver Holmes, un de nos éminents collègues américains.

— Où as-tu pêché cette histoire, mon vieux ? demanda Émile Davignon, peu enclin à se laisser emplir comme une cruche.

— Dans une revue médicale que j'ai à la maison, répondit-il. Comme vous voyez, je ne remonte pas à Mathusalem. »

Nouveaux éclats. Devant un aussi bon public, le docteur Trudel renchérit sur son ami :

« Saviez-vous qu'il n'y a pas si longtemps, on opérait sans chloroforme ? Il fallait attacher solidement le malade sur la table d'opération.

— Sans chloroforme ? répétai-je, incrédule. C'est épouvantable !

— Eh oui, mademoiselle. À chaque coup de bistouri, nous entendions des cris de mort », confirma le docteur Rottot, qui se souvenait des premières expériences réalisées sans anesthésique.

Émile Davignon sauta dans la conversation :

« Si je ne me trompe pas, c'est notre ami, feu le docteur Wolfred Nelson, qui a introduit ce mystérieux liquide à Montréal.

— Exactement, répondit Antoine, désireux de mettre son grain de sel, comme s'il regrettait de ne pas avoir affirmé la chose avant son père.

— Je me rappelle une expérience menée par l'un de mes professeurs, à l'École de médecine, poursuivit le docteur Rottot. Nous étions dans l'amphithéâtre. Il a placé sur la table d'opération un chat que deux élèves maintenaient de force pendant qu'on lui faisait respirer le chloroforme. Notre savant maître a ensuite fait quelques incisions dans le ventre de l'animal, qui n'a pas bronché, preuve que l'opération se poursuivait sans lui occasionner de douleur. Puis, il a habilement recousu la peau du ventre du chat, avant d'enlever la serviette qui lui recouvrait la tête, tout en prédisant que, sitôt réveillé, la bête déguerpirait. Or, au contraire, notre malheureux cobaye ne remua pas d'un poil. Il était mort.

— Non ! laissa échapper la trop sensible mamie Odile, qui ne supportait pas qu'on martyrise les animaux sans défense.

— Dieu merci, chère amie, fit pompeusement le docteur Rottot, ce genre d'accidents n'arrive plus aujourd'hui. Antoine vous le confirmera. »

Le jeune Davignon profita de la perche qui lui était tendue pour faire étalage de son érudition. Il vanta les bienfaits d'une autre invention récente tout à fait spectaculaire : le microscope. Le docteur Rottot l'approuva d'un signe de tête, avant de relancer la conversation dans une direction plutôt macabre.

« Songez que les hôpitaux refusaient de nous fournir les cadavres dont nous avions besoin pour effectuer des autopsies et par conséquent pour découvrir les mystères du corps humain. Nous n'avions d'autre solution que de nous les procurer en faisant des excursions dans les campagnes. »

Je m'avançai sur mon siège, fort intriguée, mais soupçonnant le docteur Rottot de vouloir amuser la galerie. Il devina ma pensée :

« J'ai bien peur de choquer les oreilles de votre charmante demoiselle de compagnie, chuchota-t-il à l'oreille de mamie Odile.

— Ne vous en faites pas, lui répondit celle-ci. Rose est curieuse de tout…

— Allez, docteur, racontez-nous vos fameuses échappées nocturnes », supplia Antoine, qui avait interrompu mamie un peu impoliment. Sans doute ne voyait-il aucune raison valable de mêler ma modeste personne à la conversation ?

« Je n'en ferai rien sans avoir obtenu la permission de Mademoiselle Rose, répondit le docteur Rottot en me lançant un sourire complice. Se tournant vers Antoine, il le semonça gentiment : « Jeune homme, il faut toujours chercher à plaire aux jolies femmes. »

Tous les visages se tournèrent vers moi. Je me sentis rougir. Pour dissimuler mon embarras, je replaçai les plis de ma jupe en toussotant. J'arrivai enfin à surmonter ma gêne, assez pour lui donner mon consentement :

« Rassurez-vous, docteur, je sais garder la tête froide.

— À la bonne heure, mademoiselle. »

Alors, il nous fit le récit de ses folies de jeunesse. À tout moment, il laissait échapper : « Des larrons en foire, vous dis-je, nous étions des larrons en foire. »

En effet, ses camarades et lui ne manquaient pas de toupet. Pendant la nuit, ils partaient à quatre ou cinq pour aller déterrer des cadavres dans les cimetières avoisinants. Le plus lâche parmi les futurs Esculape restait en retrait, près de la voiture, sous prétexte qu'il fallait garder les chevaux, tandis qu'un de ses compagnons faisait le guet, de peur que le bruit des « pelleteux » ne réveillât tout le village. Les plus hardis sautaient la clôture et, munis de pelles, une corde nouée à la ceinture, ils creusaient une première fosse, puis une seconde, jusqu'à ce qu'ils découvrent un cercueil qu'ils défonçaient à coups de hache.

« Il y a un bon Dieu pour les étudiants comme pour les ivrognes, s'esclaffa le docteur Rottot. Le plus souvent, nous sortions un macchabée de terre et le transportions jusqu'à la voiture sans incident fâcheux. Ah ! nous étions braves et nous ne connaissions pas la peur. Mais que d'émotions ! mes aïeux, que d'émotions !

— Mon éminent collègue ne vous a pas tout dit », enchaîna le docteur Trudel, d'une voix calme qui contrastait avec nos protestations énergiques, car nous trouvions ces expéditions franchement scandaleuses.

« Vous n'allez pas vous mettre de la partie vous aussi ? s'insurgea Éléonore Davignon en esquissant une moue désapprobatrice.

— J'allais simplement ajouter que les substances employées aujourd'hui pour conserver les cadavres n'existaient pas alors. Vous pensez bien qu'il nous fallait déployer dans la salle de dissection un courage inouï pour respirer l'air imprégné de gaz provenant de ces corps en décomposition.

— Ouache !

— Eurk ! »

C'en était trop. Les dames ne purent réprimer une grimace de dégoût. Antoine, lui, s'en donnait à cœur joie.

« Bof ! Il faut bien que jeunesse se passe, fit le docteur Rottot. D'ailleurs, je suis sûr qu'Antoine a réédité quelques-uns de nos brillants exploits. Ne niez pas, jeune homme. Je comprends que la présence de vos parents ralentisse vos ardeurs, mais un jour, comme Rottot et moi, vous vous laisserez aller aux confidences. »

Antoine aimait bien quand l'attention se portait sur lui. Fier comme un paon, il passa sa main aux doigts longs et fins dans sa tignasse blonde. Nul doute, il allait tenter d'impressionner son père. Cela se devinait à la manière détournée dont il aborda la délicate question des microbes et de leur présumée génération spontanée, une thèse que rejetait l'éminent Louis Pasteur. Du chinois pour moi. Apparemment, les récents travaux du biologiste français de réputation internationale ne faisaient pas l'unanimité parmi les médecins et Antoine voulait savoir ce qu'en pensait le docteur Rottot. Il l'interrogea donc, en prenant soin de ne pas trop s'avancer lui-même.

« Pasteur rend un immense service à l'humanité en nous enseignant comment nous protéger des microbes, répondit le médecin sans l'ombre d'une hésitation. Il n'existe qu'un seul traitement : l'antisepsie. Avec cette découverte, nous entrons dans l'âge d'or de la médecine. Je déplore vivement que certains médecins en doutent.

— N'allez pas croire que ce soit pire ici qu'ailleurs, bien au contraire, précisa le docteur Trudel. Je vous étonnerai peut-être en vous disant que, l'an dernier, à New York, des inspecteurs ont constaté qu'il n'y avait pas un seul morceau de savon dans tout l'hôpital Belleview. »

Il hocha la tête devant une aussi incroyable réalité.

« Auparavant, nous n'étions pas conscients des dangers de la malpropreté ! » enchaîna le docteur Trudel en évoquant les femmes mortes en couches, victimes de la fameuse fièvre du lait. « Trop de médecins se lavaient les mains après avoir touché à la femme enceinte, plutôt qu'avant, comme ils auraient dû le faire.

— Vous avez raison, mon cher collègue, admit le docteur Rottot. Grâce aux précautions que nous prenons aujourd'hui pour nettoyer les plaies et les refermer, nous sauvons des vies que nous perdions hier encore. »

La conversation prenait un tour qui m'effara, en particulier quand le docteur Rottot rappela, cette fois sans rire, qu'en rentrant de leurs escapades nocturnes, certains étudiants ne se nettoyaient pas les mains avant de pénétrer dans la salle des accouchements. Je songeai alors à la terreur ô combien justifiée de Noémi et à sa mort tragique. Je retenais mon souffle. Pourvu que personne ne remarquât mon trouble. D'une voix que je m'efforçai de contenir, je posai la question qui me démangeait :

« Docteur Trudel, à quoi ressemble une malade qui a contracté les fièvres après son accouchement ?

— Rose, vous n'y pensez pas… »

Mamie Odile trouvait ma question déplacée dans un salon. Elle avait raison et je regrettai mon impertinence. Quand donc apprendrais-je à tenir ma langue ? Mon malaise alla grandissant lorsque je constatai qu'Antoine me fixait, l'air de se demander : de quoi se mêle-t-elle, cette ignorante ? Le docteur Trudel me répondit comme s'il posait un diagnostic :

« Face grippée, douleurs atroces, vomissements et diarrhée. À ce stade, la patiente n'en a plus pour très longtemps. Si l'agonie se prolonge, une odeur de gangrène et de pourriture se dégage bientôt de la moribonde...

— Assez, je vous en supplie, ordonna Éléonore Davignon, vous allez gâcher notre repas. Je décrète l'arrêt immédiat de toute conversation à saveur médicale, sinon je ne fais pas servir et vous en serez quittes pour repartir le ventre creux. »

Françoise Trudel l'approuva, Madame Odile aussi. Elles en avaient déjà trop entendu. Seuls Antoine et moi, mais pour des raisons différentes, aurions souhaité poursuivre cet échange. Émile Davignon offrit une nouvelle tournée, pendant que sa femme filait à la cuisine pour donner les dernières directives à son personnel.

∽

À table, je me retrouvai assise entre le docteur Trudel et Antoine. En entrée, on servit des cailles aux raisins, cependant que la conversation reprenait sur un ton plus léger. En face de moi, Madame Odile se montra sensible aux compliments de son amie Éléonore, qui vantait ma toilette en des termes dithyrambiques.

« N'est-ce pas qu'elle est ravissante ! s'exclama mamie en m'enveloppant de tendresse.

— Je vois que tu n'as pas perdu la main, ma chère, constata Éléonore.

— Je n'ai aucun mérite. Rose a du chic. Un rien l'habille. Je voudrais bien avoir sa taille svelte.

— Et moi, son âge. »

Mamie Odile me pria de me lever afin que tous puissent admirer son chef-d'œuvre. Impossible de refuser sans paraître impolie. Je m'exécutai de bonne grâce, allant jusqu'à tourbillonner sur moi-même. Les dames se montrèrent fort élogieuses. Mon corsage en crêpe vert avait de longues manches qui s'arrêtaient aux poignets. Une large ceinture de même tissu me serrait la taille. Je portais sur les épaules mes cheveux châtain clair retenus par des peignes. J'avais des yeux bleu océan dans un visage qui avait perdu ses rondeurs enfantines et se terminait par un menton impertinent, à ce qu'on me répétait souvent. Je commençais à peine à prendre conscience de la délicatesse de mes traits et de l'harmonie qui s'en dégageait.

« Voyez comme la jupe tombe bien », dit Éléonore Davignon, admirative.

Madame Odile devina mon malaise et, tandis que je reprenais ma place à table, elle lança à l'intention d'Eugène-Hercule Trudel :

« Saviez-vous, docteur, que Rose est la filleule de la fondatrice de la Maternité Sainte-Pélagie, Rosalie Jetté ?

— Ah ! oui ? fit celui-ci. Je l'ai bien connue, Rosalie Jetté. Je peux même affirmer que j'ai été son principal collaborateur. Pendant des années, j'ai assisté à ses incroyables efforts pour mettre sur pied sa maternité. Je crois avoir accouché la plupart de ses pensionnaires, du moins au cours des premières années. Elle faisait appel à mes services surtout pour les cas difficiles. D'ailleurs, c'est moi qui l'ai initiée à l'art des accouchements. J'ai même signé son certificat de sage-femme. Quelle personne remarquable, cette bonne Mère de la Nativité ! Et que de jeunes médecins elle a aidé à former ! Hélas ! elle a vécu de terribles épreuves à la fin de sa vie. »

De terribles épreuves ? Personne ne m'en avait jamais parlé. Je n'osai pas l'interroger, même si je mourais d'envie d'en savoir plus. Je levai la serviette posée sur mes genoux et m'en tamponnai les lèvres.

« C'est vrai ? fis-je. Moi, quand je pense à elle, je vois une femme minuscule, extrêmement timide. Dans les couloirs de la maternité, elle passait comme une ombre, s'effaçant devant les autres religieuses, de peur de les gêner. Elle se sentait inutile et importune.

— Et pourtant, Dieu m'est témoin qu'elle fut l'ange gardien de bien des malheureuses jeunes filles. Combien de centaines a-t-elle dérobées au déshonneur?»

Mamie Odile jugea à propos de lui mentionner que je collaborais à la rédaction d'une biographie de la fondatrice. C'était un peu exagéré, puisque j'étais une simple copiste, mais je ne l'ai pas contredite. Autour de la table, les invités faisaient des apartés et l'animation était à son comble. J'en profitai pour poursuivre ma conversation en tête-à-tête avec le docteur Trudel :

«Dernièrement, j'ai appris que les jeunes médecins ont remplacé les sages-femmes à la maternité de Sainte-Pélagie, lui dis-je. Apparemment, ç'a fait toute une histoire. Je comprends mal pourquoi ces dernières ont perdu le droit d'accoucher leurs pensionnaires. La faute, paraît-il, en incomberait aux médecins, qui les auraient écartées.

— C'est plus compliqué qu'on pourrait le croire, répondit le médecin en écarquillant les yeux. Venez me voir à l'hôpital, si ça vous intéresse, nous en causerons.

— Ce sera pour moi un immense plaisir de vous écouter, docteur.»

Nous allions attaquer le turbot nappé d'une sauce à la crème, lorsque la curiosité de Madame Odile la trahit. Ou peut-être était-ce notre complicité qui cherchait à se manifester? Toujours est-il qu'elle demanda à mon voisin de table s'il se rappelait un accident grave survenu à Sainte-Pélagie une vingtaine d'années plus tôt. Une nouvelle accouchée serait morte des suites de mauvais traitements de la part d'un jeune médecin ivre. Le docteur Trudel se gratta le menton, pendant que son collègue Rottot répondait à sa place :

«Ma chère dame, les cas de mortalité en couches n'étaient pas rares à l'époque. Comme nous l'évoquions plus tôt, la malpropreté causait d'incontestables ravages. Mais n'allez pas croire que seuls les médecins pêchaient par manque d'asepsie. Les sages-femmes négligeaient l'hygiène, elles aussi. Il y a peut-être eu des cas de fièvre propagée involontairement par des médecins. Cependant, rien de tout cela n'a été fait délibérément, ça, je peux vous l'affirmer.

— Attendez, l'interrompit son collègue Trudel. Il me revient une pénible affaire impliquant une prostituée. Si je ne m'abuse, elle a voulu venger la mort d'une compagne d'infortune, pensionnaire comme elle à Sainte-Pélagie, en empoisonnant le médecin qui avait délivré cette dernière.

— Et ensuite ?» demandai-je en me redressant un peu trop brusquement.

Malheureusement, le docteur Trudel n'en savait guère plus.

«C'est vague, reprit-il en haussant les épaules. Je me souviens d'un retentissant procès largement commenté dans les gazettes. La prostituée a été reconnue coupable et condamnée à mort.»

J'avais la gorge sèche et je retenais mes tremblements.

«A-t-elle avoué son crime ? A-t-elle agi seule ? Qui lui a fourni le poison ?»

Mes questions avaient fusé. Autour de la table, les invités s'interrogèrent du regard. Personne ne parlait, on entendait le bruit des fourchettes. Que signifiait cette curiosité surprenante de la part d'une jeune fille qui n'avait pas encore l'âge de raison au moment des événements dont il était question, ce soir-là ? Je voulais disparaître sous la table. Alors, j'ai dit sur un ton badin mais en rougissant :

«Vous avez devant vous une future romancière !»

J'ignore si ma répartie a convaincu quiconque dans la pièce. Elle a tout de même eu le mérite de les faire sourire.

Le docteur Trudel reconnut son impuissance à me renseigner davantage. Il pensait cependant qu'un de ses collègues, le docteur Louis-Benjamin Durocher, pouvait m'éclairer. En sa qualité d'expert médical du coroner, il avait été mêlé à toutes les causes criminelles des trente dernières années. Si je le souhaitais, il consentirait à jeter un coup d'œil à ses anciens dossiers. À condition que ce ne soit pas confidentiel, bien entendu. Je soupçonnai le médecin d'avoir saisi, partiellement du moins, le but réel de mes questions et j'appréciai sa discrétion. M'eût-il interrogée, cela m'aurait fichument embarrassée.

Là-dessus, à mon grand étonnement, Antoine proposa de s'occuper de l'affaire. Connaissant l'emploi du temps serré du docteur Trudel, il voulait lui épargner cette démarche. Il parlerait lui-même au docteur Durocher dont il suivait les cours sur les maladies mentales et nerveuses, à l'École de médecine. Il s'engagea à me tenir au courant de l'évolution de son investigation, même s'il ne comprenait pas vraiment l'intérêt que je portais à la chose.

À cet instant, je ne jugeai pas opportun de lui expliquer mes motifs, mais je fus tout de même touchée par sa sollicitude, qui contrastait avec ses manières hautaines vis-à-vis de moi.

Cette soirée marqua un réel changement dans ma vie. J'étais plutôt fière de moi. Quelques mois plus tôt, je n'aurais pas desserré les dents de la soirée, je me serais tout bonnement contentée d'écouter. Était-ce bien moi, cette orpheline sans famille, qui avais osé discuter avec des sommités du monde médical ? Je me tâtais pour en être certaine. Je n'en revenais pas : ces médecins réputés avaient manifesté de l'intérêt pour ma personne et avaient répondu à toutes mes questions. Même Antoine Davignon avait cherché à m'être agréable. Je n'en dormis pas de la nuit.

7

Le bel Antoine

Après la soirée chez les Davignon, je n'ai pas entendu parler d'Antoine pendant plusieurs semaines. Je mentirais si je disais que cela m'a surprise. Déçue, oui. Il aura tout bêtement voulu accomplir un acte d'éclat pour se faire valoir.

Un midi, je l'ai aperçu au coin de la rue De la Gauchetière. Rien de plus normal, l'École de médecine et de chirurgie avait pignon sur rue à deux minutes de marche de là. Je l'ai reconnu de loin, mais j'ai fait semblant de ne pas le voir. Sa capote noire déboutonnée, il portait un chapeau sur le derrière de la tête. Les trois jeunes gens avec qui il discutait avaient l'air tout aussi dégingandé que lui. Des camarades de classe, probablement.

Je mettrais ma main au feu qu'il ne se trouvait pas là par hasard. Si j'osais, je dirais même qu'il m'attendait. Ça m'ennuyait joliment, car je portais ma vieille jupe brune, celle que je mettais pour aller à Sainte-Pélagie. J'avais l'air d'une gueuse. J'aurais dû donner cette guenille aux pauvres, mais je ne pouvais tout de même pas me présenter devant les sœurs habillée comme une parvenue.

Nous étions à quelques pâtés de maison l'un de l'autre, il ne pouvait pas ne pas m'avoir vue. Il serra la main de ses camarades qui déguerpirent en direction contraire, non sans se retourner de temps à autre, pour finalement disparaître au bout de la rue. Tout cela ressemblait à une scène jouée par de mauvais acteurs.

Antoine s'avança vers moi en tripotant son cartable. Encore trois pas, deux, un pas, et il s'arrêta. Je sentis qu'il allait m'interpeller :

« Rose ? Quel bon vent vous amène par ici ? » me demanda-t-il en feignant la surprise, alors qu'il savait pertinemment que j'habitais dans le faubourg.

Il retira son chapeau. J'aurais dû lui sourire, lui dire le plaisir que j'avais à le revoir. Mais je restais là comme une belle dinde à penser à ma jupe usée. Il poursuivit sans attendre ma réponse.

« Je me proposais justement de passer vous voir chez Madame Lavigne. Permettez-moi de vous raccompagner. »

Alors, il me prit le bras. Je me décidai enfin à ouvrir la bouche pour m'informer de ses études. Il sortait d'un examen oral extrêmement compliqué, mais croyait s'en être pas trop mal tiré. Je devais m'arrêter à la boulangerie. Il insista pour entrer avec moi. Monsieur Saint-Louis réclama des nouvelles de Madame Lavigne, que je m'empressai de lui fournir. Elle filait un mauvais coton, cette semaine-là, et n'avait plus l'entrain d'autrefois. Cela parut désoler le boulanger, qui me pria de lui faire ses salutations.

Dehors, la première neige de l'année fondait au soleil. L'hiver s'annonçait hâtif. Nous avons échangé quelques lieux communs sur la température. Mais nous n'allions quand même pas deviser gentiment de la pluie et du beau temps, alors que j'avais follement envie de savoir si ses démarches avaient abouti. J'osai finalement le questionner sur mes affaires.

« Je n'ai pas appris grand-chose, à vrai dire, me répondit-il, l'air franchement désolé. Manque de chance, le docteur Durocher que je devais interroger à propos du drame qui vous occupe a été rappelé en France. Des spécialistes de l'hôpital de la Salpêtrière l'ont mandé en consultation. Vous savez, sa réputation dépasse largement nos frontières.

— Je sais, oui, répondis-je, même si j'ignorais tout de cet éminent médecin.

— J'ai toutefois pu obtenir quelques informations de nos vieux professeurs de l'Hôtel-Dieu. La plupart ont gardé un vague souvenir d'un médecin mort empoisonné, mais aucun ne m'a été vraiment utile. En revanche, mon voisin, Maître Xavier Roland, pourrait bien être l'homme que vous recherchez. Figurez-vous que cet avocat aujourd'hui à la retraite fut le procureur chargé de la défense de la prostituée dont le docteur Trudel nous a parlé.

— Ah oui? Que vous a dit votre voisin?

— Vous pensez bien que je n'ai pas poussé l'enquête trop loin. Toutefois, j'ai appris que ce meurtre a fait scandale, il y a une vingtaine d'années. Une fille, presque une enfant, serait morte en couches. Un cas de siège très compliqué, semble-t-il. Le médecin qui était de garde, ce soir-là, a fait l'impossible pour la sauver. Il est resté à son chevet toute la nuit. Au matin, elle a rendu l'âme. Vous me suivez?»

Je le suivais, en effet, mais c'était plutôt la suite qui m'intéressait. Jusque-là, sa version différait sensiblement de la mienne, notamment à propos de l'incommensurable dévouement du médecin qui ne correspondait guère à l'attitude désinvolte du docteur Gariépy, l'accoucheur ivre de Noémi Lapensée.

«Ensuite? répéta-t-il après moi, c'est là que les choses se corsent. Ne me demandez pas les détails, je n'ai trouvé personne pour valider les faits. Je sais seulement qu'une prostituée bien connue de la police, et qui était elle-même sur le point d'accoucher, a empoisonné le médecin à l'arsenic. Vous rendez-vous compte? À l'arsenic.»

Il insista sur ce mot, comme pour me faire comprendre toute l'horreur du geste de la fille. Sur un ton plus mondain, et sans se rendre compte de mon malaise, il m'annonça qu'un procès retentissant avait eu lieu à l'issue duquel la prostituée avait bel et bien été condamnée à mort, comme me l'avait dit le docteur Trudel. C'est tout ce qu'il avait pu tirer de son voisin. Si je voulais en savoir plus, il me suggérait de retourner aux journaux d'époque, en particulier *La Minerve* et *The Montreal Gazette*, qui avaient certainement rapporté le procès au jour le jour.

« Voilà. Je pense que cela suffira à vos besoins. Après tout, ce scandale ne vous concerne pas. Quant à la romancière qui sommeille en vous, elle pourra inventer la suite. »

Il se moquait de moi.

« Détrompez-vous. J'irai au fond de cette affaire, vous pouvez m'en croire. »

À ce moment précis, Antoine s'aperçut que mes mains tremblaient. Il les prit dans les siennes et les trouva glacées.

« Pourquoi vous intéressez-vous à des histoires aussi tristes ? me demanda-t-il en fronçant les sourcils. Je ne comprends pas, vous semblez si bouleversée ? »

Sa voix me parut particulièrement douce. J'hésitai à répondre. Était-ce bien sage de lui dévoiler mon secret ? Je me méfiais de ce jeune homme léger, un peu fat, qui s'intéressait à ma personne uniquement quand ça pouvait lui rapporter. Mais, puisqu'il s'était démené pour me rendre service, je lui confiai candidement :

« À l'orphelinat, on m'appelait " la fille des empoisonneuses ". »

L'expression que j'avais employée délibérément sidéra Antoine. Il me regarda, l'air de se demander s'il avait bien fait de s'immiscer dans cette affaire. Je poursuivis sans lui laisser le temps de réagir :

« Je recherche ma mère. Je suis née cette nuit-là. Ou le lendemain, à la Maternité de Sainte-Pélagie. »

Je n'avais pas sitôt lâché le morceau que je regrettais ma confidence. Il ne pouvait pas comprendre. Quand on sait qui sont ses parents, on ne se pose pas de questions sur ses origines. On ne passe pas ses nuits à imaginer les traits de celle qui aurait dû vous réchauffer de son corps. On ne vit pas sa vie obsédé par une absente.

Antoine retrouva son aplomb avant moi. Empruntant soudain un ton condescendant, il voulut me rassurer :

« Allons donc ! Vous ne pouvez pas être la fille d'une… d'une putain, laissa-t-il échapper, incapable de trouver un terme moins péjoratif pour décrire une fille tombée. À la limite, votre mère pourrait être cette jeune mère qui est morte en accouchant. Vu son âge, elle n'était peut-être pas tout à fait responsable de ses actes.

— Elle s'appelait Noémi Lapensée, mais elle n'est pas ma mère, de cela, au moins, je suis sûre. J'ai fouillé dans les registres de l'orphelinat. La petite n'y a jamais mis les pieds. Elle a été élevée par ses grands-parents. »

Son snobisme m'agaçait. Sans doute trouvait-il gênant de marcher dans la rue avec la fille d'une prostituée. Devant son peu d'empathie, je préférai ne pas lui dire que j'avais relancé les parents de Noémi jusqu'à Lachine. Mais déjà il s'écriait :

« Vous avez fouillé dans les registres ? N'est-ce pas imprudent ? » demanda-t-il en me lâchant le bras, comme si son geste lui semblait tout à coup déplacé.

Je fis signe que oui. Antoine réfléchit tout haut :

« Puisque vous avez consulté les livres, vous avez bien dû trouver le nom de vos parents quelque part.

— Justement, non. Il n'apparaît nulle part.

— Alors, vous n'êtes tout simplement pas née à cet endroit, constata-t-il, comme si cela allait de soi.

— Je ne suis quand même pas venue au monde par l'opération du Saint-Esprit. »

Il me prit à nouveau le bras pour traverser le parc. Brusquement, il s'arrêta devant le Neptune de bronze, rue Saint-Jacques, et dit en manifestant tout naturellement sa supériorité :

« Puis-je vous livrer le fond de ma pensée, Rose ? » Il passa la main dans sa tignasse en secouant la tête. Jamais il n'avait eu l'air aussi sûr de lui. « Vous n'avez rien à gagner à remuer ce drame.

— Et pourquoi, je vous le demande ?

— Parce que vous risquez de découvrir des pans de votre passé qu'il vaudrait mieux laisser dormir pour toujours.

— Qu'en savez-vous?» À présent, je le défiais : «À moins que vous ne m'ayez pas révélé tout ce que vous avez appris?

— Voyons, Rose, je n'ai pas à vous dire quel genre de filles accouchent à Sainte-Pélagie?»

Sa moue devint dédaigneuse, cependant qu'il brossait à mon intention un portrait peu reluisant des filles tombées. Toutes des vicieuses, des moins que rien. À mon tour, je le narguai :

«Que de préjugés vous entretenez pour un futur médecin! Vous êtes d'une vulgarité, mon cher. Vous croyez vraiment que les bourgeois méritent leur chance et les pauvres, leur misère?

— Je sais de quoi je parle. J'ai fait un stage à cette maternité. Elles sont toutes pareilles, ces filles. Que voulez-vous? Elles ne savent pas se retenir.

— Antoine!» m'écriai-je dans un élan de colère.

J'étais indignée. Il ne pouvait pas croire vraiment ce qu'il venait d'affirmer. Je me tus, me contentant de le défier du regard, mais il ne baissa pas les yeux. Au contraire, il grimaça, comme si ma réaction lui semblait disproportionnée. Son incompréhension me déconcerta. Je n'aimais pas la tournure que prenait la conversation. J'aurais dû le planter là, au beau milieu du parc. Mais, ç'a été plus fort que moi, je l'ai attaqué de front :

«Vous n'avez pas honte de répandre de pareilles inepties? D'un côté, les médecins dévoués et consciencieux, et de l'autre, les débauchées qui mériteraient de crever sans secours. Seulement voilà, les choses ne se sont pas passées comme ça. Des témoins de cette nuit cauchemardesque, j'en connais, moi.»

Nous étions debout, l'un en face de l'autre, et nous nous regardions comme deux chiens de faïence. Allez savoir pourquoi, je lui fis le récit de la mort de Noémi que je tenais de la bouche de Marie-Madeleine. Antoine attendit que je termine. Puis, il rit d'un mauvais rire :

« Wow ! Vous n'y allez pas de main morte, ma chère. Un médecin ivre qui a les mains sales et dont le bistouri est infecté ? Vous avez raison, vous devriez écrire des romans. Des histoires à dormir debout, devrais-je plutôt dire. »

Tout en parlant, il gesticulait. Il ne s'y serait pas pris autrement pour donner un cours devant une classe bondée d'étudiants surexcités. Il leva les bras en l'air, comme si j'étais d'une désolante naïveté, et m'asséna ses certitudes : je faisais le jeu des sages-femmes en blâmant les médecins pour des fautes médicales dont elles étaient elles-mêmes coupables. Ces usurpatrices – il pesait ses mots – avaient de piètres connaissances en anatomie et étaient nulles en obstétrique. Encore un peu et il allait m'annoncer que les sages-femmes contaminaient leurs clientes. Il faisait leur procès ni plus ni moins, les réduisant à une bande d'ignorantes qui mettaient en danger la vie des futures mères. Le gros bon sens avait commandé aux autorités médicales et religieuses de leur interdire d'assister les femmes qui accouchaient, martela-t-il. Au moins, on les empêchait de donner la mort.

« Si vous ne gobiez pas toutes les sornettes de vos bonnes sœurs, vous auriez compris que les sages-femmes sont de dangereuses criminelles », conclut-il.

Cette fois, c'est moi qui explosai :

« Des criminelles ? Pourquoi pas des sorcières qui copulent avec le diable ? Allez donc au bout de votre pensée. »

Connaissant mon intérêt pour les sages-femmes, le docteur Trudel m'avait fait livrer des écrits à donner des frissons dans le dos. Au Moyen-Âge, on brûlait les sages-femmes sur les bûchers. On les accusait de rendre les hommes impuissants et de propager les fièvres puerpérales chez les femmes enceintes dans le sombre dessein de les voir mettre au monde des monstres. Antoine s'abreuvait à la même fontaine. Je lui servis ma salade pêle-mêle, consciente de forcer la note. Mes propos dépassaient ma pensée. J'étais tellement en colère ! Saisi de me voir dans cet état, il retrouva son calme le premier et plaqua ses mains ouvertes devant lui, comme pour se protéger de mon courroux. À l'évidence, il cherchait le moyen de mettre fin à ce dialogue de sourds.

« Rose, je vous parle en ami, dit-il d'un ton moins belliqueux. Vous ferez bien ce que vous voulez, c'est votre vie, après tout. Personnellement, je pense que vous ne devriez plus fréquenter des femmes qui se déshonorent en s'occupant des filles légères. Croyez-moi, elles feraient mieux de les laisser à la rue pour les corriger. Mais vous ne pouvez pas comprendre, votre émotivité vous rend irrationnelle. »

Je ne désarmai pas :

« Parce que vous posez à l'expert de l'âme féminine ! Sachez que si les sœurs pensaient comme vous, elles m'auraient jetée à la rue, moi, la fille d'une femme méprisable. Que serais-je devenue ? De cela aussi vous vous fichez éperdument. »

Mon ton devint cassant. Il revint à la charge d'une manière quasi affectueuse qui me rendit encore plus méfiante.

« Ne compromettez pas votre réputation, soupira-t-il. Songez à cette chère Madame Lavigne qui a tant fait pour vous. Elle ne mérite pas d'être déçue. Sans rien enlever aux bonnes sœurs qui vous ont élevée, vous admettrez avec moi que votre mamie a fait de vous une jeune fille accomplie. Vous êtes jolie, élégante, cultivée, vous avez d'excellentes manières pour une personne de basse extraction.

— Merci de me souligner que je suis une moins que rien !

— Ce n'est pas ce que j'ai voulu dire. Avec autant d'atouts, vous trouverez facilement, parmi les jeunes gens de la classe commerçante, un mari qui ne réclamera aucune preuve de votre bonne naissance. Si seulement vous consentiez à enterrer vos origines douteuses ! »

Il s'arrêta, posa sa main sur mon épaule et ajouta, paternaliste :

« Je peux vous présenter mes camarades de l'École de médecine, si vous voulez. »

Cette fois, il dépassait les bornes et je lui servis ma tirade finale :

« Je n'ai besoin de personne pour me trouver un mari. Surtout pas vous, qui n'avez aucun respect pour moi. Que cela ne vous empêche pas de dormir, je saurai me débrouiller. Vous êtes peut-être né avec une cuiller d'argent dans la bouche, mais vous n'allez pas à la cheville des honnêtes gens du peuple que je fréquente. Quant à Madame Odile, elle n'aura jamais à se plaindre de moi. Ni à regretter les bons soins qu'elle me prodigue. Je vous l'accorde, je lui dois beaucoup. Ça vous surprendra sûrement d'apprendre qu'elle encourage mes démarches. »

Nous avions tout dit. Je sentais qu'il était inutile d'en rajouter. Nous ne parlions pas le même langage. Il éleva alors la voix pour avoir le dernier mot :

« Dans ce cas, il ne me reste qu'à souhaiter que votre mère ne soit pas cette prostituée condamnée à mort pour avoir empoisonné un innocent médecin. »

Il claqua ses chaussures l'une contre l'autre pour me signifier son mécontentement, s'inclina exagérément et tourna les talons.

8

Le procès d'Elvire

La rue Sherbrooke somnolait sous un soleil de fin d'hiver. Pas de petit livreur de journaux, pas de tramway traîné par des chevaux. Rien qui ressemblât à la rue Saint-Jacques grouillante de monde à cette heure matinale. J'ai fait le trajet à pied, bien décidée à ne redescendre la Côte-à-Baron qu'après avoir fait la connaissance de Maître Xavier Roland. Sa somptueuse résidence fut facile à repérer et je rôdais dans les parages depuis une bonne demi-heure, quand le carillon de Notre-Dame sonna neuf coups. Le moment était venu de frapper à sa porte, mais je n'arrivais pas à bouger de mon poste. S'il fallait que le vieil avocat refuse de me recevoir! Je connaissais trop les bonnes manières pour ignorer qu'une jeune fille de belle éducation ne se présente pas chez un distingué homme de loi sans rendez-vous.

Antoine, que j'avais revu dans le temps des fêtes, m'avait décrit son voisin comme un charmant vieillard, un peu bourru mais néanmoins affable dans ses bons jours. Sa vie durant, il avait défendu la veuve et l'orphelin. Après avoir longtemps aspiré aux plus hautes fonctions de la magistrature, il avait fini par remballer son rêve : il ne serait jamais juge. Maintenant à la retraite, il lisait Sénèque, qui ne cessait de l'émerveiller.

Il m'avait fallu des semaines pour me décider à entreprendre cette démarche qui pouvait sembler téméraire. J'avais eu, il est vrai, d'autres chats à fouetter, les infirmités de mamie Odile m'ayant tenue pas mal occupée tout l'hiver. J'allais enfin trouver le courage de monter les marches, quand une voiture déboucha d'une cour et s'arrêta devant la propriété des Davignon, à moins de cent pieds d'où j'étais postée. Je reconnus sans peine leur Brougham tirée par deux magnifiques bêtes. Le chauffeur ouvrit la portière et attendit qu'Éléonore dévale les escaliers et s'engouffre dans la voiture. Pourvu qu'elle ne m'ait pas aperçue! J'en mourrais de honte. Dieu merci, l'équipage s'ébranla et disparut enfin. Je respirai plus à l'aise.

Le sort en était jeté, je sonnai donc. Un valet en livrée ouvrit et, après les salutations d'usage, me demanda :

«Qui dois-je annoncer?

— Dites simplement à Maître Roland que je suis la fille d'une de ses anciennes clientes. Je sollicite un bref entretien avec lui. Assurez-le que je ne le retiendrai pas longtemps.

— Entrez, mademoiselle. Maître Roland a sans doute oublié de me prévenir de votre visite. Il n'est plus très jeune, vous savez. Sa mémoire lui joue parfois de vilains tours.»

En un éclair, je décidai de laisser le valet sous cette fausse impression. J'ai pensé : avec un peu de chance, Maître Roland croira, lui aussi, que nous avions rendez-vous. Son valet me céda le passage :

«Veuillez m'attendre dans le vestibule. C'est un peu frisquet aujourd'hui et si j'osais, je vous dirais que vous n'êtes pas suffisamment couverte.»

Lorsqu'il fut de retour, après une attente qui me parut interminable, il me débarrassa de ma pèlerine :

«Suivez-moi, mademoiselle, Maître Roland va vous recevoir dans son cabinet.»

Le vieil avocat leva les yeux de son livre en entendant mes pas. Il paraissait minuscule derrière son imposante table de travail en chêne massif. Une belle tête blanche bouclée comme celle d'un jeune homme, une barbe de patriarche et le sourire invitant... Tel m'est apparu Maître Roland. Il retira son monocle et se leva pour m'accueillir. Malgré son pas hésitant, il respirait la gentilhommerie patricienne d'une autre époque. Son bureau donnait sur la rue. La lumière venait des deux fenêtres à double vitrage. En face de lui, dans une armoire vitrée en bois foncé dont les deux battants étaient grands ouverts, s'empilaient papiers et dossiers sur cinq tablettes. Lui seul devait s'y retrouver.

«Assoyez-vous, mademoiselle, fit-il en m'indiquant un siège, et veuillez me dire en quoi je peux vous être utile.»

En proie à une vive inquiétude, je lui exposai sans faux-fuyant le but de ma visite. Il m'écoutait attentivement. Lorsque je mentionnai le nom d'Elvire dite l'empoisonneuse, il fronça les sourcils. Puis, il hocha la tête, ce qui me sembla de mauvais augure. Comme je m'y attendais, il protesta de son impuissance : est-ce que je m'imaginais qu'il avait une mémoire d'éléphant? Il avait défendu des milliers de pauvres gens depuis cette histoire d'empoisonnement vieille de deux décennies. Non, il ne voyait pas comment il pouvait m'aider.

«Permettez-moi d'insister, maître, dis-je d'une voix affligée. Cette femme, votre cliente, est peut-être ma mère. J'ai besoin de savoir, mais personne ne veut rien me dire. Vous êtes le seul à pouvoir m'éclairer.»

Les traits altérés par l'émotion, je restais là, devant lui, secouée par un tremblement. Il eut pitié de moi :

«Allons, calmez-vous, jeune fille, je vais voir ce que je peux faire. Mais n'espérez pas un miracle. À mon âge, vous savez, les événements du passé se confondent.

— Vous avez peut-être conservé un dossier à son nom? risquai-je. Elle s'appelait Elvire.»

Il répéta deux fois son prénom, les yeux rivés au plafond. Ensuite, il se leva en maugréant contre ses chevilles qui l'obligeaient à se déplacer avec une canne et marcha lentement jusqu'à un énorme classeur de couleur sombre. Je ne le quittais pas des yeux. Il ouvrit le tiroir du milieu.

«Rappelez-moi en quelle année a eu lieu ce procès?

— En 1852, peu après l'incendie de la ville.

— Attendez voir, ça me dit quelque chose », murmura-t-il en ronchonnant.

Je me demandais comment il arrivait à démêler toute cette paperasse. Après avoir remué d'épais dossiers, il en tira un, puis le remit en place. Il répéta son manège à trois reprises. Contrairement aux papiers empilés n'importe comment dans l'armoire, ceux-ci paraissaient classés méthodiquement et bien alignés.

— Nous y voilà, lança-t-il triomphant. Elvire Tanguay, septembre 1852. C'est votre jour de chance, mademoiselle qui déjà?

— Rose. Rose tout court.

— Eh bien! Rose, vous avez eu raison d'insister, voici le dossier qui vous intéresse. Naturellement, je n'ai pas à vous rappeler que les documents qu'il contient sont confidentiels. Par conséquent, je ne vous dévoilerai que ce qui est de l'ordre public. »

Sans doute ne le réalisa-t-il pas, mais il venait de m'apprendre le nom de famille d'Elvire. À petits pas, il regagna son fauteuil derrière la table. En passant devant l'armoire, il remit en place une pile de feuilles qui menaçaient de tomber et referma les battants d'un tour de clé. Nul doute, il voulait dérober à ma vue son fouillis. Une fois assis, il ouvrit la chemise à rabats et en tira des pièces manuscrites, des coupures de journaux et des papiers avec en-tête officiel.

« Ça me revient tout à fait, maintenant. Une affaire fertile en rebondissements, si j'ose dire. J'ai rencontré Elvire Tanguay dans sa cellule au Pied-du-Courant. Jamais je n'avais eu à défendre une personne du sexe opposé aussi agressive. Elle débitait des injures et invectivait tout un chacun. C'est simple, elle en voulait à Dieu, à ses complices, à ses geôliers, au monde entier. Une femme hargneuse. » Après un temps d'arrêt, il ajouta, soucieux : « Vous pensez qu'il pourrait s'agir de votre maman? »

Bien candidement, je lui fis part de l'incertitude qui me dévorait. Maître Roland eut peur d'avoir ajouté à mon anxiété.

Je ne devais pas croire qu'il jugeait cette Elvire, précisa-t-il, avant de me demander si je me sentais capable d'entendre les faits qu'il allait me rapporter froidement, sans opinion ni sentiment, comme il sied à un homme de loi d'agir. Je me hâtai de le rassurer. Alors, il enchaîna. Cette cause, il en avait hérité parce que personne n'en voulait. Il l'avait acceptée par pitié pour l'accusée, mais aussi, précisa-t-il, au nom d'une certaine justice, laquelle ne s'adressait pas aux seuls bien nantis.

« Coupable ou innocente, cette femme du commun avait droit à une défense pleine et entière. »

Il leva les bras en l'air et les laissa retomber pesamment sur la table :

« Elvire Tanguay n'a eu aucune chance, martela-t-il en hochant la tête. Le tout-Montréal l'avait condamnée d'avance. Dès que les journaux se sont emparés de l'affaire, son sort était joué. Pensez donc ! La victime était un honorable disciple d'Esculape et l'accusée, une prostituée. Ils l'ont hachée menu. Elle ne s'est pas aidée non plus, avec son refus de collaborer.

— Quel genre de femme était-elle ? » demandai-je.

Il demeura longtemps les yeux fixés sur sa feuille. Je crois qu'il cherchait à retrouver les traits de sa cliente dans sa mémoire :

« Elle était jolie, bien que le temps ait flétri son visage. Le temps et les abus, devrais-je dire. Grande, de belles formes un tantinet arrondies, les cheveux noir corbeau. Côté caractère, elle n'était pas aussi méchante qu'elle voulait le paraître. Lorsqu'on gagnait sa confiance, elle s'abandonnait. Je dirais même qu'elle devenait presque sympathique. »

Pendant l'enquête, Maître Roland la voyait fréquemment à la prison. On la tenait dans un isolement total « pour mieux la casser », me précisa-t-il. Lui seul avait obtenu un droit de visite. Et encore, même s'il portait la toge, on lui faisait des misères injustifiées.

La plupart des prisonnières encagées au Pied-du-Courant avaient été arrêtées pour vagabondage, ivrognerie ou pour avoir tenu une maison de débauche. On les ramassait la nuit, parce qu'elles n'avaient pas de toit. L'hiver venu, leur nombre triplait. À ce moment-là, la ville comptait environ trois cents filles aux mœurs légères. Surtout des Canadiennes françaises qui pratiquaient, comme Elvire, dans le faubourg Saint-Laurent et plus particulièrement dans le *Red Light*.

« Bien que cette jeune femme ait été une prostituée notoire, on la traitait différemment des autres. Et pour cause ! Au-dessus de sa tête pendait une accusation criminelle. Or, selon le code pénal britannique en vigueur au Canada, une personne coupable de meurtre mérite la peine de mort. »

Je l'écoutais en m'efforçant de lui cacher mon anxiété. Rien de ce qu'il m'annonçait ne pouvait me réconforter. Au fur et à mesure de nos échanges, la mémoire lui revenait, grâce sans doute aux documents avec lesquels il renouait.

« Vous êtes au courant de l'acte d'accusation, n'est-ce pas ? me demanda-t-il en me regardant par-dessus son monocle. C'était grave. Très grave. » Il tira une feuille de la pile et lut à haute voix : « On l'accusait " d'avoir, volontairement et avec malice, prémédité et assassiné le docteur Constant Gariépy en l'empoisonnant avec de l'arsenic ". »

À cet instant, le valet entra sur la pointe des pieds pour nous approvisionner en eau fraîche. Il en versa deux verres qu'il déposa, l'un devant mon hôte, l'autre sur la petite table à côté de moi. Ensuite, il remua les tisons dans la cheminée et se retira. Maître Roland continua son monologue sans se laisser distraire. Sa cliente était fort mal en point, me dit-il en remuant la tête de droite à gauche. Elle relevait à peine de ses couches et son état nécessitait une alimentation plus substantielle. Maître Roland était intervenu auprès de la direction de la prison qui appliquait dans le cas de la présumée empoisonneuse une sévérité excessive. En vain, précisa-t-il. La malheureuse avait dû se contenter de sa ration de pain et d'un peu de soupe pendant toute la durée de son séjour derrière les barreaux.

L'inhumanité de ces geôliers me renversait et je ne le lui cachai pas. Il me donna raison d'un signe de tête : Elvire avait beaucoup souffert de leur cruauté. Dans sa prison, tout l'accablait : la monotonie due à l'isolement et surtout l'effroi, lorsque des pas lourds se rapprochaient de sa cellule et qu'elle entendait le bruit de la clé dans la serrure... On l'enfermait du matin au soir. Devant sa porte de fer cadenassée, une sentinelle arpentait le corridor. Lors de ses visites, Maître Roland trouvait sa cliente assise sur la paille, la tête dans les genoux, à broyer du noir. Dès qu'elle l'apercevait, elle l'assaillait de questions. Mais, après un moment, elle sombrait à nouveau dans un état second qui ressemblait au désespoir.

Les cellules exiguës se suivaient de chaque côté d'un corridor ténébreux. Les trop nombreuses prisonnières s'y entassaient, serrées comme des sardines. On manquait de place et pourtant, jamais les autorités n'avaient mis une autre prisonnière dans la même cellule qu'Elvire.

« Elle me disait : " Je passe mes journées seule avec mon essaim d'araignées. " »

Tout en parlant, Maître Roland feuilletait les pages du dossier posé devant lui, comme s'il cherchait un élément important.

« Tenez, voici le rapport de l'enquête du coroner Wilfrid Landry. »

Sans interrompre ses explications, il détacha le ruban noir qui retenait ensemble un paquet de feuilles.

« Vous y verrez plus clair si je reprends l'affaire du début. Laissez-moi d'abord vous expliquer comment les choses se passent, lorsqu'il y a apparence de meurtre. Dans un premier temps, le coroner du district réclame une autopsie pour déterminer les causes du décès. Cette fois-ci, le médecin appelé au chevet du docteur Gariépy à l'agonie a procédé lui-même à l'examen du cadavre. J'ai sous les yeux ses conclusions : l'estomac de la victime contenait une quantité suffisante d'arsenic pour causer sa mort.

« Après une enquête sommaire effectuée à Sainte-Pélagie, Elvire Tanguay a été arrêtée le lendemain de la mort du médecin. Les mains liées dans le dos, on l'a fait monter dans une voiture grillagée. Une dizaine de gardes armés l'ont escortée jusqu'à la prison, au bout du chemin Papineau. On n'aurait pas procédé autrement pour un criminel de grands chemins. Une foule de curieux vociféraient sur son passage. Rien de plus prévisible, l'affaire ayant été donnée en pâture au public. On ne parlait que de l'empoisonneuse dans la rue.

— Cela revenait à la condamner sans procès. »

Maître Roland se prit la tête dans les mains et dit gravement :

« Jeune fille, j'ai plaidé des causes désespérées dans ma vie, mais jamais je n'ai vu un tel acharnement sur une accusée. C'était à fendre l'âme. On aurait dit des bêtes assoiffées de sang. »

Moi qui n'étais pas du genre à tomber mal pour un oui ou un non, je m'efforçai de ne pas trahir l'angoisse que je combattais en l'écoutant me raconter le sort fait à cette femme qui m'était peut-être apparentée.

Le procès avait débuté quelques semaines après son arrestation dans un indescriptible brouhaha. Le procureur avait fait défiler des témoins qui, les uns après les autres, avaient décrit Elvire comme une débauchée. « Je vous passe les détails, sachez seulement qu'ils ont dit d'elle assez de mal pour la pendre. » D'autres s'étaient présentés aux audiences pour souligner les qualités de la victime, qu'ils tenaient en haute estime. Le docteur Gariépy, prétendaient ses amis, était dévoué et assidu auprès de ses malades, chez qui il accourait de nuit comme de jour.

« Je n'ai pas trouvé un seul de ses collègues prêt à admettre devant la cour que le bon docteur abusait de l'alcool. Cela m'aurait permis de plaider qu'il avait été l'artisan de sa propre mort ou, à tout le moins, d'examiner cette possibilité. »

À ce point de son récit, Maître Roland se leva et, s'appuyant sur sa canne, marcha péniblement jusqu'à la fenêtre. J'ai compris qu'il ressentait un réel malaise à se remémorer cette cause. Elle représentait sans doute un moment gênant de sa carrière. Il gesticulait comme dans un prétoire.

« Vous permettez que je prenne des notes ? lui demandai-je, tandis qu'il avalait une gorgée d'eau.

— Faites, je vous en prie. N'hésitez pas à m'arrêter si vous n'arrivez pas à me suivre. Les termes légaux sont parfois compliqués.

— Jusqu'ici, ça va, maître.

— Je reprends donc, fit-il sur le même ton professoral. L'avocat de la couronne, Maître Levac, un homme d'une vaste expérience dans ce genre de causes, appela à la barre la jeune épouse du docteur Gariépy. Son but ? Déterminer où et à quel moment la victime avait été empoisonnée.

« La dame attendait dans un banc à l'arrière de la salle d'audience. Lorsqu'elle s'approcha, le bruissement de ses jupes fit se retourner l'assistance. Voilée, toute de noire vêtue, Artémise Gariépy tenait à la main un mouchoir en dentelle avec lequel elle s'essuyait les yeux, quand le chagrin l'accablait. Elle affichait un visage livide à faire peur. Lentement, elle décrivit l'état de son mari à son arrivée à la maison, à l'aurore, après seize heures de labeur – c'est le mot qu'elle employa. Il lui avait semblé fort souffrant : nausées, spasmes, diarrhée. Elle s'en inquiéta d'autant plus qu'il avait la figure tuméfiée et les yeux injectés de sang. Oppressé, il s'était jeté sur son lit en réclamant à boire, car il avait grand soif. Elle lui avait apporté une carafe d'eau fraîche qu'il avait avalée d'un coup. Peu après, il avait ressenti des douleurs intenses au ventre et s'était plaint de ses jambes qui s'engourdissaient. Chaque mouvement lui arrachait des grimaces. Il ressentait aussi de violents maux de tête et vomissait à répétition. Déconcertée, Artémise Gariépy avait mandé le docteur Augustin Boileau, qui avait procédé à l'examen de son confrère, mais n'avait pas immédiatement soupçonné l'empoisonnement. »

À ce stade du témoignage d'Artémise Gariépy, Maître Roland était intervenu pour savoir si le docteur Boileau avait émis l'hypothèse que l'alcool pouvait être en cause. Madame Gariépy avait alors affirmé sous serment que son mari ne buvait pas. Ni whisky ni absinthe, pas même un verre de vin. L'alcool lui était contraire.

Là-dessus, je réclamai des explications à Maître Roland. Il me semblait qu'il pouvait s'agir d'un faux témoignage :

« Maître, cette femme vous a menti. Elle s'est parjurée. On me l'a affirmé : son mari buvait comme une éponge.

— Ma jeune amie, me répondit-il légèrement condescendant, vous êtes trop jeune pour connaître toutes les facettes de l'âme humaine, notamment ses plus odieuses. Avec le temps, vous apprendrez ceci : la conscience de certaines personnes devient singulièrement élastique quand leur intérêt ou leur instinct de vengeance est en cause. »

Maître Roland savait néanmoins comment s'y prendre pour démonter un témoin. Aussi avait-il réussi à faire admettre à Madame Gariépy que le docteur Boileau avait bel et bien interrogé son mari sur sa consommation de whisky au cours des vingt-quatre heures précédant son indisposition. Il voulait savoir quand les premiers symptômes s'étaient manifestés, ce qui lui aurait permis de soulever l'hypothèse que l'empoisonnement avait eu lieu ailleurs qu'à la maternité. À la taverne, par exemple. Malheureusement, selon Madame Gariépy, au moment même où le docteur Boileau interrogeait son mari, d'effroyables convulsions avaient secoué celui-ci. Peu après, il avait sombré dans l'inconscience.

La jeune veuve avait poursuivi son récit chronologique des faits jusqu'au moment où Constant Gariépy avait rendu l'âme. En observant le moribond, le docteur Boileau avait exprimé ses premiers doutes quant au mal qui venait de terrasser son collègue, dont le visage avait singulièrement noirci en quelques minutes à

peine. «Voilà un mort dont j'aimerais examiner le cadavre!»
avait-il dit à Madame Gariépy, en lui conseillant de réclamer
une autopsie. L'idée répugnait à la veuve, mais elle avait fini par
y consentir.

~

«L'affaire était mal engagée», me dit Maître Roland en marchant
d'un pas lent, malgré une certaine raideur des jambes. De temps
en temps, il s'arrêtait, posait ses mains l'une après l'autre sur le
pommeau de sa canne et poursuivait ses explications :

«Vous comprenez? La poursuite avait prouvé hors de tout
doute que la victime avait été empoisonnée. Elle devait maintenant établir un lien entre ma cliente et l'acte commis. Maître
Levac avait annoncé son intention de démontrer que le motif du
meurtre était la vengeance. Elvire Tanguay avait agi pour régler
son compte au médecin qui avait causé la mort de la jeune Noémi
des suites d'un accouchement supposément bâclé. De mon côté,
je savais que d'autres personnes pouvaient éveiller des soupçons :
l'épouse du docteur Gariépy, par exemple, ses compagnons de
beuverie ou encore le tavernier… Enfin tous ceux qui avaient
côtoyé la victime durant la journée et la nuit. Il importait que je
les appelle à la barre.

— Et alors?

— Le juge ne le permit pas, dit-il en soupirant. Je n'avais pas
réussi à semer suffisamment de doute dans son esprit pour qu'il
m'y autorisât.»

Son collègue, le représentant du ministère public, appela ses
témoins. Une sœur de la maternité avait confirmé à la cour qu'à
Sainte-Pélagie, on gardait de la mort-aux-rats dans une armoire
de la cuisine. Une sage précaution, avait-elle précisé, car les
couvents étaient infestés de vermine. Toutefois, l'armoire en
question demeurait constamment verrouillée par ordre de la
supérieure. Or, le lendemain du crime, la cuisinière avait

constaté que le cadenas avait été forcé. Le procureur avait tenté de lui faire dire que l'accusée avait facilement accès aux dépendances, mais la sœur avait répété obstinément que les pénitentes n'y mettaient jamais les pieds.

Maître Roland s'amusait en commentant le témoignage candide de la religieuse :

« Vous savez, ce n'est pas difficile de faire trébucher un témoin. Surtout s'il s'agit d'une religieuse un peu naïve qui n'a pas l'habitude des interrogatoires serrés. Mon futé collègue n'allait pas se laisser démonter par une cornette. »

Pour les besoins de sa démonstration, Maître Roland mima la scène : le bedonnant petit procureur de la couronne avait pris un air scandalisé pour mettre le témoin en contradiction. Il n'avait eu aucun mal à lui faire admettre que, la nuit venue, une fois les surveillantes dans les bras du Seigneur, s'emparer de l'enveloppe d'arsenic était un jeu d'enfant. Il suffisait de prendre la clé de l'armoire suspendue à un clou, près du comptoir.

« Je suis alors intervenu pour faire la démonstration que, si ma cliente avait eu accès à la cuisine dans la nuit du sept au huit juillet, d'autres personnes avaient pu s'y rendre tout aussi facilement. »

Maître Roland interrogea la sœur à propos des faits survenus cette nuit-là. Plus il reconstituait la scène, plus j'étais convaincue que ce témoin était nulle autre que Mère de la Nativité. Il fut cependant incapable de me le confirmer. Toujours est-il que ce témoin avait réussi à semer un doute raisonnable sur le comportement du docteur Gariépy :

« La jeune Noémi a perdu ses eaux vers huit heures du soir. J'ai envoyé chercher le docteur Trudel, notre médecin attitré, mais il était au chevet d'un malade, à l'Hôtel-Dieu, et c'est le docteur Gariépy qui s'est présenté à la maternité.

— N'est-il pas exact que ce médecin a accouché plusieurs de vos pensionnaires avant ce jour-là ? lui avait demandé Maître Roland.

— Vous avez raison. Chaque fois qu'il venait, la panique s'emparait de nos pensionnaires. Les filles préféraient nous cacher leurs contractions, de peur de se retrouver à la merci de cet accoucheur.

— Dites-nous dans vos mots ce que vos pensionnaires lui reprochaient.

— Objection, avait lancé le procureur. Nous ne sommes pas ici pour faire le procès de la victime.

— Laissez parler le témoin, Maître Levac. »

La sœur avait expliqué que le jeune médecin imposait aux parturientes des examens si éprouvants que certaines perdaient connaissance ou se tordaient de convulsions. Cela provoquait d'inquiétantes hémorragies. Si bien qu'un jour, l'une d'elles avait failli mourir. D'autres en avaient conservé des infirmités. Lorsqu'il était impatient d'aller se coucher, le docteur Gariépy bourrait sa patiente de médicaments pour déclencher hâtivement l'expulsion de l'enfant. Cela, avait insisté la sœur, allait contre l'avis des auteurs de tous les manuels de médecine. En une nuit, elle n'avait pas peur de l'affirmer, il avait causé la mort de deux enfants. On n'avait même pas eu le temps d'ondoyer ces pauvres chérubins.

« Objection, s'était emporté le procureur. Le témoin lance des accusations sans preuve.

— Mais j'étais là ! s'impatienta le témoin. Ce que je vous raconte, je l'ai vu de mes propres yeux, maître.

— Objection retenue, avait tranché le juge. Ma sœur, tenez-vous-en à la nuit du drame.

— Ce soir-là, avait repris docilement la sœur, j'ai tout de suite remarqué que le docteur Gariépy sentait l'alcool. Ce n'était pas la première fois, d'ailleurs. Voilà pourquoi j'ai insisté pour l'assister pendant l'accouchement. Il m'a repoussée vertement. Ensuite, nous avons entendu les cris de la pauvre Noémi. Le docteur Gariépy a utilisé les forceps, ce qu'il ne faut faire qu'en dernier ressort.

— Noémi Lapensée était-elle seule avec le médecin ? avait demandé Maître Roland.

— Oui, maître. Habituellement, une de nos sages-femmes reste au chevet des filles, pour les aider, leur éponger le front, leur tenir la main, leur dire quand pousser. Noémi Lapensée, elle, a dû se débrouiller toute seule. Son enfant n'était pas sitôt né que le docteur Gariépy repartait en me disant que la jeune mère dormirait jusqu'au lendemain, vu qu'il lui avait administré une bonne dose de laudanum. Il se trompait. La pauvre petite a déliré pendant des heures. Avant l'aurore, elle a rendu l'âme.

— Qu'a fait ma cliente, Elvire Tanguay, pendant le reste de la nuit ? s'était enquis Maître Roland.

— Elle priait avec ses compagnes devant le corps inanimé de Noémi. Ensuite, elle est allée se coucher, je suppose. Elle n'en menait pas large. Savez-vous qu'elle a accouché le lendemain ? »

Maître Roland allait libérer le témoin, quand le procureur Levac s'était levé pour éclaircir ce point :

« Vous prétendez qu'Elvire Tanguay, une femme à la réputation compromise, a passé une partie de la nuit à prier pour le repos de l'âme de Noémi Lapensée ? J'ai peine à vous croire.

— C'est pourtant la pure vérité, Maître Levac. Il faudra vous y faire. »

La foule avait réagi avec amusement à cette réplique de la religieuse, ce qui avait détendu la lourde atmosphère. Elle avait poursuivi en s'adressant au juge :

« Votre honneur, Elvire Tanguay n'est pas une méchante femme, contrairement à ce que le procureur voudrait vous faire accroire. Je la connais assez pour vous assurer qu'elle ne ferait pas de mal à une mouche. »

Dans la salle, les cris d'indignation avaient fusé. L'énergique coup de marteau du juge avait suffi à faire cesser ce chahut.

« Assez ! » avait-il martelé. Après une courte pause, celui-ci s'était tourné vers le box des témoins et avait semoncé la religieuse d'un ton sec : «Contentez-vous, ma sœur, de répondre aux questions.»

Maître Levac avait chaussé ses lunettes pour la énième fois. Après avoir tourné quelques pages de son volumineux dossier, il avait posé à la religieuse une question d'ordre médical :

«Dites-nous, ma sœur, l'enfant à naître n'était-il pas ce qu'on appelle dans le jargon médical un cas de siège?

— Je ne crois pas, non.

— Ah! vous ne croyez pas. Vous y connaissez-vous en matière d'obstétrique?

— Monsieur, j'ai mis au monde onze enfants et j'ai accouché des centaines de mères. Je suis une sage-femme diplômée du Collège des médecins et des chirurgiens.

— Je vois, vous êtes très compétente, fit-il en la narguant. Mais alors, pourquoi n'avez-vous pas accouché vous-même Noémi Lapensée, si vous redoutiez tant le docteur Gariépy?

— Monseigneur l'évêque a exigé que nous n'accouchions plus nos pensionnaires. En vertu de l'entente que Sa Grandeur nous a demandé de signer avec le Collège, ce sont les étudiants en médecine et leurs professeurs qui offrent désormais ce service à notre maternité.

— Est-il possible, ma sœur, qu'on vous ait interdit d'exercer le métier de sage-femme précisément parce que vous mettiez en péril la vie des parturientes?

— C'est faux! Nos pensionnaires n'avaient rien à craindre des sages-femmes, bien au contraire, fit la sœur, les yeux empreints d'une colère contenue. Avant l'arrivée des jeunes médecins à Sainte-Pélagie, nous n'avons perdu aucune mère pendant ou des suites d'un accouchement. Je peux vous montrer notre registre, si vous ne me croyez pas. La seule femme qui est morte avant d'accoucher souffrait de la tuberculose.

— Voilà un étonnant bilan, ma sœur. Cependant, si j'en juge par l'ardeur avec laquelle vous défendez la cause des sages-femmes, j'en viens à croire que vous accablez feu le docteur Gariépy, dont la réputation, je le rappelle, est sans tache, purement et simplement parce que vous aimeriez vous débarrasser des jeunes médecins et reprendre le contrôle de votre maternité.»

J'ai esquissé une moue de dégoût. Les avocats avaient donc tous les droits, y compris celui de triturer la vérité? Maître Roland s'arrêta pour m'expliquer la procédure :

«Il s'agissait, bien sûr, d'une remarque inacceptable de la part de Maître Levac. Un procès d'intention, ni plus ni moins. Je me suis aussitôt opposé et le juge m'a donné raison.»

Sans laisser à la veuve Jetté le temps de réagir à sa remarque empoisonnée, Maître Levac était passé à la question suivante :

«N'est-il pas exact que le docteur Gariépy est retourné voir sa patiente à la maternité, après sa ronde de nuit, comme il l'avait promis?

— Je n'en ai pas eu connaissance, répondit la sœur.

— Au parloir, une de vos sœurs, mère de La Présentation, l'a pourtant vu repartir, plié en deux, comme s'il ressentait d'atroces douleurs au ventre.»

Maître Roland avait à nouveau protesté : le témoin venait d'affirmer qu'elle n'était pas au courant de la visite matinale de la victime.

«Objection retenue», avait statué le juge.

«Je n'ai pas d'autres questions, Votre Honneur, avait conclu Maître Levac. Le témoin peut se retirer.»

Et moi qui redoutais le pire, je me mordais les lèvres comme une enfant apeurée, cependant que Maître Roland poursuivait son désolant récit sans s'arrêter. Les premiers jours du procès n'annonçaient rien de bon pour Elvire Tanguay. Des témoins accablants s'étaient succédé à la barre. Vu la lourdeur de la procédure judiciaire, je n'ai retenu de leurs propos que les éléments directement reliés à mon enquête.

Maître Roland avait dû revoir sa stratégie car, contre toute attente, le juge ne l'avait pas autorisé à appeler les proches du docteur Gariépy. Il lui restait cependant une carte dans son jeu et il se promettait de la jouer au moment de la déposition de sa cliente.

La veille de cette comparution cruciale, il avait bien préparé celle-ci. Ce qu'il s'apprêtait à exiger d'elle lui coûterait, il le savait pertinemment.

« Je n'oublierai jamais ce tête-à-tête, m'a dit Maître Roland au mitan de notre rencontre. En arrivant dans sa cellule, j'ai posé ma serviette de cuir sur sa table. Elvire Tanguay avait fini par obtenir quelques meubles : un lit à sangles, une table et une chaise. Elle me regardait d'un air blasé. D'entrée de jeu, je l'ai prévenue que j'allais l'obliger à déterrer quelques douloureux événements de son passé familial. Sa réponse avait fusé : " Pas question ! " Elle se rebiffait à l'idée de livrer sa malheureuse enfance en pâture aux jurés.

« Il le fallait pourtant, et j'ai dû insister : je ne pouvais pas plaider sa cause sans aborder les rares points en sa faveur. Elle devait donc m'y autoriser. »

Devant la détermination de son avocat, Elvire avait fini par céder. Ils avaient passé la soirée à ébaucher le canevas de sa déposition. Ni l'un ni l'autre n'avait vu le jour tomber à travers l'unique fenêtre grillagée. De toute manière, une couche de poussière la recouvrait. Vers neuf heures, Maître Roland s'était retiré, convaincu que jamais sa marge de manœuvre n'avait été aussi mince.

9

Qu'on la pende !

« Venons-en à cette fameuse journée, m'annonça Maître Roland en reprenant sa place derrière le bureau. Il y a beaucoup à dire. Pour contrer la mauvaise presse, j'avais demandé à ma cliente de porter un vêtement gris ou brun. Quelque chose de neutre, en somme. Rien d'aguichant ni de vulgaire. Elle se présenta habillée sobrement, son petit chapeau enfoncé sur le derrière de la tête.

« Nous étions le 24 septembre 1852, précisa-t-il. Des badauds plus nombreux qu'à l'accoutumée faisaient le pied de grue, rue Notre-Dame, aux abords du château Ramezay où se tenaient tous les procès depuis l'incendie qui avait détruit l'ancien palais de justice. En attendant l'inauguration du nouvel édifice, les magistrats "campaient" dans ce local de fortune mal adapté aux besoins d'un tribunal chargé d'une cause aussi retentissante. Même à l'intérieur de l'édifice, on entendait les curieux scander des cris mortifères : "Qu'on la pende haut et court !" Ou encore : "Au gibet ! Au gibet !" L'atmosphère était terrible.

« La foule avait envahi le hall du vieux manoir datant du début du XVIIIe siècle, qui avait jadis servi de résidence au gouverneur de Montréal. Plus le moment de l'audition approchait, plus il devenait impossible de se frayer un chemin jusqu'à la salle d'audience où, bien avant l'heure, il ne restait aucune banquette libre. Un faux mouvement et les bustes posés sur des piédestaux se seraient écroulés. Du jamais-vu à Montréal, depuis le procès d'Adolphus Dewey, un commerçant de la rue Saint-Paul condamné à l'échafaud pour avoir égorgé sa jeune épouse.

« Redoutant les débordements, comme ç'avait été le cas lors du procès de cet assassin que la jalousie avait rendu fou, les deux gardiens qui encadraient Elvire Tanguay la firent passer par l'entrée de service, à laquelle on accédait par la rue Le Royer. L'huissier l'escorta jusqu'au box des accusés. Avant de l'y faire entrer, il lui délia les poignets. J'avais déjà pris ma place, d'où je pouvais observer ma cliente. À son regard effrayé, je compris qu'elle ne donnait pas cher de sa peau. Comme c'est la coutume, l'huissier annonça le juge d'une voix monocorde et tout le monde se leva. »

Maître Roland était plutôt bon conteur, mais les digressions dont il émaillait son récit m'horripilaient. Il en abusait, me semblait-il. Je me sentais un peu nerveuse et j'étais trop anxieuse de connaître la suite de l'histoire pour supporter qu'il s'en écarte.

« Vous ai-je dit que je connaissais bien le juge Loranger, qui instruisait la cause ? » me demanda-t-il. « Il terminait son droit comme je commençais le mien. Nous n'avions jamais entretenu des relations amicales, mais je le considérais comme un magistrat intègre. Il est mort l'an dernier d'une attaque cérébrale, après une longue et fructueuse carrière sur le banc. Quel bouillant caractère !

« Cet homme d'une carrure impressionnante n'était pas du genre à endurer une foire d'empoigne dans sa cour. Ce matin-là, pour couper court au tumulte, il saisit son marteau et frappa vigoureusement sur la table en articulant d'une voix menaçante : " Silence ou je fais évacuer la salle ! "

« Le moment tellement attendu était venu d'appeler l'accusée à la barre. Bien droite, la tête haute, celle-ci déclina son nom, son âge – vingt-cinq ans, si j'ai bonne mémoire – et son lieu de résidence dans le faubourg Saint-Laurent, à Montréal. Maître Levac l'interrogea le premier :

" Dites-nous, je vous prie, quel est votre métier, demanda-t-il.

— Danseuse, chanteuse, comme vous voudrez, répondit-elle sans aucune trace de tension dans la voix. "

« J'ai pensé : voilà un bon point en sa faveur. Je tenais à ce qu'elle garde le contrôle de ses nerfs. Sa robe lui enserrait le cou. Ses cheveux noirs, tirés à l'arrière en un chignon un peu démodé, lui conféraient l'allure d'une jeune femme à peu près respectable. C'était exactement l'effet que je recherchais.

« Nullement impressionné par l'attitude flegmatique de l'accusée – une attitude peut-être trop étudiée pour paraître naturelle –, Maître Levac pointa un doigt accusateur vers elle : " Laissez-moi vous poser la question autrement : n'est-il pas exact que vous exercez le plus vieux métier du monde ? "

« Ma cliente s'attendait à une attaque aussi directe. J'allais m'opposer – son métier n'avait rien à voir avec l'accusation –, mais elle me devança en répondant insolemment : " Vous le savez mieux que quiconque ici, Maître Levac. " Quelques rires étouffés parcoururent la foule. Le procureur sembla contrarié, mais ne releva pas l'allusion à sa vie nocturne. Je n'appréciai pas non plus cette réplique déplacée. Qu'espérait Elvire en cassant du sucre sur le dos du procureur ? Levac, c'était évident, n'avait pas une tête à fréquenter les lupanars, pardieu ! Elle ne choisissait certes pas la meilleure façon d'attirer la sympathie des jurés. Je la fusillai du regard. Elle, plutôt satisfaite de son effet, me défia du regard.

« Dans la salle, la rumeur s'enfla et le juge se sentit obligé de rappeler à l'accusée les égards dus aux représentants de la justice. À partir de là, les choses se gâtèrent irrémédiablement. Maître Levac insista pour connaître l'emploi du temps de l'accusée, la nuit du drame. Qu'avait-elle fait, une fois les autres filles couchées ? Elle répondit : " Je n'étais pas en état de faire grand-chose. " Elle faisait allusion à sa grossesse, bien entendu. Sa réponse déclencha des protestations vigoureuses, cependant que Maître Levac fronçait les sourcils. Il n'aimait pas qu'on se paie sa tête. Il pivota sur ses talons et se dirigea vers son siège. Dans un geste sec qu'il répétait fréquemment et qui m'agaçait, il leva les pans de sa robe et s'assit pour consulter le dossier devant lui, sans se soucier du temps d'attente qu'il imposait à la cour. Puis, il se releva et s'avança vers le juge : "Votre honneur, nous démontrerons que l'accusée a versé du poison dans le verre de la victime."»

Maître Roland s'interrompit un moment pour reprendre son souffle. Moi aussi, j'avais la gorge sèche. J'avais déjà vidé mon verre d'eau et n'osai pas en redemander, de peur de lui faire perdre le fil. Me prenant à témoin, il m'avisa qu'un nouveau développement favorisait la poursuite :

«Voyez-vous, Maître Levac avait reçu une lettre anonyme d'une personne qui affirmait avoir tout vu. Selon cet obscur témoin, voici comment les choses se seraient passées. *Primo*, à la demande de l'accusée, qui s'époumonait à crier "rats, rats", une pensionnaire du nom de Mary Steamboat avait couru à la cuisine chercher du poison. Cette fille ne comprenait pas le français et elle croyait à une invasion de vermine. Mais l'armoire de la dépense était verrouillée et elle était revenue bredouille. Finalement, l'accusée avait réussi à faire sauter la serrure et à s'emparer de la mort-aux-rats.

«*Secundo*, toujours selon le témoin anonyme, ma cliente aurait préparé la mixture : un peu de la substance blanche délayée dans un verre d'eau. Quand une certaine Mathilde, dont nous ignorions le nom de famille, avait réalisé les intentions criminelles de sa compagne, elle aurait tenté en vain de l'en empêcher. Lorsque le jeune médecin s'était présenté à la maternité au petit matin, il n'avait pas encore dessoûlé. Elvire Tanguay l'aurait accueilli avec un large sourire. Tandis qu'il signait le certificat de décès de Noémi Lapensée, elle lui aurait susurré : "Vous prendrez bien un petit remontant pour vous requinquer, après une pareille nuit." Mathilde X et l'Irlandaise étaient apparemment déjà parties se coucher. L'auteur de la lettre avait vu de sa fenêtre le médecin quitter les lieux en se tenant la poitrine et en hurlant : "Maudite chienne ! Elle m'a empoisonné."»

Malheureusement pour Elvire, cette lettre qui l'incriminait n'expliquait pas pourquoi ce mystérieux témoin n'était pas intervenu pour empêcher le crime auquel il ou elle prétendait avoir assisté.

~

Qui avait bien pu écrire cette lettre anonyme ? me suis-je demandé, de plus en plus intriguée. Certainement pas Mère de la Nativité. Telle que je la connaissais, elle aurait plutôt empêché Elvire de commettre l'irréparable. Marie-Madeleine m'avait mentionné que, cette nuit-là, une jeune novice avait aidé la vieille sœur à faire la toilette de la défunte. J'en fis part à Maître Roland :

« N'y avait-il pas quelqu'un d'autre dans la salle ?

— Pas à ma connaissance, non », me répondit-il.

De toute manière, c'était sans importance, puisque le juge avait refusé d'admettre cette lettre anonyme en preuve. N'empêche, le mal était fait. Il reprit son récit du procès :

« Le procureur, un petit homme grassouillet aux yeux railleurs, avait alors posé sa dernière question à l'accusée : " Avez-vous versé de la poudre d'arsenic dans le verre d'eau que vous avez offert au docteur Gariépy ? " Elvire avait nié avec véhémence : " Non, jamais ! "

" Je n'ai plus de questions. L'accusée est à vous, maître. " »

Maître Roland s'était levé à son tour :

« J'ai regardé ma cliente dans les yeux, comme je vous regarde maintenant, et je lui ai dit : " Elvire Tanguay, mon éminent collègue vous a décrite comme une dépravée. Qu'avez-vous à lui dire ? " Nous avions répété cette scène la veille et elle savait exactement quoi répondre. La gorge serrée, d'une voix qu'elle s'efforçait de maîtriser, elle dit : " Ma vie a été un long calvaire depuis le jour où je suis née à Saint-Colomban. " » Maître Roland ne l'avait pas interrompue, cependant qu'elle relatait son enfance pathétique : père incestueux, mère infâme, violence familiale, etc.

« Pendant ce court moment, elle a fait bonne impression sur le jury, me précisa-t-il en souriant tristement. Les jurés s'émeuvent toujours de la détresse d'une personne ayant été maltraitée durant son enfance. »

Passant rapidement sur le gagne-pain peu édifiant de sa cliente, Maître Roland avait jugé plus sage de se concentrer sur la nuit du drame. Pendant la suspension d'audience décrétée par le juge, ils avaient répété cet autre volet de sa déposition.

« À ma demande, elle a évoqué les propos méprisants du docteur Gariépy à l'égard de Noémi Lapensée, tout au long de son accouchement difficile. Lorsqu'elle mentionna l'état d'ébriété avancé du médecin, la salle protesta d'une seule voix, et le juge joua du marteau. »

Maître Roland avait ensuite voulu savoir si Elvire avait été témoin, à d'autres occasions, de mauvais traitements infligés à des parturientes de la part du docteur Gariépy. Elle avait acquiescé. L'avant-veille de la mort de Noémi, la dénommée Mathilde, dont le fantôme hantait le tribunal depuis le début du procès, avait mis un enfant au monde dans d'horribles souffrances, preuve, selon Elvire, que la Mathilde en question avait de bonnes raisons d'en vouloir à l'accoucheur.

Le procureur de la couronne avait bondi. Après avoir bu une gorgée d'eau, il avait mitraillé l'accusée de questions courtes et incisives. Il voulait des noms, des faits, des preuves. Sans se laisser impressionner, Elvire lui avait sensiblement servi les mêmes réponses qu'à Maître Roland. Pour finir, elle avait affirmé qu'elle n'avait jamais revu le docteur Gariépy qui, à ce qu'on lui avait rapporté, était repassé à la maternité à l'aube. À la surprise générale – Maître Roland en avait été le premier saisi –, elle avait déclaré que, lorsqu'elle était montée se coucher, il ne restait plus, au pied du lit de la défunte, que cette mystérieuse Mathilde, disparue après les événements.

Elvire Tanguay avait incriminé Mathilde. Maître Roland s'était frotté les mains en pensant que les affaires de sa cliente s'amélioraient. Il poursuivit :

« Naturellement, j'ai tenté d'impliquer cette Mathilde X, que personne n'avait revue après le drame. »

L'avocat avait cherché à savoir pourquoi la cour avait suspendu ses recherches pour la retrouver. Un témoignage aussi important aurait pu changer le cours de ce procès. La vie de sa cliente en dépendait. Troisième témoin, Mary Steamboat était morte dans l'incendie de la ville, cela avait été clairement établi pendant le procès. Mais qu'était-il advenu de l'autre ?

« Contre toute logique, reprit Maître Roland, dépité, le juge ne m'autorisa pas à suivre cette piste. C'est seulement plus tard que j'en ai compris les raisons », conclut-il, énigmatique.

Ce que je venais d'apprendre à propos de Mathilde me révolta. Je m'étonnai à haute voix que le juge, qu'il décrivait comme un magistrat au-dessus de tout soupçon, ait refusé de lever un mandat contre un si précieux témoin. Je sentis Maître Roland hésitant à distribuer les blâmes. J'insistai pourtant :

« Vous allez peut-être trouver ma remarque déplacée, Maître Roland, mais ça tombe sous le sens que le juge aurait dû faire rechercher ce témoin manquant. Après tout, Mathilde X était peut-être coupable du meurtre dont on accusait Elvire. »

Il chercha des atermoiements, leva les bras au ciel en signe d'impuissance et finit par me répondre en prenant d'infinies précautions :

« Vous avez raison, le juge a erré », dit-il en esquissant un haussement d'épaules éloquent.

Et alors, il mit un doigt sur ses lèvres, comme s'il hésitait encore à livrer sa pensée. Il enleva son monocle et s'approcha de moi. Je sentis sa main sur mon épaule. J'avais mon compte d'émotions pour une seule matinée et j'espérais tenir bon jusqu'à la fin de la rencontre. Les mains jointes sur mes genoux, je laissai mes ongles s'enfoncer dans mes paumes.

« Je peux bien vous le dire aujourd'hui, mademoiselle Rose, puisque j'ai déjà un pied dans la tombe, ce procès est resté comme une tache dans ma carrière. La justice a montré son visage le plus hideux en permettant à une jeune femme présumée coupable d'échapper à la justice, alors que sa complice écopait de la peine capitale. Vous voulez savoir ce qui s'est passé ? Les parents de Mathilde X, des gens jouissant d'une fortune colossale, ont tiré les ficelles et multiplié les pressions – financières ou autres, je n'en sais trop rien – sur la magistrature. »

Maître Roland parlait maintenant d'une voix pleine d'amertume. Il s'apprêtait à me raconter comment il avait éventé la mèche :

« Au dernier jour du procès, peu après deux heures, la cour a rappelé les parties pour le prononcé de la sentence. Je venais tout juste de finir de déjeuner au restaurant Prince de Galles, à deux pas de la place d'Armes. On y mangeait d'excellentes huîtres. Donc, en arrivant au château Ramezay, Maître Levac m'a fait signe de le suivre. Il voulait me parler en privé. "Mon cher confrère, m'a-t-il dit à voix basse, vous allez perdre ce procès et je ne doute pas que vous envisagiez d'aller en appel. Laissez-moi vous donner un bon conseil : ne cherchez pas à impliquer Mathilde X dans cette affaire.

— Et pourquoi ? lui ai-je demandé, surpris.

— Je ne peux vous en dire plus, répondit-il en vérifiant à gauche, puis à droite, si quelqu'un pouvait l'entendre. À votre place, je ne mettrais pas mon doigt dans cet engrenage. Croyez-moi, vous pourriez le regretter." »

J'étais sidérée. Maître Roland avait donc essuyé des menaces à peine déguisées ? Et j'avais toutes les raisons de penser qu'il s'était laissé intimider.

« Je n'ai pas poussé plus loin la filière Mathilde X », reconnut-il sans vouloir élaborer. Il jugeait que j'en savais assez et me parla plutôt de la terrible sentence.

Après ce bref tête-à-tête, les deux procureurs avaient repris leurs places en attendant le retour des jurés, dont les délibérations n'avaient pas traîné. Ceux-ci avaient regagné les gradins en même temps que le juge. L'instant d'après, l'impitoyable verdict était tombé : coupable de meurtre avec préméditation. Une clameur s'était élevée dans la salle. Le visage fermé, le greffier s'était alors adressé à l'accusée : « Avez-vous quelque chose à dire avant que la sentence de mort soit prononcée contre vous ? » Elvire avait baissé la tête et murmuré comme pour elle-même : « Tout ce que je demande, c'est que ma fille ignore que je suis sa mère. Je vous en supplie, ne lui parlez pas de moi. Jamais. »

En entendant la prière d'Elvire, le juge n'avait pas bronché.

« Je vous condamne à mort par pendaison, avait-il articulé d'une voix dénuée de toute compassion. Vous serez exécutée le dix mars prochain. »

≈

Les révélations de Maître Roland me donnaient froid dans le dos. Il m'importait de savoir s'il avait espéré jusqu'à la fin obtenir la grâce d'Elvire. Sans lever les yeux de ses papiers, mais après s'être ménagé un silence, il me répondit en esquissant un signe d'impuissance :

« Nous avions affaire à un juge réputé pour sa sévérité. Il croyait dissuader les criminels en faisant des exemples.

— D'après vous, Elvire était-elle coupable ? » lui demandai-je, même si je redoutais sa réponse.

Son front se rida. Il répéta après moi :

« Était-elle coupable ? Ce n'est pas sorcier, ma cliente et sa complice croyaient donner une bonne frousse à "l'accoucheur assassin" – c'est ainsi qu'Elvire appelait la victime. Elles voulaient lui infliger des crampes, le voir vomir, se tordre de douleur, comme Noémi Lapensée. Cependant, je doute fort qu'elles aient eu l'intention de lui donner la mort. Elles souhaitaient tout bêtement qu'il se souvienne des filles de Sainte-Pélagie jusqu'à la fin de ses jours.

— Mais le docteur Gariépy est mort.

— C'est là le drame. Elles ont probablement versé trop de poison sans le vouloir. Vous savez, dans les affaires d'empoisonnement, les coupables sont habituellement ignorants et maladroits. Ils déposent quelques grains de poudre sur la pointe d'un couteau, les font glisser dans un verre de liquide ou les incorporent à un aliment, sans vraiment se douter de la dangerosité de leur concoction.

— C'est tout de même étrange, remarquai-je. Pourquoi Elvire n'a-t-elle pas dit la vérité? C'eût été si simple de déclarer qu'elle voulait servir une leçon à l'accoucheur, pas le tuer. Elle se serait à tout le moins épargné la corde?»

Maître Roland avait effectivement recommandé à Elvire d'enregistrer un plaidoyer de culpabilité sans intention maligne, dans l'espoir d'obtenir une sentence atténuée. Mais sa cliente avait toujours refusé de se reconnaître coupable. Son entêtement l'avait desservie. Avait-elle regretté son geste? Il n'aurait pas su dire.

Le carillon sonna les douze coups. C'était l'heure de son repas. Maître Roland se désolait de ne pas avoir eu le temps de me raconter comment il avait finalement réussi à faire commuer la peine de mort d'Elvire en emprisonnement à vie. Je crois que ce long monologue l'avait épuisé. Il appela son valet, qui m'invita à le suivre. Avant de me serrer la main, Maître Roland mit quelques coupures de presse dans une chemise et me les tendit en me demandant de les lui rapporter quand j'en aurais terminé.

«Je ne sais pas si je dois vous souhaiter de retrouver Elvire Tanguay.» Il hésita, esquissa une moue et finit par dire : «Eh bien, oui, je vous le souhaite. Comme vous, je suis de ceux qui ont besoin de connaître la vérité.

— Savez-vous où je pourrais la trouver?»

Il caressa sa barbe blanche :

« Si jamais elle a quitté la prison, elle aura probablement regagné l'un des bordels du bas de la ville. Ce ne sont certes pas, vous en conviendrez, des lieux que devrait fréquenter une jeune fille comme vous. »

Je me retirai après l'avoir chaudement remercié. Sur le chemin du retour, les idées les plus folles me trottaient dans la tête. Une chose était certaine, je retrouverais Elvire Tanguay et j'obtiendrais toutes les réponses à mes questions. Dix-neuf ans s'étaient écoulés depuis sa condamnation. Elle avait probablement été libérée après des années passées derrière les barreaux. Maître Roland avait raison, je la retrouverais dans un lupanar plutôt qu'en prison.

Je ralentis le pas. Comment allais-je trouver la force de dissimuler mon excitation à Madame Odile? C'était mon jour de chance, comme me l'avait fait remarquer Maître Roland : ma patronne avait de la compagnie et j'ai pu me réfugier dans ma chambre sans attirer l'attention. Dans mon cahier, qui ressemblait de plus en plus à un journal, j'ai consigné mes observations de la journée. En conclusion, j'ai écrit cette phrase qui résumait bien mon dilemme :

« Des deux criminelles, laquelle est ma mère? Elvire, la prostituée? Ou l'autre, cette Mathilde qui a fui lâchement en laissant sa complice porter seule le chapeau? »

10

La maison aux lanternes rouges

Au cœur du faubourg se trouvait le *Red Light*. Je n'en étais pas
à ma première incursion dans ce quartier malfamé. Deux
fois déjà, en ce printemps de 1871, j'avais fait chou blanc. J'étais
presque certaine d'avoir enfin trouvé la maison close où sévissait
Elvire. Une fille de joie stationnée dans la rue prétendait la
connaître. Elle m'avait indiqué à quelle heure j'avais des chances
de la trouver à sa chambre.

Je me suis faufilée entre les crachats et les bocks de bière
renversés. Jamais le soleil ne passait par là. J'ai hésité, une seconde
tout au plus, devant la lanterne rouge, puis j'ai emprunté l'escalier aux marches usées en évitant la main courante, trop crasseuse
à mon goût. J'ai dû frapper trois coups avant qu'on m'ouvre. À
l'intérieur, le vestibule, d'apparence louche, s'ouvrait sur un
couloir percé de portes numérotées. L'après-midi commençait à
peine, mais on se serait cru le soir, tant l'obscurité vous enveloppait. Une odeur d'encens et de parfum bon marché mélangés
régnait. La servante m'a conduite à la patronne en se dandinant.
J'eus à peine le temps de jeter un coup d'œil dans l'unique
chambre dont la porte était restée ouverte. Un lit défait, l'édredon
par terre, une robe chiffonnée jetée à la hâte sur une chaise droite
et, tout au fond, un miroir dépoli dans lequel je distinguai de dos
une femme en corset. L'occupante n'apprécia pas mon intrusion
dans son intimité. Elle fit claquer la porte en maugréant.

Des lampes fixées au mur éclairaient timidement la pièce du
fond, un vivoir meublé de sofas défraîchis aux couleurs criardes.

À voir l'état des lieux, j'en conclus que la femme que je recherchais ne travaillait pas chez les cocottes de luxe! Près de la porte, deux filles de mon âge, déchaussées, les pieds couverts d'ampoules et leurs jupons relevés jusqu'aux genoux, faisaient des patiences. Leurs bottines éculées me barraient le chemin. Au moment de mon arrivée, la tenancière poudrée comme une catin, le cheveu d'un blond insolent et le sein débordant, sortit de derrière un rideau. En m'apercevant, elle lâcha un juron grossier que je n'oserais pas répéter, avant d'ajouter :

« Une recrue! Comme si j'avais besoin de ça, aujourd'hui!

— Non, madame, je ne viens pas vous offrir mes services. Je voudrais voir Elvire Tanguay. On m'a dit que je la trouverais ici.

— La grande Elvire? Qu'est-ce que tu lui veux? Elle s'occupe d'un client. »

J'eus un sursaut qui révéla mon malaise. Cela la fit rire :

« Tu pensais quand même pas qu'elle était en train de prier la Sainte Vierge? Tu peux l'attendre ici, si tu veux, on ne te mangera pas. Les filles, faites une place à la demoiselle. »

Sans lâcher leurs cartes, les deux poupées de salon glissèrent leurs fesses au bout de la banquette.

« Je ne voudrais pas être importune, dis-je en m'assoyant.

— T'inquiète pas, ma chouette, c'est tranquille à cette heure-ci. T'es pas du faubourg, toi, hein?

— C'est-à-dire que j'habite à cinq minutes de marche d'ici. Mais j'ai grandi à l'Orphelinat des Enfants trouvés, près du port.

— Tu ne m'as pas dit ce que tu lui voulais, à Elvire? demanda la maquerelle.

— J'aimerais mieux lui parler seule à seule, si ça ne vous fâche pas.

— Comme tu voudras. »

À cet instant, une porte s'ouvrit et une femme en sortit. L'homme qui la suivait, un batelier d'un certain âge, lui donna une tape sur le postérieur et, avant d'atteindre le bout du couloir, salua à la ronde.

« À la prochaine, mes belles guidounes. »

La femme aux longs cheveux noirs – c'était Elvire, je n'en doutais pas – se laissa tomber dans un fauteuil recouvert d'un brocart défraîchi. Des lèvres rouge vif, les yeux agrandis au crayon noir, les joues fardées et un corsage au décolleté profond collé à la peau. Toute une apparition !

« Elvire, c'est pour toi, dit la patronne en pointant le menton dans ma direction.

— Pas le temps.

— Puis-je revenir un autre jour ? lui demandai-je d'une voix implorante. J'ai vraiment besoin de vous parler.

— C'est à quel sujet ?

— Je préférerais vous le dire en tête-à-tête, si c'est possible.

— Je n'ai rien à cacher. Parle ou va-t'en. »

Son ton agacé, voire déplaisant, me déstabilisa. Pendant un moment, j'eus envie de déguerpir sans demander mon reste. Finalement, je décidai de l'affronter. Après tout, je n'avais rien à perdre.

« Je cherche ma mère.

— Que veux-tu que ça me fasse ? »

La moutarde commençait à me monter au nez. Cette femme ne saurait jamais ce qu'il m'en avait coûté de me pointer dans ce lieu peu recommandable. Je m'étais montrée polie et elle n'avait aucune raison de me traiter ainsi. Tant pis pour elle ! J'enfilai froidement trois phrases incendiaires sans marquer une pause :

« Je suis née à Sainte-Pélagie en juillet 1852. À l'orphelinat, on m'appelait "la fille des empoisonneuses". Je veux savoir laquelle des trois meurtrières est ma mère. »

Ma répartie eut l'effet d'une douche froide. Elvire me dévisagea, pétrifiée.

« Tu ne m'auras pas au bluff.

— Je n'invente rien, je rapporte des faits, les seuls dont je sois sûre.

— Ça va. Suis-moi», finit-elle par me dire de mauvais gré.

Elle m'entraîna dans la chambre dont elle venait de sortir. Ça sentait la sueur. J'aurais voulu me boucher le nez, mais je n'osai pas porter mon mouchoir à mes narines, de peur de l'insulter. Sur une table, une cuvette ébréchée trônait devant un seau en poterie à demi vide et, tout à côté, un peigne de corne édenté dans une brosse pleine de longs cheveux. Le pot de chambre avait été oublié dans le coin. Au-dessus du lit, mon regard se posa sur une illustration coquine. Voyant que j'examinais ce dessin assez impudique, elle s'impatienta.

«Ben quoi, il faut ce qu'il faut. On n'est pas dans un couvent!»

Elle secoua l'édredon et le remit en place tant bien que mal, avant de s'asseoir sur le lit.

«Prends la chaise. Mais fais ça vite. J'attends un type tout à l'heure, pis, j'te préviens, il est pas du genre patient.»

Je m'exécutai. Dans la chambre voisine, on entendait un couple se chamailler ou se chatouiller, je ne sais trop. Elvire se leva et donna un bon coup dans le mur.

«La paix!» cria-t-elle assez fort pour réveiller un mort.

J'en profitai pour la regarder tout à mon aise. Elle avait bien la peau cuivrée, comme me l'avait décrite Marie-Madeleine, mais avec le temps, son épiderme avait pris une teinte grisâtre. C'est souvent le cas des femmes qui ont brûlé la chandelle par les deux bouts, à ce qu'on m'a déjà dit. Ses lèvres tachées de rouge cachaient des dents bien droites et encore blanches pour une personne de quarante ans et des poussières. Quant à sa crinière noire, elle paraissait fort abîmée.

Malgré son air commun, Elvire n'était pas antipathique, au contraire. Jamais je n'avais vu des yeux noirs aussi perçants. Elle avait une façon touchante de vous envelopper du regard. Simplement, elle n'avait pas le vernis d'une honnête femme.

Elle reprit sur le même ton direct :

« Ne prends pas cet air de bourgeoise révoltée avec moi.

— Moi ? Je suis tout sauf une bourgeoise. Révoltée ? Peut-être bien, oui.

— De quoi te plains-tu ? T'as pas si mal tourné pour une bâtarde ! T'es bien fagotée, tu sais parler, t'as même un front de beu pas ordinaire. »

Je haussai les épaules pour lui montrer qu'elle ne m'impressionnait pas et je lui dis tout bonnement :

« Vous ne savez pas ce que c'est que de ne pas connaître sa mère.

— Ça dépend de quel genre de mère tu parles. La mienne était la dernière des traînées. Mon père ? Un ivrogne qui tripotait sa fille. À douze ans, il m'a mis en famille. Autrement dit, j'ai poussé comme de la mauvaise herbe dans un bled perdu au fond des bois, au milieu d'une famille de tarés. Tu ne veux pas savoir la suite. »

Elle parut tout à coup accablée par le poids de ses réminiscences. Moi, j'avais les dents serrées, je redoutais ses confidences que j'appelais tout à la fois :

« Au contraire, ça m'intéresse. »

Alors, elle poursuivit son histoire, pas tant pour moi comme pour elle-même. La veille de son treizième anniversaire, elle avait accouché dans la grange d'un enfant que son monstre de père avait étouffé de ses mains, avant de l'enterrer derrière le bâtiment.

« C'est effrayant ! dis-je en échappant un cri. J'espère qu'on l'a jeté en prison.

— Penses-tu ? Tout le monde avait tellement peur de lui que personne n'a osé le dénoncer. »

Elvire embraya sur un nouvel épisode de sa triste enfance, puis un autre encore. Le temps filait. Elle ne songeait plus à me congédier. Chez elle, toute trace d'agressivité avait disparu, cependant qu'elle me racontait sa vie passée sans que j'aie à l'en prier. À un moment donné, elle secoua la tête et dit :

«Crois-moi, mieux vaut être une orpheline que la fille d'une pourriture. Et je ne dis pas ça pour te consoler.»

Il était pas loin de deux heures. Elle m'avait tenue en haleine pendant plus d'une heure. On frappa. Une voix bourrue traversa la porte :

«Ça fait une demi-heure que je t'attends. Tu te fourres un doigt dans l'œil, ma grande, si tu penses que je vais moisir ici.

— Bon, v'là l'autre qui s'énerve, fit-elle en soupirant. Il en a assez de poireauter.» Elle se leva à regret et m'entraîna vers la sortie. «Reviens demain, à la même heure, si je ne t'ai pas trop dégoûtée avec mes histoires. Tu t'appelles comment déjà?

— Rose. Rose tout court. Je serai là demain.»

~

Il pleuvait violemment au moment où je quittai le bordel. L'eau ruisselait. Je n'en éprouvai aucun déplaisir. Cette pluie drue qui tombait comme au matin du déluge allait me purifier. Je m'arrêtai sous le porche de l'église, mais n'y entrai pas. J'avais passé l'après-midi au bordel, je ne pouvais quand même pas pénétrer dans un lieu saint.

Je traînai dans les rues, croyant réussir à remettre mes idées en place. Longtemps, je marchai sans avoir conscience de ce qui m'entourait. Je m'efforçais de me remémorer les phrases d'Elvire. Les images violentes se bousculaient dans ma tête. Quelle triste vie que la sienne! Après une enfance pareille, je ne voyais pas comment elle aurait pu tourner autrement. J'avais pitié de cette femme directe, attachante à sa manière. En même temps, je n'arrivais pas à la voir comme ma mère.

Mais qu'est-ce que je m'étais imaginé? Que j'étais une enfant de l'amour sortie des entrailles d'une dame? Qu'on lui avait arraché sa fille de force? Qu'elle ne s'en était jamais remise? Non, bien sûr, mais de là à admettre que ma mère puisse être une prostituée aux joues barbouillées de poudre… – une meurtrière, par-dessus le marché! –, je ne m'en sentais pas encore capable.

En dépit de mes réserves, il ne me serait pas venu à l'idée de manquer notre rendez-vous du lendemain. Une force intérieure me poussait à poursuivre cette piste. Je voulais savoir à tout prix si Elvire était ma mère ou pas.

J'arrivai à la maison toute détrempée. Madame Odile s'était déjà mise au lit. Elle avait eu une rechute, la veille, et j'aurais dû passer la journée avec elle, au lieu de courir les lupanars. Je me suis empressée de lui faire chauffer un bol de soupe et je le lui ai apporté à sa chambre. Même si elle n'avait pas d'appétit, j'ai réussi à lui faire avaler quelques cuillérées de bouillon. Le reste ne passait pas. À peine a-t-elle grignoté un ou deux *crackers*.

«Vous n'avez pas bonne mine, me dit-elle, alors que je multipliais les petites attentions, comme si je voulais me faire pardonner de l'avoir négligée. Cela ne m'empêcha pas de lui mentir avec aplomb.

— Ça va. Les bonnes sœurs m'ont cassé les oreilles avec leurs histoires d'apparitions miraculeuses. On se croirait au Moyen-Âge.

— Vous n'êtes pas obligée d'y aller aussi souvent.

— Je sais, mais elles sont vieilles et si seules. Cela dit, vous avez raison. J'aurais dû rester à la maison avec vous.

— Mais non. J'ai dormi comme un loir tout l'après-midi. Vous vous seriez ennuyée ferme.

— Que diriez-vous, mamie, si je vous faisais un peu de lecture? Nous pourrions terminer *La Fille du brigand*, d'Eugène L'Écuyer. Il ne nous reste que la fin à lire.

— Pas ce soir, je suis trop fatiguée. Demain, peut-être.

— C'est que… demain après-midi, si ça ne vous embête pas, j'aimerais retourner chez les sœurs. La supérieure m'a refilé un nouveau chapitre de *Vie de Rosalie* à recopier. Marie-Madeleine vient tout juste de le lui envoyer.»

J'en étais à mon deuxième mensonge en cinq minutes. Il me semblait que mon visage me trahissait.

«Dans ce cas, nous lirons la fin du roman demain matin, dit-elle. Ensuite, tu te sauveras pendant ma sieste.»

Il arrivait de plus en plus souvent à Madame Odile de me tutoyer. Moi, je n'aurais pas osé, mais j'aimais bien qu'elle s'adresse à moi sur un ton plus intime. Cela aurait dû m'inciter à lui faire quelques confidences, mais je pris congé sans rien lui conter de ma journée. Jamais je ne lui avais caché la vérité auparavant et j'en éprouvai de la honte. Comment faire autrement? Poussée par l'irrésistible besoin de savoir, rien n'aurait pu m'empêcher de retourner voir Elvire le lendemain. Or, cela non plus, je ne pouvais pas l'avouer à mamie. Elle se faisait déjà assez de soucis pour moi. Dans son état, je préférais ne pas la tourmenter.

~

Une fois seule dans ma chambre, je cherchai à rassembler mes impressions. Des images violentes m'assaillirent. Fallait-il confier à mon journal intime la confession d'Elvire? décrire la petite fille de douze ans terrorisée, lorsque les pas pesants de son père martelaient l'escalier? En entendant la poignée de la porte tourner, elle savait que l'heure de son enfer quotidien était arrivée… J'avais l'impression d'assister à la scène. Je voyais la grosse main du bonhomme enserrer sa taille fine, pendant que de l'autre, il labourait ses petits seins naissants sous sa chemise de nuit. Je distinguais ses halètements à lui et ses cris étouffés à elle. Surtout, il ne fallait pas réveiller la grosse vache, qu'il disait. Eh oui, cette mère indigne cuvait péniblement son vin à côté, pendant que sa fille se faisait violer par son paternel!

Soir après soir, le monstre surgissait dans son lit. Il empoignait sa belle crinière noire de jais, tout en déboutonnant son pantalon pour la pénétrer avec son sexe dégoûtant. La douleur était aiguë, ça aussi, elle me l'avait mentionné.

Il n'avait pas sitôt satisfait son instinct bestial qu'il la saisissait à bras-le-corps, prêt à recommencer. Jamais il n'en avait assez. Ensuite, il la repoussait comme une vieille chaussette sale. Les yeux fixés au plafond, la petite Elvire restait là, immobile, jusqu'à ce qu'elle sombre dans une demi-conscience. La sensation de brûlure s'atténuait dans son ventre, puis disparaissait, tandis que le sommeil la gagnait.

Le bonhomme avait cessé de la toucher quand ses rondeurs étaient réapparues. Elle avait quinze ans et entamait sa seconde grossesse. Sa mère la battait avec une ceinture de cuir en la traitant d'agace-pissette. « Tu n'es qu'une aguicheuse, tu mériterais de crever en couches », lui assénait-elle.

Elvire la maudissait sans retenue. L'homme n'était toujours qu'un animal. Mais une femme qui brutalise sa fille à peine pubère, alors qu'elle aurait dû la protéger contre la bête, quelle aberration !

C'est le curé de la paroisse qui avait conduit Elvire à Montréal pour qu'elle y termine sa grossesse. Dans la voiture bringuebalante, son tricorne sur les genoux, un crucifix sur la poitrine, il l'avait questionnée sans répit pour savoir le nom du jeune homme qui l'avait engrossée. Si elle persistait à se taire, il lui refuserait l'absolution et elle en serait réduite à vivre en état de péché mortel pour le reste de ses jours. Ne craignait-elle pas les feux de l'enfer ? Elvire lui avait répondu que brûler chez Lucifer serait toujours moins pire que ce qu'elle endurait dans le taudis de son père. Le curé s'était offusqué de son blasphème.

Comme il était repoussant, ce gros ventru qui tripotait sa croix pectorale ! Bien des années après, elle se rappellerait qu'il suait comme un porc et s'épongeait le front avec son mouchoir chiffonné. À la fin du parcours, elle avait fini par dénoncer le coupable, plus par lassitude que sous la menace. En l'entendant nommer son père incestueux, le prêtre avait failli la gifler, tant l'aveu lui semblait mensonger. Certes, Tanguay n'était pas un saint homme, mais de là à souiller le corps vierge de sa propre fille, il n'en croyait pas ses oreilles. Devant l'entêtement d'Elvire à maintenir sa version des faits, il lui avait fait jurer sur l'Évangile de ne parler de sa faute à personne. De son côté, il se promettait d'avoir une bonne conversation avec le bonhomme. Si Elvire disait vrai, ce dont il ne semblait pas totalement convaincu, cela ne se reproduirait plus, il s'en portait garant.

Elvire l'avait laissé dire. De toute manière, elle s'était promis de ne jamais remettre les pieds dans la maison de son père. Plutôt mourir que de revivre le même viol cent fois répété. Le curé l'avait déposée avec son baluchon sur le perron de Sainte-Pélagie, sans même se donner la peine de payer sa pension. Il lui avait simplement remis une lettre d'introduction signée de sa main.

Elvire avait eu un fils. Un accouchement en douceur, comparé à la boucherie survenue dans la grange paternelle. Le petit paquet de chair tout plissé sorti de ses entrailles, elle l'avait appelé Théo. Et malgré l'insistance des cornettes, elle avait refusé de s'en séparer. Aujourd'hui, Théo avait vingt-neuf ans.

« Si tu le voyais ! Il est beau comme un prince. »

Nous en étions là lorsque son impatient client avait cogné à la porte de sa piaule. « Bon sang ! Elvire, s'était-il exclamé en m'apercevant. Dis-moi pas que tu m'offres la petite pour te faire pardonner ? Ça fait longtemps que je n'ai pas eu une pucelle dans mon lit.

— Ça s'appelle "touches-y pas", mon noir, avait-elle rétorqué, l'air méchant. Sinon, tu vas avoir affaire à moi. »

Puis, me prenant par l'épaule, elle m'avait reconduite à la porte.

～

Le lendemain, à l'heure dite, Elvire m'attendait dans la rue devant son bordel. Elle ne m'invita pas à entrer, sous prétexte qu'elle avait bigrement besoin d'air. La chaleur était bien réelle, mais j'ai pensé : elle ne veut pas que je traîne dans une maison louche.

Elle me proposa une promenade dans le port. Voyant mon hésitation, elle voulut me rassurer : le port, c'était son terrain de jeu. Je n'avais rien à craindre des marins ni des débardeurs, tous des amis.

« Tu ressembles à quelqu'un que j'ai connu naguère, me dit-elle de but en blanc en me considérant gentiment. Je n'arrive pas à mettre un nom sur ce visage. »

J'attendis en vain qu'elle se souvienne. Nous descendîmes lentement la rue Saint-Laurent, presque déserte à cette heure. La pluie de la veille n'avait pas rafraîchi l'air. Un vent léger soufflait, ce qui avait pour effet de soulever la poussière. Mes bottines se remplissaient de grains fins, c'en était inconfortable, mais je n'osai pas m'en plaindre, de peur qu'Elvire décide de rebrousser chemin.

« Comment m'as-tu trouvée ? »

Sa question me prit de court. Je me retournai pour la regarder. Sa crinière noire crépue comme celle d'une négresse luisait au soleil et ses yeux perçants me fixaient. Comme je ne savais pas si elle était prête à aborder la délicate question de mes origines, je lui racontai par quel hasard j'avais rencontré son avocat, qui habitait la maison voisine des Davignon, des amis de ma protectrice. Eh oui ! moi, une fille de basse extraction, j'avais osé me présenter sans me faire annoncer chez ce distingué homme de loi sur le point de souffler ses quatre-vingts bougies. Un éclair de malice dans les yeux, j'ajoutai que j'avais amadoué le vieux monsieur avec une facilité déconcertante. Il ignorait où Elvire se trouvait à ce moment-là, mais il m'avait fourni des pistes qui m'avaient conduite à elle. Mon histoire l'amusa et il me fit plaisir de la voir rire.

Peu à peu, je découvrais une tout autre femme, le contraire de la pute grossière qui m'avait accueillie plutôt fraîchement au bordel. Elle me demanda des nouvelles de Maître Roland, qu'elle n'avait pas revu depuis que sa sentence de mort avait été commuée en prison à vie. Elle fut contente d'apprendre qu'il ne l'avait pas oubliée. À l'époque, elle aurait préféré un avocat plus combatif. Il n'empêche qu'elle lui était reconnaissante de l'avoir sauvée de la potence.

« C'était un très bel homme, Maître Roland. D'épais cheveux grisonnants, une petite barbiche au menton. Je le trouvais un peu bas sur pattes à mon goût, mais il n'était pas dénué de charme. »

Quand, ensuite, je mentionnai le nom de Mathilde, son visage se crispa. Autant d'années après le drame, elle ne digérait toujours pas la disparition commode de ses complices. Mathilde et Mary n'avaient sans doute pas eu plus de chance qu'elle dans la vie, mais cela ne les excusait pas. Elle voulait bien croire que Mary était morte dans l'incendie. Mais l'autre, Mathilde, l'avait roulée dans la farine. Elvire n'avait pas de mots pour décrire la lâcheté de celle-ci. Maître Roland m'avait-il informée que la lettre anonyme infamante adressée à la cour provenait d'elle ? Non, bien entendu. Toute sa bonne humeur avait disparu, cependant qu'elle jonglait avec cette ignominie. Dans son monde à elle, on ne laissait pas tomber une camarade d'infortune comme le faisaient les bourgeois. Je partageais son avis. Elle ne voulut pas m'en dire plus au sujet de cette macabre nuit. Je n'insistai pas. Il serait toujours temps de revenir à la charge plus tard.

Nous passâmes devant le nouveau palais de justice construit sur les ruines de l'ancien. Elvire me confirma que, lors de son procès, l'édifice sortait à peine de terre. Nous traversâmes la rue Notre-Dame, afin qu'elle puisse me montrer la petite porte à l'arrière du château Ramezay par où on la faisait entrer et sortir, pendant son procès, pour la protéger des débordements de la cohue.

Au quai Bonsecours, régnait une certaine animation qui tranchait avec le silence de la ville. Il y avait des bateaux amarrés à toutes les jetées. Les débardeurs hissaient les cargaisons entassées au fond des cales. L'air embaumait l'étoupe et le goudron. Dans la section des océaniques, les cuivres rutilaient au soleil.

Nous nous sommes assises sur un banc devant le fleuve et là, je l'ai écoutée me raconter ce qui s'était passé après sa condamnation à mort. J'espérais plutôt qu'elle revienne sur les événements entourant l'empoisonnement du docteur Gariépy, mais elle a évité à nouveau le sujet, malgré mon impatience.

~

Cette femme qui, pour moi, n'était qu'une ombre la veille encore, et qui depuis deux jours m'inondait de confidences, se mit à me hanter. Je l'imaginais quittant le tribunal, encadrée par deux agents de police. Dans sa tête résonnaient trois mots lourds de sens : « Vous serez pendue. » Autour du château Ramezay, la foule hystérique menaçait de la lyncher.

Le cocher du fourgon cellulaire s'impatientait : « Dépêchez-vous ! *Make haste !* » Elvire s'engouffrait dans une voiture couverte aux volets clos, une espèce de *stagecoach* qu'une douzaine de gardes à cheval portant l'uniforme à boutons dorés escortaient. Assise sur ses mains, car on lui avait passé les menottes dans le dos, elle pouvait à peine bouger. Le cocher claquait son fouet en criant : « *Go !* »

Est-ce que je devenais folle ? Elvire Tanguay ne me laissait aucun répit. Dans mon délire, j'étais là, au milieu des curieux qui guettaient le cortège pour lancer des insanités à son occupante : « Qu'on pende l'empoisonneuse ! » Je cherchais son regard, la gorge nouée. Quelles terribles pensées devaient l'assaillir sur la route menant au Pied-du-Courant ! Sans doute s'accrochait-elle au mince espoir que lui avait communiqué Maître Roland, après le verdict : « Nous interjetterons appel. Je prouverai que l'instruction a été bâclée. »

Allez savoir pourquoi, j'ai refait le trajet en omnibus, depuis la place d'Armes jusqu'au bout de l'île, où se trouvait la prison.

Le passage m'a coûté six sous. Tant pis! Je voulais voir de mes yeux le cachot dans lequel Elvire avait croupi pendant des années.

J'ai soudoyé – façon de parler – sœur Sainte-Victoire, afin qu'elle m'emmène à la prison à sa prochaine visite hebdomadaire. Sa Grandeur avait demandé aux religieuses de Sainte-Pélagie d'aller réconforter les prisonnières enceintes et de leur distribuer des victuailles une fois par semaine, de préférence le jour du Seigneur. Après s'être fait prier, la sœur a accepté que je l'accompagne, en échange de quoi j'ai promis de composer les lettres des détenues à leurs familles. La plupart d'entre elles ne savaient ni lire ni écrire.

Le dimanche suivant, nous nous sommes présentées devant la haute muraille qui entourait la prison, un édifice en pierre de taille de quatre étages. Je ressentis un choc, quand la porte garnie de barres de fer roula sur ses gonds. Dans le hall d'entrée, des hardes sales traînaient en tas. Sans doute le butin d'un nouveau prisonnier. La porte du bureau du shérif était entrebâillée. Je profitai d'un moment d'inattention de la sœur pour m'y introduire. M'étant présentée comme une bénévole, je le félicitai pour la bonne tenue de l'institution qu'il dirigeait depuis des lustres. Il m'assura que les femmes représentaient presque la moitié de sa clientèle.

«Ça me semble énorme. Et pour quels délits sont-elles habituellement condamnées?

— Ivresse, désordre, fréquentation de maisons closes... Il soupira. Ici, les prostituées et les vagabondes sont si nombreuses qu'on ne devrait pas parler d'une prison mais plutôt d'un refuge. Que voulez-vous? Quand elles ont besoin d'un toit pour passer la nuit, elles s'arrangent pour se faire arrêter.»

Le plus naturellement du monde, je lui demandai s'il se souvenait d'une certaine Elvire Tanguay, condamnée pour meurtre par empoisonnement. Il n'eut pas à consulter son registre, car il connaissait très bien cette «habituée de la maison».

Toutefois, il y avait plus d'un an qu'il ne l'avait pas vue derrière les barreaux. « La grande Elvire vient quand ça l'arrange », dit-il avant d'ajouter un peu malicieusement : « Plus il fait froid, plus vous avez des chances de la trouver ici. »

Le shérif savait qu'Elvire se prostituait dans le *Red Light*. « Mais je suppose que vous, une proche de sœur Sainte-Victoire, vous ne fréquentez pas les quartiers louches », m'a-t-il fait remarquer en me jetant un sourire coquin.

Je l'assurai qu'on ne me verrait jamais dans les parages d'une maison close et je pris congé de lui, avant qu'il s'enquière des raisons de mon intérêt pour son ex-prisonnière. Sainte-Victoire me cherchait partout. Lorsqu'elle m'aperçut sortant du bureau du shérif, elle me tira par le bras et, au comble de l'exaspération, exigea que je la suive à la semelle pendant tout le reste de la visite.

Un garde nous précéda dans un long couloir. Le bruit des serrures qui grinçaient contribuait à rendre l'atmosphère lugubre. À l'extrémité, une sentinelle tira une clé du trousseau attaché à sa ceinture et nous introduisit dans l'aile réservée aux femmes. Mon esprit s'emballa devant la section des condamnées à mort. Par chance, l'unique cellule était inoccupée.

Pendant que la bonne sœur s'activait auprès des prisonnières, j'ai pu examiner à mon aise le cachot vide. Dans un espace réduit d'à peine dix pieds carrés, une fenêtre munie de barres de fer laissait passer un pâle soleil à travers ses carreaux sales. Il y avait un lit à sangles et une couverture, pas de table mais une chaise boiteuse et, dans un coin, un pot de chambre. Le balai laissé à côté de la porte grillagée servait à détruire les épaisses toiles d'araignée dont m'avait parlé Maître Roland. La fenêtre donnait sur une cour carrée entourée d'un haut mur de pierre. C'est là, tout au fond, qu'on installait la potence. Dire qu'Elvire avait probablement attendu la mort dans cette cellule.

~

À notre troisième rencontre, je lui racontai ma visite au Pied-du-Courant. Elvire éclata de rire :

« Dis donc, tu as tous les culots ! Il fallait me le demander si tu voulais en savoir plus sur cette pension de luxe. Pas la peine d'interroger le shérif. »

La petite histoire de son séjour en prison qu'elle m'a alors racontée donnait la chair de poule. Devant sa cellule, ses gardiens jouaient au bonhomme pendu. Ou plutôt à la « bonne femme pendue », comme disaient ces sadiques. Elle se bouchait les oreilles pour ne pas les entendre. Jamais elle ne leur avait donné le plaisir de la voir brailler.

À l'extrémité du corridor, dans la section des hommes, un autre condamné vivait en silence ses derniers moments. Le type avait tiré un coup de pistolet à la tête d'un camarade de jeu. En explosant, la cervelle de sa victime l'avait éclaboussé. On lui avait arraché des aveux complets. Le jour de son exécution, en passant devant la cellule d'Elvire, il lui avait dit simplement : « C'est pour aujourd'hui. » Il paraissait calme, presque détaché. Il attendait sa dernière heure comme une délivrance.

Ce matin-là, à l'aube, les gardiens d'Elvire – des tortionnaires, il n'existe pas de meilleur mot pour les qualifier –, l'avaient traînée jusqu'à la fenêtre afin qu'elle ait une juste idée du châtiment qui l'attendait. Les mains plaquées sur ses yeux, elle avait refusé d'obtempérer. Alors, ils l'avaient forcée à regarder en lui serrant les poignets jusqu'à lui faire mal.

La cour intérieure de la prison était remplie à craquer de voyeurs. Vingt-quatre marches séparaient le condamné de l'échafaud. Un aumônier compatissant lui parlait tout bas. Sans doute l'exhortait-il à demander pardon à son créateur et à accepter sa terrible punition pour le repos de son âme. L'homme tenait un petit crucifix à la main. Après la prière des agonisants, le bourreau vêtu de noir lui avait passé la cagoule et avait ajusté la corde autour de son cou. Sans plus attendre, il avait fait jouer le déclic fatal. Elvire tremblait comme une feuille en entendant le bruit de la trappe qui s'ouvrait. Puis, elle avait vu les jambes du supplicié ballotter dans le vide.

« Et alors, j'ai pensé que la prochaine fois, ce serait à mon tour de faire le saut dans l'éternité. »

L'hiver, son premier derrière les barreaux, fut désespérément long. Elvire passa le temps des fêtes seule avec sa frayeur. Pas de messe de minuit, pas de visiteurs, pas même une orange dans son bas de Noël. Ses amis l'avaient abandonnée, son fils Théo avait été placé chez de braves gens à la campagne, ses clients du bordel l'avaient remplacée par une « sale petite grue » qu'elle n'avait jamais blairée. Maître Roland s'efforçait de la soutenir moralement, mais sa propre fille, qui devait d'ailleurs mourir de la tuberculose le mois suivant, réclamait aussi sa présence.

La nuit, le vent glacé s'infiltrait par les carreaux de sa cellule. Pour se garantir contre le froid, elle n'avait qu'une seule couverture sale et trouée. La faim la minait aussi. On lui servait une mauvaise nourriture. Après trois mois dans sa cage, elle n'avait plus que la peau et les os.

« Une nuit, alors que je somnolais, mon gardien s'est précipité sur moi en disant : "Viens, ma belle, on va se payer du bon temps !" Il m'a empoigné les seins et, après avoir déboutonné sa braguette, m'a serrée contre lui en m'embrassant comme un fou. D'un bond, j'ai sauté hors de ma couchette, je me suis emparée du bougeoir et j'ai menacé cet écœurant de lui faire éclater la cervelle s'il s'avisait d'avancer d'un seul pas. Il a décampé en maugréant : "Au lieu de jouer les saintes nitouches, tu devrais prendre ton plaisir. Bientôt, ta peau ne vaudra pas cher…" »

～

Elvire m'avait décrit en long et en large cet épisode de sa vie. Malheureusement, sa méconnaissance du système judiciaire ne me permit pas de comprendre comment elle avait pu échapper à la peine de mort. J'ai donc potassé les coupures de presse que Maître Roland m'avait prêtées.

Au début du mois de février, la demande d'appel faite par l'avocat fut enfin entendue. Comme lors du procès, les curieux se bousculaient pour avoir une place dans la salle. Tout le monde espérait que l'appel serait rejeté. À l'époque, les pendaisons se raréfiaient et personne ne voulait être privé du spectacle de voir une femme se balancer au bout d'une corde.

Maître Roland avait demandé un bref d'erreur. Selon lui, sa cliente avait été condamnée en vertu d'une preuve ni concluante ni légalement valide. La victime était rentrée chez elle sur ses deux jambes, personne n'avait vu l'accusée lui administrer le poison, sa présumée complice avait disparu et le seul témoignage incriminant dont disposait le tribunal provenait d'une lettre anonyme. Pour ces raisons, l'avocat d'Elvire était résolu à faire casser le jugement de première instance. C'était clair comme de l'eau de roche, la justice avait fait fausse route.

Dès le premier jour, il avait appelé à la barre le docteur Joseph Émery-Coderre, une sommité à Montréal. Celui-ci avait attaqué le caractère probant de l'évaluation du médecin qui avait procédé à l'autopsie. La loi stipulait que l'expertise dont dépendait l'issue d'un procès et, conséquemment, la vie de l'accusé ne devait pas être confiée à un seul expert. Or, le docteur Augustin Boileau avait été l'unique médecin à examiner les viscères de son collègue et ami Gariépy. S'agissant d'une mort suspecte, le coroner du district aurait dû exiger la présence d'un second expert.

La défense plaida aussi qu'il n'avait pas été péremptoirement prouvé que les organes analysés pendant l'autopsie appartenaient bien au docteur Gariépy. Il y avait, selon le docteur Émery-Coderre, un doute raisonnable. En ouvrant l'estomac de la victime, l'expert avait observé, adhérant à la paroi des muqueuses, une substance blanchâtre qu'il avait identifiée comme étant des cristaux d'arsenic, une quinzaine en tout. Au procès, le docteur Boileau avait apporté les viscères de la victime dans un vase en grès dont il avait préalablement scellé le couvercle avec de la cire. Or, ce vase avait une autre ouverture à sa base, que l'expert avait affirmé sous serment avoir refermée avec un bouchon de liège.

Maître Roland avait émis l'hypothèse que le vase puisse avoir été rouvert, puisque le médecin légiste chargé de procéder à l'analyse chimique des matières avait constaté que cette ouverture était fermée avec une rafle de maïs et non un bouchon de liège. Par conséquent, une substitution des matières ou l'ajout d'une substance quelconque était possible. Voilà qui était suffisant, selon l'avocat d'Elvire Tanguay, pour justifier la cour d'appel d'invalider l'expertise du docteur Boileau et d'ordonner un nouveau procès.

Hélas! Devant la preuve peu probante avancée par la défense – une preuve qu'aucun précédent dans les annales judiciaires du Canada ne venait appuyer –, la cour avait refusé d'entendre l'appel. L'affaire Tanguay devenait cependant fort embarrassante, car elle faisait l'objet d'un rare retentissement. À un mois jour pour jour de la date de son exécution, le juge commua la sentence de mort d'Elvire en prison à vie.

Il était grand temps que cette histoire trouve son dénouement. Les rumeurs les plus saugrenues circulaient. De bouche à oreille, on chuchotait que le meurtre du docteur Gariépy avait été perpétré dans une nef de sorcières tenue par des religieuses cannibales. Les journaux s'étaient mis de la partie et leurs récits créaient une grande frayeur. Sous le couvert de l'anonymat, des voisins avaient prétendu qu'il se pratiquait entre les murs de la maternité des rites tenant de la sorcellerie. Des femmes mouraient dans des circonstances nébuleuses et ces meurtres crapuleux n'étaient jamais éclaircis. On évacuait les cadavres la nuit, à la lueur de torches. Le bruit courait que, dans cet horrible cloaque, les empoisonnements étaient pratique courante. On insinuait que la mystérieuse Mathilde X figurait parmi les innocentes victimes.

11

Ma petite sœur…

« Qui t'a dit que j'avais eu une fille ? » me demanda sèchement Elvire.

Nous en étions à notre quatrième rendez-vous. Jusque-là,
jamais il n'avait été question de ma naissance entre nous. J'en
étais venue à croire que je ne l'intéressais pas.

Il faisait un temps superbe. On se serait cru en plein été et
pourtant, mai ne faisait que commencer. Nous avions mangé une
glace, rue des Commissaires, et maintenant, nous flânions devant
les jets d'eau du Square Victoria. Des dames déambulaient en
robes à falbalas, se protégeant du soleil sous leur ombrelle. À
notre passage, les hommes scrutaient Elvire avec convoitise,
comme si le mot « putain » était écrit sur son front. Moi aussi, ils
me zieutaient, j'en rougissais. « Ces cochons se demandent ce
qu'une oie blanche fait avec une pouffiasse de mon espèce »,
gloussa Elvire que ma gêne amusait. Nous formions assurément
un couple plutôt désassorti.

Toujours elle me parlait du passé, le sien, naturellement. Une
anecdote oubliée lui revenait, un détail qu'elle avait omis de me
confier, un commentaire la plupart du temps amer. Son ton
devenait facilement agressif et, alors, elle scrutait mon visage en
quête d'une réaction.

Je venais de lui proposer de retourner sur nos pas jusqu'à
l'Orphelinat des Enfants trouvés, à quelques minutes du parc où
nous nous trouvions. Je souhaitais lui montrer où j'avais grandi.
Mais elle prétexta un rendez-vous.

« Tu te souviens du type que tu as vu dans ma piaule, le premier jour ? Celui qui voulait t'avoir dans son lit ? Eh bien, il m'attend. »

Il nous restait une quinzaine de minutes avant qu'elle ne tire sa révérence. Je décidai de la forcer à me révéler ce qu'elle savait de mes origines. Je n'étais pas convaincue qu'elle était ma mère ni même certaine de le souhaiter, mais je voulais en avoir le cœur net. L'impatience me gagnait et le doute me tenaillait sans répit.

De son côté, bien qu'elle ait semblé apprécier nos rencontres – après tout, elle les sollicitait –, jamais elle ne me manifestait sa tendresse. Je n'avais pas l'habitude des câlins, il est vrai, et ses élans affectueux m'auraient probablement gênée. Rien n'empêche, il eût été normal qu'une mère retrouvant sa fille perdue lui passât la main dans les cheveux de temps à autre, lui déposât un baiser sur le front ou marchât bras dessus, bras dessous avec elle dans la rue. Non, rien de tout cela n'existait entre nous. Elle ne savait même pas tourner un compliment. Je me résignai donc à aborder le sujet de front. Tout de go, je lui dis qu'elle avait eu une fille à Sainte-Pélagie, en 1852, et que j'aimerais savoir ce que cette fille était devenue. Au lieu de me répondre, elle me demanda où j'avais pêché cette information.

« C'est simple, lui répondis-je en braquant mes yeux dans les siens, je l'ai lue dans le registre de la maternité.

— Parce que tu fouilles dans les papiers des bonnes sœurs. Eh ben ! dis donc, toi, il n'y a rien à ton épreuve. Sais-tu que j'ai bien failli accoucher en prison ? »

À son tour, elle me défia du regard, comme pour me signifier qu'elle n'avait rien à cacher. De la naissance de sa fille, elle parlerait à son heure. Chaque chose en son temps. Pour l'instant, elle voulait revenir sur son arrestation brutale :

« La police est venue m'arrêter juste après ma délivrance. Tu te rends compte ? Je l'avais déjà eu dans mon lit, le beu qui m'a lu mes droits. Il a fait semblant de ne pas me reconnaître, l'animal. La bonne sœur a refusé de me laisser partir si tôt après mes couches. Elle lui a dit de revenir le lendemain. Il n'était pas content. Figure-toi qu'il avait peur que je me sauve. Alors, elle l'a envoyé paître. Pensait-il que je pouvais aller bien loin, amanchée comme je l'étais ? »

Elvire confronta ensuite ses souvenirs de l'incendie à mes connaissances. Le lendemain, me précisa-t-elle, ça sentait la boucane à plein nez et tout était à l'envers à la maternité. Les sœurs avaient commencé par déterrer leur butin enseveli l'avant-veille, puis elles avaient remplacé les couchettes abîmées pendant le déménagement et nettoyé les instruments médicaux noircis par la fumée.

Je ne me trompais pas, Mary Steamboat avait bel et bien disparu avec son enfant. Une fois le danger écarté, lorsqu'on avait ramené Elvire et les autres pensionnaires à la maternité, tout le monde avait cherché l'Irlandaise. Un voisin croyait l'avoir aperçue dans les décombres d'une maison de la rue d'à côté. Un autre pensait qu'une branche d'arbre l'avait écrasée. Elvire trouvait ma version plus crédible : Mary était probablement morte à l'Hôpital général des Sœurs Grises, comme me l'avait affirmé le fils de Mère de la Nativité.

« Je sais qui m'a vendue, me lança-t-elle sans réticence. Je sais aussi pourquoi on m'a arrêtée, moi, et pas Mathilde. Celle-là ! elle n'en a pas fini avec moi. »

Elle se souvenait que Mathilde était toujours dans les parages, le matin de l'incendie. On lui avait enlevé son enfant et elle avait piqué une crise à réveiller les morts. Elle hurlait encore lorsque son père et son frère étaient venus la chercher. Comme aucun mandat d'arrêt n'avait été émis contre elle, les sœurs l'avaient laissée partir.

« C'est ça, la justice ! Les riches s'en tirent, les pauvres écopent. Tu ne trouves pas ça ignoble, toi ? »

Il y eut un silence, pas très long. Je jouais avec la frange de ma robe en jonglant. Allais-je lui demander une bonne fois si elle était ma mère ?

«Et moi?»

Les mots étaient sortis de ma bouche sans que je puisse les retenir. Je relevai la tête pour épier sa réaction.

«Et toi quoi?» reprit-elle.

Sa désinvolture me glaça. Elle me fit signe de continuer, mais je ne trouvai pas les bons mots. Alors, je dis pour l'amadouer :

«L'une de vous deux est ma mère et je ne voudrais pas que ce soit cette Mathilde.»

Elle fouilla dans la poche de sa jupe, en sortit un mouchoir, non pas pour essuyer une larme, comme j'aurais pu le croire, mais pour se moucher. C'était sa façon de masquer son trouble. Mon visage devait trahir une immense inquiétude, car elle posa la main sur mon bras. J'en fus toute remuée. Puis elle dit, mi-comique, mi-sérieuse :

«Comment veux-tu que je sache si tu es ma fille? Peut-être bien que oui, peut-être bien que non.»

J'attendis la suite, qui tarda à venir. J'avais l'impression d'avoir devant moi une femme prise au piège et qui ne savait pas comment s'en sortir. Elle me réservait cependant une surprise que je n'avais pas vue venir.

«Ma fille, je comptais la reprendre après le procès. Je ne pensais pas passer quinze ans à l'ombre.»

Quand Mère de la Nativité allait la voir à la prison, elle lui apportait des nouvelles de l'enfant.

«Mais la bonne sœur est morte avant que je sorte du trou et après, personne n'a voulu me dire où était la p'tite. Faut croire qu'une bonne famille l'avait adoptée. Au fond, c'était mieux comme ça. Tu imagines sa honte d'avoir une mère comme moi? Alors, j'ai fait de l'air.

— Mère de la Nativité était ma marraine, dis-je. Elle s'est toujours bien occupée de moi.»

Elle ne mordit pas à l'hameçon. Pour dissimuler son malaise, elle toussa. L'instant d'après, elle chercha pour la première fois à savoir d'où je sortais :

« Et toi, as-tu de la famille ?

— Non, je n'ai ni père ni mère d'adoption.

— Alors, comment gagnes-tu ta croûte ?

— Je suis demoiselle de compagnie. Je vis chez une dame qui me paie pour lui lire des livres. »

Elle explosa d'un rire bruyant. Je lui montais un bateau, ça n'avait pas d'allure. Qui serait assez bête pour donner son argent à une fille qui passe ses journées à lire ? Je protestai :

« Je suis restée chez les sœurs jusqu'à dix-sept ans. Elles m'ont gardée aussi longtemps parce qu'elles espéraient me voir prendre le voile. C'est pour ça qu'elles m'ont appris à lire, à écrire et à compter. Je lis tout haut sans bafouiller.

— Elle doit avoir un gros bas de laine, ta bonne femme, pour se payer une lectrice. »

Ce n'était pas une question, mais je tenais à rectifier son erreur :

« Absolument pas. Elle vit dans un logis modeste. Auparavant, elle était couturière, rue Saint-Amable. À présent, elle est malade. Alors, je fais ses courses et je l'aide à la maison.

— Ah ! bon, tu es aussi sa bonniche. Je me doutais bien qu'il y avait une attrape. Elle te paie combien ?

— Pas grand-chose, à vrai dire. Mais cela me suffit, puisqu'elle me loge et me nourrit. »

Une petite gêne s'installa entre nous. Ses questions m'agaçaient et mes réponses ne la satisfaisaient pas. Devant nous, la jument du livreur d'eau piaffa d'impatience. Nous eûmes un moment de distraction. Elvire parla la première :

« Avant de tomber enceinte, j'avais travaillé pour un chic type. Un bon maquereau, comme on dit. Il venait souvent me voir dans ma cellule. Faut croire qu'il s'ennuyait de moi ! Comme il était plein aux as, je lui avais demandé d'envoyer un peu d'argent à l'orphelinat. Je voulais que ma fille ne manque de rien, pis qu'elle soit instruite. »

Je ne répondis pas, même si sa révélation me remuait. Essayait-elle de me dire à mots couverts que, si j'avais un peu d'instruction, c'était grâce à elle? Elle serait donc ma mère? Je n'arrivais pas à surmonter mes réticences. Nous étions si différentes au physique comme au moral. J'aurais pu lui demander une preuve plus convaincante, mais je ne m'en sentis pas le courage.

Alors, elle me sourit et, cultivant le mystère, laissa tomber :

«Ça se pourrait bien, après tout, que je sois ta mère.»

Il n'y avait aucune trace d'émotion sur son visage. Je vivrais cent ans que je ne pourrais pas oublier la froideur de son regard.

~

Après cette rencontre, je restai sans nouvelles d'Elvire pendant quelque temps. Je ne savais pas comment interpréter son silence. Peut-être étais-je réellement sa fille? Si c'était le cas, elle ne remuait pas ciel et terre pour me revoir. De mon côté, je n'étais pas certaine de la vouloir pour mère. Je nourrissais à son égard des sentiments ambigus liés à sa personnalité. Nous n'avions pas d'atomes crochus. J'aurais pu me résigner – après tout, on ne choisit pas ses parents –, mais j'acceptais mal le fait que nos rapports ne soient pas empreints d'affection.

Un après-midi pluvieux, quelqu'un frappa chez Madame Odile. Penchées sur nos travaux d'aiguille, dans la salle à manger, nous devisions gentiment, elle et moi. Par ce vilain temps, nous nous étions encabanées et la journée s'étirait, monotone. J'allai ouvrir. Le visiteur se présenta comme mon demi-frère. Très grand, les cheveux noirs gominés, le regard perçant d'Elvire, il me tendit les bras. À croire que j'étais l'enfant perdue et retrouvée.

«Ah! ma petite sœur! s'exclama-t-il en soulevant son chapeau. Je m'appelle Théo. Heureux de faire ta connaissance.»

Cette entrée en matière me laissa bouche bée. L'homme avait-il perdu la boussole ? Sans être carrément vulgaire, il était habillé à la diable, avait les ongles mal tenus et s'exprimait de manière trop familière. Je le vis sortir de la poche de sa veste une bouteille d'alcool déjà entamée. Il l'avait apportée, m'annonça-t-il, pour fêter nos retrouvailles.

La porte à deux battants donnant accès au salon était ouverte et le bruit de nos voix parvint jusqu'à mamie. Naturellement, elle ignorait tout de mes fréquentations douteuses et de mes échappées dans le *Red Light*. Voyant que je restais là, figée comme une statue de sel, elle déposa sa tapisserie sur la table, se leva péniblement et vint vers nous. L'exubérance de cet homme, un pur étranger, lui parut louche. Je la voyais maintenant s'approcher de l'embrasure de la porte, l'air ahuri. Théo, lui, n'avait pas encore remarqué sa présence. Il avança d'un pas, sans en avoir été prié, et alors il la découvrit :

« Vous êtes sûrement la bonne âme qui a pris soin de ma chère sœur, lui lança-t-il, la bouche pâteuse à souhait.

— Rose est votre sœur ? fit-elle, sidérée. De qui tenez-vous cette information ? Expliquez-vous, je vous en prie.

— Rose ne vous a pas dit qu'elle avait retrouvé sa mère ? C'est la mienne aussi, répondit-il, une lueur narquoise dans le regard. Alors, comme deux et deux font quatre, nous sommes frère et sœur. Je me suis précipité chez vous pour faire sa connaissance. »

Il but une rasade, avant de me tendre la bouteille que je refusai d'un signe de tête en reculant. À présent, il titubait carrément. Cet homme d'allure louche qui prétendait être mon frère me faisait peur. Pour m'en débarrasser, mamie Odile lui expliqua qu'il tombait mal : c'était l'heure de nos dévotions à l'église. Nous étions ensuite attendues à la Saint-Vincent-de-Paul pour trier les vêtements à donner aux pauvres. Il n'insista pas et rebroussa chemin, après m'avoir promis de revenir prochainement.

« Cette fois, je ne te laisserai pas m'échapper, ma petite sœur », me lança-t-il avant de partir.

Je n'avais pas sitôt refermé la porte derrière lui que Madame Odile me bombardait de questions. Qui était cet hurluberlu qui se disait de ma famille? Avais-je découvert des faits nouveaux dont j'aurais omis de l'informer? J'étais coincée. Il m'a bien fallu lui parler d'Elvire et de ma visite au bordel. Pétrifiée, ma protectrice a failli s'évanouir. Mon imprudence la renversait. Elle oscillait entre l'incrédulité et la colère. Une demoiselle comme moi, se montrer dans une maison de débauche! Quelle mouche m'avait piquée? Ne savais-je pas que, dans ces lieux louches, on soûlait les jeunes filles avant de les offrir aux clients? que les vierges valaient leur pesant d'or pour les proxénètes? Elle avait raison, je m'étais exposée au danger bien légèrement.

«Cet homme est-il vraiment votre frère? Je n'arrive pas à le croire.

— Je n'en sais rien, mamie. Je suis désolée. Je ne voulais pas vous causer de soucis, fis-je en prenant une mine contrite pour implorer son pardon. Vous en avez assez sur les épaules.»

J'étais honteuse. Inquiète aussi. Allait-elle me jeter à la rue?

Non, elle ne me chassa pas. Mais son chagrin faisait peine à voir. Mon manque de franchise l'avait blessée. J'ignorais comment je pourrais me racheter.

～

À quelques jours de là, je croisai Théo dans la rue. Il m'avait probablement suivie depuis le marché où j'avais fait des courses. Planté au milieu du trottoir, il attendit que j'arrive devant lui :

«Tiens donc! Ma petite sœur bien-aimée!»

Il ne me tendit pas la main, mais chercha à m'embrasser. Son souffle chargé d'alcool me fit reculer. Pareille insolence me choqua et je ne me sentais pas trop brave, ce que je me gardai bien de lui laisser voir. Ses vêtements étaient moins défraîchis que ceux qu'il portait lors de notre première rencontre. Cependant, il avait l'air vanné.

« Je suppose que vous ne passiez pas là par hasard, dis-je sur le même ton.

— Pour être franc, je t'espérais.

— Ah ! oui ? Eh bien ! Vous m'avez trouvée. Maintenant, vous allez m'excuser, je suis pressée. On m'attend.

— Encore la vieille de l'autre jour, je suppose ? »

Je l'aurais étripé.

« Ce n'est pas une vieille, comme vous dites. Madame Odile est ma patronne. Laissez-moi passer, j'ai les bras pleins.

— Je peux te débarrasser, si tu veux, ajouta-t-il soudainement poli.

— Inutile, je me débrouille très bien seule.

— Prends au moins le temps de m'écouter. Je n'ai pas dit à notre mère que tu m'avais accueilli froidement. Cela lui aurait fait de la peine de voir que tu renies ton sang.

— Je ne renie rien du tout, dis-je en bafouillant. Mais vous étiez ivre, lors de votre visite chez moi. Quant à Elvire Tanguay, je n'ai aucune preuve qu'elle soit ma mère. Ni vous, mon frère, d'ailleurs.

— Tu apprendras à nous connaître. Sans être des bourgeois, nous sommes des gens très fréquentables. Je n'ai pas la grosse galette, mais je t'aiderais, si tu avais besoin de moi.

— Pourquoi me dites-vous ça ?

— Justement, vu que tu es de la famille, tu pourrais me donner un petit coup de main. Je suis présentement dans la gêne. Pour tout te dire, j'ai perdu ma mise au jeu. Alors, tu me refiles un peu d'argent et je te fiche la paix.

— De l'argent ? répétai-je, stupéfaite.

— La somme dont tu pourras disposer, fit-il en poussant un rire forcé. Tu ne refuserais pas de rendre ce service à ton grand frère ? »

C'était donc cela. Il voulait mes gages pour éponger une dette de jeu. Ce n'était qu'un emprunt, me prévint-il, car son embarras était momentané. Surtout, je ne devais pas m'imaginer qu'il menait la vie dissipée des voyous.

«Pas un mot de nos petites affaires à notre mère, tu m'entends? Elle me fusillerait», ajouta-t-il d'un ton menaçant.

Plus il parlait, plus il me serrait le bras pour me faire comprendre que je n'avais pas le choix. J'étais affolée, mais n'en laissai rien paraître. Quand un homme jette ainsi le masque, c'est qu'il est dans un sérieux pétrin. J'eus alors la présence d'esprit de me dégager d'un mouvement sec, tout en soutenant son regard, plutôt que de m'écraser comme un animal apeuré :

«Mon pauvre monsieur, je suis cassée comme un clou, fis-je d'une voix énergique. Et même si j'avais des économies, je n'ai pas de cadeau à vous faire. Je suis une orpheline recueillie par charité. L'oubliez-vous?

— Allons donc! Tu as sûrement un petit bas de laine. J'ai vu comment ta bonne femme te couve. Je suis sûr qu'elle te paie grassement pour lui lire des romans. Au fond, t'as qu'à ne pas lui dire.

— Je gagne un modeste pécule, c'est vrai. Mais je le remets aux sœurs qui m'ont élevée. Ce n'est que justice. Je leur dois bien cela. À vous, je ne dois rien.»

Et je continuai mon chemin sans me retourner, en m'efforçant de cacher le tremblement qui s'était emparé de moi. Théo m'inspirait de la répugnance. Je savais qu'il ne me lâcherait pas facilement. Comment allais-je me sortir de ce bourbier? Tout ce qui arrivait était ma faute. Il ne fallait pas avoir de génie pour se jeter dans la gueule du loup comme je l'avais fait. Je ne fermai pas l'œil de la nuit. Au petit-déjeuner, Madame Odile me trouva dans un état de prostration qui l'épouvanta. Je lui fis part des demandes d'argent de Théo.

Jusqu'où cet homme irait-il pour arriver à ses fins? se demanda-t-elle. Fallait-il avertir la police? Je tentai de l'en dissuader. Si je le croisais de nouveau sur mon chemin, je garderais mon sang-froid et je refuserais de lier conversation. S'il proférait des menaces, j'appellerais à l'aide.

La mauvaise passe dans laquelle je me trouvais mettait ma bienfaitrice au supplice. Elle aurait préféré que je ne sorte plus sans escorte et maudissait son diabète qui la privait de ses jambes.

« Je me sens tellement impuissante », se désola-t-elle, saisie d'une appréhension confuse mais réelle.

Pendant plus d'une heure, mamie et moi avons pris plaisir à dire du mal de Théo, comme pour exorciser la peur qu'il nous inspirait.

« Je prie le bon Dieu pour qu'il ne me soit pas apparenté, dis-je. Ce serait un grand malheur. »

Je me pelotonnai contre elle, émue de la voir si malheureuse à cause de mes soucis. Je lui promis d'écrire à Marie-Madeleine pour tâcher de savoir si, d'après elle, il se pouvait qu'Elvire soit ma mère. Je faisais confiance à son bon jugement et à sa perspicacité. Il ne fallait rien lui cacher, afin qu'elle mesure le beau gâchis.

Le soir même, je m'attelai à la tâche. Tout y passa : ma visite à la prison, ma relation avec Elvire, mes doutes, le chantage de Théo... Ma lettre comptait cinq pages d'une écriture serrée. Je nourrissais peu d'espoir d'avoir une réponse. Marie-Madeleine ne m'avait pas donné signe de vie depuis qu'elle avait quitté brusquement la maternité. Son départ inexpliqué avait creusé un grand trou dans ma vie. J'espérais que mon récit empreint de franchise l'émouvrait suffisamment pour qu'elle prenne la plume.

Au matin, j'ai fait un saut au bureau de poste. Autant dire que j'ai couru jusqu'à la rue Saint-Jacques. À chaque pas, je redoutais de voir Théo surgir de nulle part.

À ma grande surprise, la réponse de Marie-Madeleine m'arriva une semaine plus tard. Madame Odile me tendit l'enveloppe qu'elle tenait serrée, comme si elle avait peur de l'échapper.

J'ai reconnu l'écriture en pattes de mouche de mon ex-patronne. Encore un peu et il m'aurait fallu une loupe pour pouvoir la lire. Mamie s'assit à côté de moi. Nous étions épaule contre épaule. J'ouvris le cachet et entamai la lecture.

« Eh bien ? me demanda-t-elle après un moment, que raconte-t-elle ? »

Je recommençai à haute voix :

Ma belle Rose,

Je vous imagine ouvrant ma lettre que vous n'attendiez pas de sitôt. Vous pensez : la bonne sœur doit se sentir bien coupable pour me répondre aussi prestement !

Nous avons ri de cette entrée en matière qui me définissait bien.

Vous avez à la fois raison et tort. Raison, parce que j'aurais dû vous écrire plus tôt. Vous me pardonnerez mon silence quand vous saurez que notre maternité traverse de dures épreuves. Je suis en service commandé presque vingt-quatre heures sur vingt-quatre. Toutefois, vous avez tort, parce que ce n'est pas le sentiment de culpabilité qui m'incite à vous envoyer ce mot, mais bien l'urgence.

Je crois, ma chère Rose, que vous faites fausse route.

Là, je m'arrêtai net. Madame Odile se redressa :

« Et alors ? Pourquoi ne lisez-vous pas la suite ? » Mon visage s'éclaira. Elle ajouta : « Ne me dites pas que... »

Un large sourire aux lèvres, je repris là où je m'étais arrêtée :

Madame Elvire ne peut pas être votre maman. Et je vais vous en fournir la preuve. Le hasard a voulu que, le mois dernier, une jeune fille se faisant passer pour une Américaine frappe à la porte de notre Mother's Home. *Quelque chose clochait, cependant, dans sa façon de parler l'anglais. Son accent m'a semblé venir tout droit du Canada. J'ai consulté notre registre et constaté qu'elle avait fourni le prénom de sa mère, Elvire, qui n'est pas si commun, et surtout sa date de naissance à Sainte-Pélagie, Montréal, en juillet 1852. Cela m'a frappée, puisque ce mois-là, la ville avait été la proie des flammes.*

Cette jeune fille a grandi comme vous à l'Orphelinat des Enfants trouvés. La confidentialité m'interdit de vous dévoiler son prénom, mais sachez qu'elle travaille aujourd'hui comme danseuse pour une troupe itinérante qui se produit dans les cabarets de l'est des États-Unis. Vu sa grossesse avancée, son patron l'a remerciée de ses services et elle a abouti ici. À l'issue de son séjour parmi nous, son frère Théo est venu la chercher pour la ramener à Montréal. Cela pourrait expliquer que vous n'ayez plus eu de nouvelles d'Elvire depuis un certain temps.

Ce Théo est grand et il a des yeux noirs perçants. L'homme qui s'est présenté chez Madame Odile pour vous rencontrer, et que vous me décrivez dans votre lettre, correspond au frère de cette jeune femme.

Je ne comprends pas, cependant, pourquoi Elvire vous a laissée croire qu'elle est votre mère. Elle connaît très bien sa fille, cela aussi, j'ai pu le vérifier (ne me demandez pas comment).

Méfiez-vous d'elle et de vous, ma petite Rose, vous risquez de vous brûler les ailes. Croyez-moi, si Dieu avait voulu que vous connaissiez votre mère, il l'aurait placée sur votre chemin. (Vous sachant espiègle, je vous entends me répondre : « Si Dieu n'avait pas voulu que je cherche ma mère, il ne m'aurait pas faite aussi entêtée. »)

Voilà une lettre qui vous aura assommée à cause de ses gribouillages. Vous avez raison de penser qu'il serait plus sage de soigner mon écriture. Mes commentaires passeraient mieux.

Je vous en supplie, Rose, promettez-moi de ne vous exposer à aucun risque. Je suis sûre que Madame Odile partage mon avis. J'espère aller à Montréal prochainement et j'ai bien hâte de vous revoir. D'ici là, soyez sage. Et évitez de fréquenter cette femme qui, heureusement pour vous, n'est pas votre mère.

Votre amie pour toujours, Marie-Madeleine

« Ouf ! fit Odile. Vous n'imaginez pas comme je me sens soulagée. Autant vous l'avouer, Rose, je ne supportais pas de vous savoir à la merci de ces gens. Vous êtes trop bonne, trop généreuse, trop naïve aussi. Ils vous auraient emberlificotée.

— Moi aussi, je respire mieux maintenant.

— Je ne veux pas vous faire de reproches, mais j'espère que cette expérience vous incitera à réfléchir. Votre insouciance m'a déçue.»

Je baissai la tête, penaude. Elle poursuivit :

«Depuis quelques mois, je vous observe. Je ne reconnais presque plus la petite fille timide qui a sonné à ma porte, il y aura bientôt un an. Vous faites habituellement preuve de jugement et je me réjouis de vous voir devenir mature. Pourtant, avec cette Elvire, vous avez perdu la tête. Je comprends votre impatience à retrouver votre mère, mais j'aimerais vous voir plus réfléchie dans certaines situations. Je suis là pour vous, ne l'oubliez pas.

— Vous avez raison, mamie, je n'ai pas eu de génie. Ça ne se reproduira plus, je vous le promets.»

12

Mamie Odile s'en va

J'ai fait une croix sur Elvire sans arrière-pensée ni état d'âme. Elle ne correspondait tout simplement pas à la mère que je m'étais inventée. On a beau avoir l'esprit ouvert, force est d'admettre que nos préjugés ont la vie dure et qu'on ne les balaie pas en criant ciseaux. Venir des entrailles d'une fille de joie n'avait rien de bien exaltant. Je n'osais pas trop me l'avouer, mais les méchancetés qu'Antoine avait proférées sur le compte des femmes de petite vertu me trottaient dans la tête. C'était injuste de les mettre toutes dans le même sac, mais je n'y pouvais rien.

Je ressentais une vive rancune à l'égard d'Elvire. Pourquoi m'avait-elle laissée croire que j'étais sa fille? Sa cruauté engendrait de l'hostilité de ma part. Prendre plaisir à faire souffrir une personne qui ne vous veut aucun mal, la regarder vous implorer, cela frôlait la barbarie. Marie-Madeleine et mamie Odile pouvaient dormir sur leurs deux oreilles, je n'avais aucune intention de retourner voir cette femme décevante. J'étais mûre pour tourner la page et j'espérais seulement qu'elle me fiche la paix.

La vie reprit son cours normal. Je traînais toujours ce grand vide au fond de mon âme. Si seulement j'avais eu un portrait de ma mère, même un tout petit, comme ceux que les dames portent au cou! Cela m'aurait donné du courage.

Plus avide de lecture que jamais, mamie Odile se procura par la voie habituelle le roman d'Honoré de Balzac, *La Duchesse de Langeais*. Nous l'avons dévoré en trois jours, émues par Antoinette, qui vivait cloîtrée dans un couvent espagnol, après une vie de conquêtes amoureuses à Paris, et par le général Montriveau qui l'aimait à en perdre la tête. Je commençai aussi à m'intéresser à la politique européenne, grâce à Monsieur Alphonse qui me refilait les journaux de la veille, en ayant soin de m'expliquer les enjeux de l'heure. En France, la guerre franco-prussienne s'étirait et Napoléon III avait pris le chemin de l'exil. Il venait d'y avoir une insurrection à Paris. Des gens du peuple avaient été massacrés, d'autres pris en otage, dont de nombreux prêtres qu'on avait fusillés et jetés dans une fosse commune. Les gazettes avaient titré *Semaine sanglante à Paris*, ce qui donnait une juste idée de la tragédie. Monsieur Alphonse prétendait que ça n'avait rien à voir avec la guerre civile américaine, qui s'était avérée aussi meurtrière aux États-Unis, au cours de la dernière décennie.

En un mot, la routine occupait mes jours, et j'étais toujours déterminée à poursuivre mes recherches. Une fois Elvire écartée, je me tournai du côté de la mystérieuse Mathilde X. À en croire ma fausse mère, sa complice d'antan n'était guère plus recommandable qu'elle. Là-dessus, je préférais me faire ma propre idée.

Sur les entrefaites, Antoine, avec qui j'étais en meilleurs termes depuis qu'il m'avait refilé l'adresse de Maître Roland, me fit parvenir un billet me demandant de passer chez lui, le mercredi suivant, à huit heures du soir, sous prétexte qu'il voulait me communiquer un précieux renseignement sur mes origines. Depuis peu, il semblait s'intéresser à mon enquête et je le croyais sincère. Son invitation tombait pile, le « fiancé » de mamie Odile veillait au salon avec elle. J'étais donc libre de sortir. À leur âge, les chaperons étaient superflus.

Lorsque je me présentai rue Sherbrooke, les Davignon étaient absents. Antoine m'annonça que ses parents se trouvaient à Paris, où sa mère avait fait la connaissance d'une dame âgée qui voyageait avec sa fille. Celle-ci, dans la fin trentaine, avait étudié autrefois au couvent des Dames de la Congrégation, à Montréal, avec une certaine Mathilde que personne n'avait revue depuis une vingtaine d'années. À l'époque, on chuchotait que cette dernière avait fêté Pâques avant les Rameaux. Un enfant adultérin serait né neuf mois plus tard. Pour mieux cacher cette liaison coupable, ses parents avaient annoncé à leurs amis et relations que leur fille s'était faite religieuse et vivait recluse dans un monastère, à Ottawa. Dans sa dernière lettre, la mère d'Antoine avait promis de revoir la vieille dame et sa fille, afin de leur arracher le nom de famille de cette Mathilde.

L'information, bien qu'incomplète, me redonna espoir. Je sautai au cou d'Antoine qui me proposa de fêter la bonne nouvelle avec lui. Il déboucha une bouteille de porto tirée du cabinet de son père et trinqua au succès de mes recherches, lui qui jusqu'à tout récemment me déconseillait de les poursuivre. Ce changement d'attitude avait de quoi surprendre et j'aurais dû le suspecter de nourrir un plan pas très catholique. Mais je n'y ai vu que du feu. Nous avons bu un premier verre en échafaudant des plans pour la suite de mon enquête, puis un deuxième, tout à la joie de notre nouvelle amitié. Moi, qui n'avais pas l'habitude de l'alcool, je commençais à me sentir un peu étourdie. Il a vidé le verre que je venais de refuser et, sans me quitter des yeux, m'a embrassée dans le cou, puis sur les lèvres. Au début, je n'ai pas vraiment résisté, troublée, affriolée même, par la tournure des événements. Mais il a tout gâché en glissant sa main dans mon corsage.

« Non, non… Antoine, arrêtez, pas ça… »

Voilà qu'il redoublait d'ardeur, comme s'il n'avait pas entendu ma protestation. D'un geste, il a dénoué mes cheveux qui, ainsi libérés, flottaient sur mes épaules. Je percevais dans son regard l'étendue de son désir et cela m'a effrayée. Je me suis levée d'un bond pour mieux résister à ses avances. Mes jambes flageolaient au point de m'obliger à m'appuyer contre la causeuse. Mal m'en a pris, nous avons basculé sur l'accoudoir pour atterrir dans le siège, lui sur le dessus, moi en dessous. J'ai eu beau essayer de le repousser, il me retenait de force dans cette fâcheuse position. Il m'embrassait à pleine bouche, cherchait ma langue. Plus je me débattais, plus cela l'excitait. Ses mains fouillaient dans mon corsage pour me caresser les seins. Il murmurait : «Tu m'affoles. Où as-tu appris à si bien embrasser?» J'ai réussi à me relever et lui ai dit que je voulais m'en aller. Il a ri, puis a repris ses caresses avec plus d'ardeur encore, c'était insensé. J'ai dû le gifler pour le ramener à la raison. Le coup a porté. Ou était-ce la surprise? Il s'est figé sur place en se tenant la joue de la main droite. De la gauche, il a montré du doigt la sortie, rouge de colère :

«Va-t'en, sale petite allumeuse!

— Tu es un beau salaud! lui ai-je rétorqué. Tu m'as invitée chez toi sous un faux prétexte. Je te savais fat et prétentieux, mais je te découvre pire encore. Tu te targues d'être un gentleman, mais tu n'es qu'un goujat, un malotru, un mufle!»

J'étais déchaînée. Après lui avoir jeté au visage toutes les injures qui me venaient à l'esprit, et sans même lui laisser le temps de se ressaisir, j'ai pris mes jambes à mon cou et j'ai dévalé l'escalier, bousculant au passage un jeune homme qui a évité de justesse l'apparition insolite devant lui. Je crois bien avoir couru jusqu'à la maison. Il faisait noir dans la rue et je me guidais à l'aide des lanternes suspendues aux portes. Échevelée, boutonnée à la diable, cavalant à toutes jambes, comme si j'avais la police à mes trousses, j'évitais de regarder les gens que je croisais. J'étais convaincue que l'empreinte des lèvres d'Antoine se lisait sur mon visage.

De retour à la maison, toujours en état de choc, j'arrangeai mes cheveux tant bien que mal avant d'entrer. Trop honteuse pour raconter ma mésaventure à mamie Odile et à Monsieur Alphonse, je m'enfermai dans mes quartiers en prétextant une migraine carabinée. Une fois seule, je pleurai comme une fontaine. La conduite d'Antoine m'indignait. Que s'était-il passé pour qu'il perde ainsi la raison? J'eus alors le réflexe purement féminin de me demander ce que j'avais bien pu faire pour le mettre dans cet état. S'était-il conduit grossièrement parce qu'il croyait que je l'y encourageais? Mais non, je n'étais pas folle, je me rappelais très bien l'avoir remis à sa place, et plutôt deux fois qu'une. Ç'aurait été une consolation pour moi de savoir qu'il regrettait sa conduite, mais rien, dans son attitude, ne me le laissait croire. Non, il n'étouffait pas de remords.

Cette blessure d'amour-propre me trottait encore dans la tête lorsque, à quelques jours de là, je me rendis à l'École de médecine pour rencontrer le docteur Trudel, avec qui je voulais discuter de l'interdiction faite aux sages-femmes de Sainte-Pélagie d'accoucher les filles-mères. Nous avions brièvement abordé le sujet au dîner chez les Davignon et j'avais épluché les documents qu'il m'avait envoyés par la suite. J'entrai dans l'établissement au moment où une bande d'étudiants bruyants en sortaient précipitamment. J'allais traverser le corridor qui menait au département d'obstétrique quand, soudain, j'entendis l'un des joyeux fêtards s'exclamer :

« Mais c'est la fille des empoisonneuses ? »

Je reçus le coup durement, même si je fis mine de ne pas avoir entendu. Non content de son effet, ce jeune homme poussa plus loin son audace, encouragé par ses camarades :

« Elle n'est pas mal roulée, cette petite.

— Et pas farouche. À votre avis, elle baise bien ?

— D'après Antoine, c'est une professionnelle.

— Sans blague !

— Il paraît qu'il l'a culbutée chez lui, dans le salon de ses parents. En leur absence, bien entendu.

— C'est donc qu'elle fournit le service à domicile. »

Les étudiants s'esclaffèrent. Et moi, je rageais :

« Votre ami Antoine est un fieffé menteur, criai-je. Je l'ai envoyé paître, si vous voulez savoir.

— Ma parole ! elle griffe avec ça. Une vraie tigresse ! Au lit, ce sont les meilleures. »

Les voilà qui se donnaient des tapes dans le dos, pâmés de rire. Les plaisanteries de mauvais goût se succédaient. L'un d'eux essaya de me barrer le chemin, mais je réussis à le pousser :

«Vous n'êtes qu'une bande de vauriens. Vous ne valez pas mieux que lui. Vous pouvez colporter vos saletés, je m'en moque. Je le sais, moi, qu'Antoine Davignon a mordu la poussière.»

Ils avaient décampé avant que je n'aie repris mes sens. J'étais paralysée, incapable de faire un pas de plus. En refusant les avances d'Antoine, je l'avais humilié. Pour se venger, il me salissait en me faisant une réputation d'aguicheuse, de fille facile. S'il pensait que je me laisserais faire, il se trompait.

Lorsque je relevai les yeux, le docteur Trudel se tenait devant moi. Les étudiants avaient déjà dévalé l'escalier, comme des enfants pris la main dans le sac.

«Ces jeunes gens vous ont embêtée, n'est-ce pas, Rose? Ne vous en faites pas. Un vent de folie souffle sur cette école. La fièvre du printemps, sans doute. Venez à mon bureau, nous serons plus tranquilles pour bavarder.»

J'étais trop bouleversée pour poursuivre une conversation cohérente et le docteur Trudel eut tôt fait de s'en apercevoir. Sans doute avait-il capté une partie de ma dispute avec ses étudiants. Il n'insista pas. Je lui promis de revenir un autre jour et je déguerpis, le cœur en charpie.

⁓

Je ne croyais pas revoir le docteur Trudel de sitôt. Pourtant, une semaine plus tard, en rentrant d'une promenade avec mon amie Honorine que j'avais négligée depuis un certain temps, je le croisai sur le trottoir, devant notre maison dont il sortait. Il m'annonça une bien triste nouvelle : l'état de mamie Odile se détériorait à vive allure. Elle avait refusé l'amputation de sa jambe gauche, ce qui aurait pu lui prolonger la vie. Maintenant, il était trop tard, la gangrène s'était installée. J'appréhendais ce malheur et, tous les soirs, j'implorais Mère de la Nativité dans son ciel, afin qu'elle tire des ficelles pour guérir mamie, malgré les pronostics du médecin. Ma marraine ne m'avait pas entendue. Mamie se mourait.

Je grimpai l'escalier et me précipitai dans la chambre en m'efforçant de lui dissimuler mes craintes.

« Rose, ma belle Rose, vous voilà enfin. »

Sa voix me sembla plus faible qu'à l'accoutumée et son regard, résigné. Cela faisait des mois qu'elle me cachait le sérieux de son état. Pourtant, les signes de son dépérissement ne manquaient pas, j'aurais dû m'en inquiéter. Elle passait de plus en plus de temps au lit. L'après-midi, elle se levait pour aller s'asseoir dans son fauteuil de brocart inondé de soleil. Je la suivais, prête à la retenir si, par malheur, elle se sentait étourdie ou perdait pied. Ces derniers temps, elle n'avait pas toujours la force de se rendre au cabinet. La plupart du temps, je lui apportais la bassine.

Je m'assis sur le coin de son lit et l'interrogeai. Des larmes roulèrent le long de ses joues, cependant qu'elle me révélait les pronostics alarmants du médecin.

« Je n'en ai plus pour bien longtemps, ma petite Rose. Cela me rassurerait de vous avoir à mes côtés jusqu'à la fin… »

Cette fois, elle me donnait l'heure juste et je n'allais tout de même pas faire semblant que les choses s'arrangeaient.

« C'est entendu, mamie Odile, je ne vous quitte plus, je vous le promets. La nuit, j'étendrai ma paillasse à côté de votre lit. À votre réveil, vous me trouverez là, comme un bon petit soldat. »

Les jours suivants, elle me sembla moins souffrante, bien qu'elle n'en menât pas large. Sa vue continuait de baisser. Même à la clarté, elle ne distinguait que des ombres. À cause des médicaments, elle divaguait parfois. Dans ces moments-là, elle se transportait dans son village natal, à Philipsburg, non loin de la frontière américaine, et elle binait son potager. C'est bête à dire, mais ça me donnait le fou rire de la voir confondre le présent et le passé. Elle montrait du doigt la chaise droite, à côté de son lit, et elle me disait d'admirer ses rangées de haricots. Ce qu'elle en était fière ! Par contre, ses choux étaient piqués des vers, c'en était désespérant! Pour le reste, ses carottes et ses petits pois poussaient, c'était donc beau de voir ça.

Ces minutes d'évasion ne duraient jamais longtemps, mais sa joie était contagieuse et j'en rajoutais pour prolonger son plaisir. Je lui conseillais d'enlever les gourmands sur ses plants de tomates. À la fin, je prétendais avoir mal au dos, tant j'avais arraché de mauvaises herbes. Notre complicité la mettait aux anges. Tout à coup, sans que rien ne l'explique, elle sombrait dans un profond sommeil dont elle émergeait une heure ou deux plus tard. Revenue à la réalité, elle avait tout oublié de ses affabulations. Je ne saurai jamais si elle avait conscience de sa confusion.

Une nuit, j'allumai une chandelle pour observer ses traits ravagés. Il me semblait que son teint jaunissait. J'éteignis, de peur de la réveiller. Dans le noir, je surveillai le rythme de sa respiration haletante. Le tic tac de l'horloge marquait les secondes dans la pièce d'à côté. Il était trois heures du matin. J'ouvris la fenêtre pour humer l'air frais. Pour me calmer les nerfs aussi, car les pensées les plus sombres se bousculaient dans ma tête. Et maintenant, qu'allais-je devenir? Mon petit bonheur m'échappait tout doucement. Je n'arrivais pas à imaginer ma vie sans mamie Odile. Mon chagrin prenait toute la place. Je m'étendis sur ma paillasse et, la tête enfouie dans l'oreiller, je pleurai en silence, me retenant de crier mon désespoir.

Au matin, son dernier, mamie Odile trouva la force de parler. Oh! un filet de voix, je l'entendais à peine. Elle avait laissé ses dernières volontés au fond du tiroir de sa table de chevet, dans le coffre à bijoux que son ami Alphonse lui avait offert au jour de l'An.

« Tu verras, je ne t'ai pas oubliée », articula-t-elle avec difficulté.

J'éclatai en sanglots, incapable de dire un mot, pas même un petit merci. Elle me serra contre sa poitrine. « Tu m'as beaucoup apporté, Rose, et j'espérais te garder encore longtemps. J'ai essayé très fort de remplacer ta maman. Maintenant, c'est un peu comme si tu la perdais. Mais ne sois pas triste, tu auras une belle vie. Tu es douée pour le bonheur. Le tien et celui des autres.»

Ce furent ses dernières paroles. Peu après, elle glissa dans l'inconscience. Le docteur Trudel arriva sur les entrefaites, suivi de Monsieur Alphonse. Quand je vis ce dernier, les yeux rougis, trop maigre dans son costume froissé, lui habituellement tiré à quatre épingles, les larmes que je m'efforçais de refouler coulèrent le long de mes joues. Je n'essayai pas de les cacher, ça ne valait plus la peine. Mamie Odile paraissait déjà en route vers l'autre monde.

Penché sur sa poitrine, le médecin l'ausculta. Puis, ayant invité Monsieur Alphonse à le suivre, il lui parla bas dans l'embrasure de la porte. J'attrapai la fin de sa phrase : «... au plus tard durant la nuit.»

Je demeurai seule avec mamie dans la pièce à peine éclairée. Sa main reposait sur le drap blanc. Je la pressai pour lui dire combien je l'aimais. Je l'implorais de tenir bon, j'avais besoin d'elle, je ne pouvais pas la laisser partir. Je pensai : si elle m'entend, ma prière la retiendra peut-être à la vie. Mais ses râles s'espacèrent et son visage pâlit. Je serrai une dernière fois sa main inerte dans la mienne.

∼

Mamie Odile est morte dans la nuit du douze juin 1871, sans revenir parmi nous. J'aurais donné cher pour un dernier sourire.

Comme nous ne lui connaissions aucun proche parent, Monsieur Alphonse s'est occupé des arrangements funéraires. Nous avons converti le salon en chambre mortuaire et recouvert d'un crêpe noir le heurtoir de l'entrée. J'ai eu la douloureuse tâche d'appliquer la poudre sur le visage de la défunte et de placer un oreiller sous sa tête. Son ami Alphonse s'est offert pour la veiller avec moi, mais je préférais rester seule. Il n'a pas fait d'histoire. Sans doute comprenait-il que j'avais encore des choses à dire à mamie seule à seule. De toute manière, je savais que je n'arriverais pas à fermer l'œil tant que la dépouille reposerait dans le salon.

Le lendemain, j'allais et venais dans la maison comme une âme en peine, évitant la pièce où elle reposait, figée dans la mort. Tantôt, je versais une larme devant son fauteuil de brocart ou sa place vide à table, tantôt je frottais sur ma joue sa broderie inachevée – une taie d'oreiller avec mon initiale, le dernier morceau de mon trousseau qu'elle avait brodé. Je me la rappelais le premier jour, lorsqu'elle m'avait retiré des mains les saints évangiles que les sœurs m'avaient convaincue d'apporter à ma séance de lecture. Elle m'avait dit, un sourire taquin aux lèvres : « Celui-là, nous ne l'abîmerons pas. » Les souvenirs se bousculaient dans ma tête, plus attendrissants les uns que les autres.

Au début de l'après-midi, le défilé des visiteurs commença. Mamie ne fréquentait plus grand monde à cause de ses infirmités. Tout au plus une dizaine de ses anciens amis et voisins vinrent s'agenouiller devant son cercueil. Je ne fus pas fâchée de voir partir les derniers.

Tout à coup, alors que la maison baignait dans le silence et que Monsieur Alphonse avait regagné ses quartiers, quelqu'un sonna avec insistance. J'allai répondre. À peine avais-je ouvert qu'une espèce de furie ambulante s'invitait à l'intérieur.

« Vous êtes sa domestique, je suppose ?

— C'est-à-dire que j'étais sa demoiselle de compagnie.

— C'est du pareil au même, ne jouez pas avec les mots.

— Puis-je savoir qui vous êtes ?

— Ça ne vous regarde pas, mais je suis sa nièce. La fille de son défunt frère. Mon notaire est-il arrivé ?

— Non, madame.

— Nous venons faire l'inventaire des biens de ma tante. Ne vous éloignez pas, nous aurons peut-être besoin de vos services. Vous pouvez disposer pour l'instant. »

On sonna à nouveau. Je n'eus pas le temps de faire un pas vers la porte qu'elle m'apostrophait :

« Allez répondre. Elle ne vous a donc rien appris ? »

Son notaire, un petit homme à la silhouette voûtée, ne se montra guère plus affable. Il ne m'adressa pas la parole, se contentant de me tendre son pardessus. Je reculai, tant son haleine empestait. La nièce s'attaqua d'abord à la salle à manger, à défaut de pouvoir dévaliser le salon, où reposait sa tante bien-aimée qu'elle ne gratifia même pas d'un regard. Plutôt que de la regarder farfouiller dans les affaires de mamie, je me retirai dans ma chambre. En moins d'une heure, tout était sens dessus dessous dans le logis. Ils passèrent au crible chaque pièce pour en faire l'inventaire. Même les objets sans valeur étaient répertoriés. La furie dictait, l'autre écrivait sur sa tablette. J'entendais sa voix stridente : « rideau de soie, nécessaire de toilette, panier à ouvrage... » Jusqu'aux pots de chambre qui trouvèrent leur place sur la liste.

La scène qui se déroulait sous mes yeux m'obligeait à regarder la vérité en face. Ma vie d'orpheline et sa triste réalité me rattrapaient. Cette femme avide et arrogante ne pouvait certes pas me jeter à la rue avant les funérailles. N'empêche, j'aurais donné ma main à couper que, le moment venu, elle me laisserait tout juste ma paillasse.

J'attendais avec impatience que la furie débarrasse le plancher. Après deux heures, elle m'informa de son départ, en m'ordonnant de ne toucher à rien. Elle emportait quelques objets enfouis dans une valise appartenant à mamie et m'annonça qu'elle reviendrait après les funérailles pour prendre les meubles et autres bibelots qui l'intéressaient. Je pourrais disposer du reste à ma guise, elle n'en avait cure. À charge pour moi de faire le ménage avant de remettre les clés au propriétaire. Le notaire réclama son paletot, qu'il posa sur son bras, et fit claquer la porte en sortant.

Une fois seule, je fis le décompte. Le vase d'albâtre avait disparu, la nature morte accrochée au mur du boudoir aussi. À sa place se dessinait un carré plus pâle. La nièce avait emporté les deux chandeliers en étain auxquels Odile tenait tant, mais avait laissé dans un coin le vieux manteau de drap de sa tante pour que j'aille le porter aux pauvres.

Heureusement, j'avais remis à Monsieur Alphonse le coffret à bijoux dans lequel mamie avait rangé son testament, comme elle me l'avait spécifié la veille de sa mort. Je n'avais pas osé le lire, mais j'espérais en mon for intérieur qu'elle ait laissé son petit pécule aux œuvres plutôt qu'à la furie.

Le reste de la journée me pesa. Mamie Odile était partout et nulle part. Autour de moi, tout m'était familier, mais rien ne m'appartenait. Par chance, Monsieur Alphonse m'avait invitée à dîner chez lui. J'étais soulagée de ne pas avoir à passer la soirée seule avec mon incommensurable tristesse. Je fis ma toilette et descendis le retrouver.

Je commençai par lui raconter la visite de la désagréable nièce de mamie Odile et lui demandai ce que nous pouvions faire pour nous en débarrasser. Il s'avoua impuissant. Officiellement, il n'était que le propriétaire et l'amie de la défunte, même pas son fiancé. Il me suggéra de m'adresser à Antoine. Comme sa mère connaissait bien les proches d'Odile, elle nous dirait si nous avions affaire à un imposteur. L'idée avait du bon. Je la déclinai néanmoins. Mes rapports avec Antoine étaient rompus, depuis qu'il avait attenté à ma pudeur. Je n'avais nullement l'intention de solliciter l'aide de ce goujat. Sans exiger d'explication, Monsieur Alphonse proposa de faire la démarche à ma place. Cela me soulagea.

Nous terminions notre repas. Il se félicita de me voir picorer dans mon assiette. Je me battais avec une cuisse de poulet pas tout à fait assez cuite à mon goût et ça l'amusait. Nous rîmes pour la première fois depuis le départ de notre amie. Après le dîner, je l'accompagnai au fumoir, car c'était l'heure de sa pipe. Il s'installa dans sa berceuse. Lentement, il bourra sa pipe de bon tabac et l'alluma, avant de parcourir en silence le testament olographe d'Odile.

« Vous allez être contente, Rose, fit-il sans lever les yeux du document. Odile a bien fait les choses. Elle vous laisse ses économies sous forme de rente. Ce n'est pas une fortune. Cependant, vous disposerez d'une sécurité, le temps de réorganiser votre vie. »

Je n'étais pas sûre d'avoir bien compris, mais sa réaction m'encouragea. Il prit le temps de m'expliquer que tous les six mois, je recevrais du notaire un peu d'argent, et ce, jusqu'à mon mariage ou jusqu'à ce que son maigre magot soit épuisé. Je poussai un soupir de soulagement. L'appréhension qui m'envahissait quand je songeais à demain baissa d'un cran.

Mamie Odile me léguait aussi une pierre violette montée sur or, cadeau de sa mère. Toute sa vie, elle avait gardé précieusement ce bijou, se le réservant pour les jours de fête. Cela me toucha qu'elle me l'ait destiné. Elle s'était souvenue que je le trouvais ravissant. Monsieur Alphonse attacha à mon cou la chaînette qui l'accompagnait. Je courus au miroir pour voir quel effet cela faisait.

« Venez, Rose, ce n'est pas tout », me rappela-t-il.

Dans le coffret, il y avait d'autres bijoux de moindre valeur dont elle ne parlait pas et une lettre récente qui nous surprit l'un et l'autre. Datée de la mi-mai, elle provenait de Mrs Hatfield, l'ancienne cliente d'Odile, que j'avais rencontrée peu après mon arrivée rue Notre-Dame.

« *My dear Odile, I am so sorry to hear that your are sick. Are you sure there is no hope? I will pray God to cure you. As for your* "protégée", *tell her to call upon me if she wishes to travel around the world. I would be delighted to bring her along. For the time being, I have no serious plan to go abroad. But I cherish the hope to visit my sister, in London, since I have not seen her in years. Until then, tell Rose that if she is ever in need, I can surely help her.* »

Mrs Hatfield terminait sa missive en souhaitant à son amie de recouvrer la santé. Au bas de la dernière page, madame Odile avait écrit : « Lui ai répondu le dix-huit courant que je transmettrais sa proposition à Rose, le moment venu. »

Monsieur Alphonse me remit la lettre en m'enjoignant d'y réfléchir sérieusement. J'étais tombée dans l'œil d'une dame qui pouvait transformer ma vie. Nous passâmes un moment à discuter de la chance inouïe qui se présentait à moi de découvrir l'Angleterre et peut-être même d'autres pays de l'Europe. Sur le coup, le projet m'emballa. J'étais devant rien et voilà qu'on m'offrait une échappée de rêve sur un plateau d'argent.

Une chose me retenait, cependant. Je préférais ne pas quitter Montréal avant d'avoir éclairci le mystère de mes origines. Monsieur Alphonse s'efforça de démolir cet argument. Sans perspective d'avenir intéressante, sans travail ni gîte, je risquais de sombrer dans la pauvreté. Je ne devais pas me montrer désinvolte. Son insistance commençait à m'irriter. Je crois qu'il me faisait miroiter l'aventure parce qu'il s'en voulait de ne pas pouvoir me laisser le logis de mamie. Je lui fis signe que j'avais compris le message et il lâcha prise.

Alors, il me parla de Londres qu'il avait visitée l'année précédente. Parmi les inventions les plus frappantes, il mentionna les feux de circulation, qui obligeaient les voitures à s'arrêter afin de permettre aux piétons de traverser en toute sécurité. J'adorais habituellement ses récits précis et colorés, mais ce soir-là je luttais contre le sommeil. Je venais de passer une nuit blanche et mon corps s'en ressentait. En plus, la journée avait été fertile en émotions et, pour tout dire, je bâillais aux corneilles. Aussi m'expédia-t-il à l'étage en me souhaitant une nuit réparatrice car, dit-il, j'avais les yeux cernés. Il me promit d'aller voir son notaire, le lendemain, après le service funèbre et l'enterrement, afin de régler la question de mon petit héritage.

13

L'héritage

D'héritage, il n'y eut pas. La nièce de mamie Odile se présenta aux obsèques voilée comme une veuve éplorée, flanquée de l'affreux notaire à l'haleine fétide. Naturellement, l'un et l'autre m'ignorèrent superbement. Ils se montrèrent à peine plus courtois envers Monsieur Alphonse.

Un jeune vicaire de la paroisse Notre-Dame que ma protectrice affectionnait officia la cérémonie funèbre. J'étais contente, car il lui était resté fidèle jusqu'à la fin. Pas une journée ne s'était écoulée sans qu'il ne passât à la maison pour la préparer à rencontrer son Sauveur. La veille de sa mort, après lui avoir administré les derniers sacrements, il m'avait exprimé son soulagement de la savoir en règle. Cela m'avait fait sourire, vu que la pauvre malade n'avait pas grand-chose sur la conscience.

Je portais ma robe brune à col haut, la dernière que mamie Odile avait cousue pour moi. À ma manière, je voulais lui rendre hommage. Au bras de Monsieur Alphonse, je suivis le landau jusqu'au cimetière de Notre-Dame-des-Neiges, où l'on devait inhumer ma protectrice à côté de son mari, décédé dix-sept ans avant elle. Ses amies, les habituées de nos séances de lecture, et quelques-unes de ses anciennes clientes se joignirent au cortège funèbre. Cela lui aurait fait grand plaisir. La mise en terre fut d'une tristesse accablante. Je retenais mes larmes, de peur que des esprits malveillants se moquent de «la petite bonne qui pleure son bien-être perdu». Certaines personnes sont si méchantes dans l'âme.

Un peu en retrait, j'aperçus Antoine. Il hésita avant de venir vers moi. J'étais trop troublée pour affronter son regard.

« Mademoiselle Rose, vous avez toute ma sympathie en cette triste journée, dit-il sur un ton mondain et incroyablement impersonnel. Je sais que vous aimiez votre mamie Odile comme une mère et je partage votre chagrin. Rares sont les êtres généreux et attentionnés comme elle sur terre. »

J'aurais voulu lui répondre quelque chose d'intelligent, mais mon visage s'inonda de larmes. Je pensai : il va croire que j'en fais trop, il ne peut pas comprendre. Je trouvai la force de le remercier de ses sympathies, mais sans plus. Alors, il me dit :

« Vous avez fait la connaissance de sa chipie de nièce. Je vous plains. Ma mère ne la supporte pas. C'est une intrigante de la pire espèce. »

Je relevai la garniture en forme d'écharpe de ma robe pour lui cacher mon visage dévasté. Sans doute crut-il que je le boudais. Il n'avait pas tort, même si, ce matin-là, j'étais plus encline à pleurer mamie qu'à régler mes comptes avec lui.

« Vous ne me croirez pas, Rose, mais je suis votre ami, dit-il encore. Si je peux vous être utile, vous savez où me trouver. »

Cette fois, il ambitionnait sur le pain bénit. Débiter des phrases affectueuses après m'avoir offensée comme il l'avait fait me parut déplacé. Cependant, l'occasion n'était pas propice aux coups de couteau et je retins ma colère. Mamie reposait au fond d'un grand trou noir, je n'allais pas me donner en spectacle. Les prières commencèrent, à mon grand soulagement. Antoine s'éloigna, pendant que le jeune vicaire aspergeait le cercueil.

Après la cérémonie, tandis que nous regagnions la voiture, le hasard nous mit en présence de la nièce. Son notaire la suivait comme un chien de poche. Elle releva son voile de crêpe et demanda d'une voix nasillarde si le bail de sa tante se terminait bientôt. Sans donner à Monsieur Alphonse la chance de lui répondre, elle l'avisa que les propriétaires consentaient de plus en plus fréquemment à résilier le contrat les liant aux défunts.

D'une voix posée, celui-ci lui fit remarquer que le moment était mal choisi pour aborder le sujet. Elle l'ignorait peut-être, mais il pleurait lui-même une amie très chère. Le notaire invoqua alors la nécessité de régler ce genre d'affaires sans tarder, cela pour la tranquillité d'esprit des intéressés. C'est pourquoi il avait rapidement établi l'inventaire des biens de la défunte et avait calculé ses économies à la Banque du Peuple. En l'absence de testament, la loi stipulait que la plus proche parente, en l'occurrence sa cliente, était l'unique héritière et il ne voyait rien pour l'empêcher de clore ce dossier dans les meilleurs délais.

« Monsieur, s'insurgea Alphonse, qui n'appréciait pas davantage l'intrusion du notaire, nous n'avons pas été présentés et je vous prie de respecter mon deuil. Cette discussion peut attendre un jour ou deux. Laissez-moi votre carte. Mon notaire vous contactera.

— Votre notaire ? À quel sujet ?

— J'ai en ma possession le testament olographe d'Odile. »

Là-dessus, l'arrogante nièce foudroya Monsieur Alphonse du regard.

« Expliquez-moi comment il se fait qu'un pur étranger soit en possession d'un tel document.

— Je vous le répète, ça ne vous regarde pas. Nous étions très proches. Odile était plus qu'une amie pour moi. Et, soit dit en passant, jamais elle ne m'a parlé de vous, madame. »

Il s'arrêta, surpris de son audace. Beau parleur, Monsieur Alphonse n'avait jamais été le courage incarné et cette conversation mal engagée le mettait au supplice. La nièce n'allait pas abandonner la partie facilement. Aussi chercha-t-il à tempérer ses ardeurs : qu'elle se rassure, il n'avait pas l'intention de s'immiscer dans les dernières volontés d'Odile. Il voulait simplement la prévenir que sa « chère tante » léguait une petite rente à sa demoiselle de compagnie, en reconnaissance d'innombrables services rendus. Cette fois, la furie jeta sur moi un regard dédaigneux et son notaire sauta à pieds joints dans la conversation :

« Alors là, mon cher monsieur, je dois vous aviser qu'un testament qui n'est pas authentifié par un notaire nécessite la signature d'un témoin fiable, sinon ce bout de papier n'a aucune valeur. Dans pareil cas, nous le contesterons devant les tribunaux. »

Et la nièce enchaîna, sarcastique :

« Voilà des frais légaux qui feraient fondre comme neige au soleil le bel héritage de votre protégée. »

Le ton assuré du notaire et les maigres connaissances de Monsieur Alphonse en matière de droits légaux achevèrent de convaincre ce dernier de retraiter. La nièce m'ordonna sur un ton menaçant de lui remettre au plus vite les bijoux de sa tante qui avaient mystérieusement disparu. Elle déplora l'immoralité des domestiques et s'éloigna en déclarant au notaire assez fort pour que j'entende clairement :

« Toutes des voleuses, ces bâtardes ! »

Là-dessus, je ne pus m'empêcher de rétorquer d'une bonne voix :

« Moins voleuses que les détrousseurs de cadavres qui rôdent dans les parages. »

∾

Naturellement, la fureur pouvait bien aller valser, jamais je ne me serais séparée de la pierre violette qui brillait à mon cou.

J'emballai mes affaires dans la vieille malle que l'affreuse nièce avait abandonnée au milieu de la place. Puisque personne ne la réclamait, elle me revenait.

Une fois mes vêtements pliés et empilés, je parcourus le logement en tous sens dans l'espoir de découvrir un objet à conserver. La nièce éplorée avait fait main basse sur les rares pièces de valeur. Le lendemain des funérailles, les acheteurs et les revendeurs avaient tout raflé. Le dernier venu était reparti les mains vides. Un libraire de la rue Saint-Jacques avait acheté les beaux livres reliés de cuir souple. Peu après, la faïence, emballée dans des cartons, avait été livrée chez un encanteur du faubourg. J'ai dû me contenter d'une soucoupe ébréchée oubliée délibérément au milieu d'une armoire encastrée dans le mur de la cuisine.

Pour échapper au remue-ménage affligeant des derniers jours, j'avais préféré aller prendre l'air. Le spectacle de tous ces vautours à l'œuvre me révulsait. Rue Saint-Paul, je croisai Théo. Je ne l'avais pas revu depuis qu'il m'avait quêté de l'argent. L'œil hagard, la mise défraîchie, il était affublé d'une barbe de trois jours. Autant de signes de sa déchéance qui ne mentaient pas. Nul doute, il traversait une mauvaise passe.

« Je t'attendais, ma petite sœur préférée », me dit-il. Remarquant mon regard dédaigneux posé sur lui, il ajouta : « Tu n'as pas très bonne mine non plus. Ça doit être parce que la vieille a levé les pattes. Ça te fait de la peine, je suppose ?

— Oui, j'ai perdu la seule personne au monde à qui je tenais.

— Ma mère t'aime bien, elle aussi.

— En voilà une bonne ! Tout ce temps, elle savait que je n'étais pas sa fille, mais elle a cherché à me faire des accroires.

— Ben quoi, tu voulais une mère, non ? Alors, elle t'en a donné une. Je te trouve pas mal ingrate.

— Ingrate, moi ? Dites plutôt que votre mère est horriblement méchante. Je ne suis pas près de lui pardonner. Je ne veux plus jamais la revoir. Ni elle ni vous. Fichez-moi la paix. »

Je lui débitai des fadaises sur un ton rageur. La colère que je refoulais depuis le matin se déversait sur lui sans qu'il s'en formalisât. J'éprouvais à son endroit une violente répulsion.

« Ça va, ça va, je disparais, finit-il par dire. Mais avant, tu n'aurais pas quelques piastres à me prêter ? Je me suis fait laver par un type retors. La vieille a bien dû te coucher sur son testament ?

— Non, figurez-vous, et je n'aurai pas un sou. J'ai tout perdu, tout. Je n'ai plus de travail, plus de toit, plus rien à manger, vous comprenez ? »

D'ordinaire, je ne criais pas, mais là, je n'arrivais plus à contrôler mes réactions.

« Ah ! bon. Pas besoin de t'égosiller, je ne suis pas sourd.

— Laissez-moi tranquille. J'ai assez de soucis comme ça.

— Je peux te faire travailler, si tu veux. Je m'occupe déjà de deux filles. Alors, une troisième, ça ferait bien mon affaire. Tu n'es pas mal foutue, si tu te montres gentille, tu pourrais plaire aux clients. »

Là, je sentis le sang bouillonner dans mes veines :

« Il ne manquait plus que ça ! Vous croyez vraiment que je sois de la graine de bordel ? »

Il fit un pas vers moi, comme pour me prendre par le cou, et je hurlai :

« Bas les pattes ! comme dit votre mère. Ne m'approchez pas, sinon j'appelle à l'aide. »

Il détela sans demander son reste, tout surpris de voir quelle pie-grièche je devenais quand je sortais de mes gonds. Je rentrai la mine basse dans notre logement vide. Je ressentais une tristesse indicible. La solitude ne m'avait jamais pesé. Maintenant, c'était différent. Tout indiquait que j'allais passer la nuit à broyer du noir. Qu'allais-je devenir ? Accepter la proposition de Mrs Hatfield m'aurait obligée à reléguer mes recherches aux oubliettes et je ne m'y sentais pas prête. La nuit tomba sans que j'aie retrouvé la paix. Mon bougeoir à la main, je fis un dernier tour du logis. Les nouveaux locataires prenaient possession des lieux le surlendemain et je devais décamper au plus vite, afin de permettre à Monsieur Alphonse de faire le ménage. Il était tout chagrin de devoir me mettre à la porte. J'avais refusé de passer cette dernière soirée avec lui, car je préférais rester seule. Il ne m'en avait pas tenu rigueur.

J'errais comme une âme en peine dans les pièces désespérément nues. À la place de la commode de mamie Odile, disparue avec le reste, un amas de moutons se promenaient sur le plancher de bois franc. J'eus honte. L'affreuse nièce avait dû penser que j'entretenais mal les lieux. Toutes des paresseuses, ces filles de pute…

Elle avait vendu mon lit, ma chaise, ma table de chevet. Même mes rideaux vert pomme avaient été décrochés. Encore heureux qu'elle m'ait laissé ma paillasse et mon bougeoir. Elle s'était même approprié le coffre de cèdre que j'avais reçu en cadeau pour mon anniversaire, et dans lequel je rangeais mon trousseau. La literie que mamie et moi brodions, jour après jour, en vue de me constituer un trousseau, traînait dans un coin du boudoir qui avait perdu ses airs de caverne d'Ali Baba, maintenant que les affaires d'Odile s'étaient évaporées. Je comptai les morceaux : quatre taies d'oreillers, deux draps, deux serviettes. Je pensai : la furie m'a laissé la literie à cause du « R » brodé sur le tissu.

Dans l'entrée, au fond d'une boîte aux rebords écrasés que la nièce avait probablement oubliée en partant, je trouvai le nécessaire de toilette en argent d'Odile. La lettre « O » était gravée sur le dos du miroir et de la brosse à cheveux. J'enfouis le tout dans ma malle, entre mes jupes et mes mouchoirs, comme un trésor inespéré.

Je m'étendis sur ma paillasse, mon bougeoir allumé à côté de moi. Pendant une demi-heure, je tournai machinalement les pages de *Béatrix*, le roman de Balzac que j'étais en train de lire à mamie Odile juste avant sa mort. Nous compatissions aux déboires amoureux de Félicité de Touches. Hélas ! Mamie ne saurait jamais que la riche orpheline devenue écrivaine s'apprêtait à jouer les entremetteuses auprès de ses amis. J'essayais de suivre l'intrigue sans pouvoir me concentrer. Les lettres sautaient et mes pensées vagabondaient. J'éteignis.

Pendant une bonne heure, le sommeil me bouda. Il était écrit que je passerais ma dernière nuit, rue Notre-Dame, les yeux grands ouverts. Cette année resterait gravée à jamais dans ma mémoire. J'y avais vécu le meilleur et le pire. Maintenant, j'avais tout perdu. J'étais redevenue une pauvre orpheline seule au monde.

Soudain, je pensai à Antoine. L'humiliation que j'avais essuyée à cause de lui m'avait laissée meurtrie. J'avais réussi tant bien que mal à évacuer cet épisode honteux, mais il rebondissait maintenant pour ajouter à ma détresse.

Au cimetière, Antoine s'était comporté comme si nos baisers, ses caresses et ma gifle n'avaient jamais existé. Un incident aussi anodin n'avait pas sa place dans son esprit. Devinait-il que j'avais avalé de travers les commentaires méprisants de ses camarades ? Antoine était le seul à savoir qu'on m'avait surnommée « la fille des empoisonneuses ». Pour faire le jars, il avait trahi ma confidence, en plus de colporter d'autres calomnies. Devant la tombe de mamie Odile, j'avais fait un remarquable effort pour lui cacher l'antipathie qu'il m'inspirait. L'indifférence me paraissait encore la meilleure carte à jouer. À présent, sur ma paillasse, seule avec ma mauvaise étoile, il me semblait que jamais je ne m'en remettrais.

Là-dessus, je tombai de fatigue, mais ce moment d'apaisement ne dura pas. Je croyais avoir dormi longtemps, alors que je m'étais assoupie à peine un quart d'heure. Je soufflai ma bougie vacillante, bien décidée, cette fois, à plonger dans le vide jusqu'au matin. Finalement, je décrochai aux premières lueurs du jour. Sur le coup de huit heures, mon réveil fut brutal. Monsieur Alphonse frappait à la porte. Il m'apportait un pain et du chocolat. Pendant que je faisais ma toilette, il transporta ma malle à sa voiture. Juste avant de partir, il me remit un dictionnaire. Je le reconnus tout de suite à cause de sa fausse couverture. C'était celui de Madame Odile.

« Tenez, dit-il. Il est à vous. Puisque c'est moi qui l'avais offert à Odile, je l'ai réclamé à sa nièce. Elle n'a pas osé me le refuser. »

Il voulait aussi que je sache qu'à sa demande, Antoine avait consulté Maître Roland pour connaître mes chances d'obtenir la rente prévue dans les dernières volontés de mamie. Elles étaient nulles, malheureusement. Sans la signature d'un témoin, le testament olographe de son amie n'avait aucune valeur. Monsieur Alphonse en était franchement désolé, Antoine aussi.

Le geste était amical et j'aurais dû me montrer reconnaissante. Je n'en fis rien. Monsieur Alphonse mit mon indifférence sur le compte de la tristesse et passa outre. Il ne lui restait plus qu'à me reconduire chez mon amie Honorine, qui avait accepté de m'héberger pendant quelque temps. J'avais mauvaise mine et ça le désolait de me voir aussi abattue.

«Ne vous inquiétez pas, crânai-je, dans deux ou trois jours, je serai d'aplomb.»

Comme j'espérais des nouvelles de Marie-Madeleine, il promit de faire suivre mon courrier chez mon amie. Nous fîmes route en silence. Devant la maison de pension d'Honorine, rue Saint-Laurent, au coin de Saint-Jacques, il me serra très fort dans ses bras et disparut dans ce matin de brouillard.

14

Le péché d'Honorine

Honorine m'attendait sur le pas de la porte. Elle avait les yeux rougis, mais je n'y ai pas prêté attention, toute à mon propre malheur. À nous deux, nous avons hissé ma malle jusqu'au grenier et l'avons déposée au pied de son lit. On pouvait à peine circuler dans sa chambrette. Nous avons laissé ma paillasse roulée dans un coin. La nuit venue, je la placerais à côté de son lit.

Sa logeuse lui permettait de m'abriter, moyennant quelques écus tirés de mes économies. Toutefois, je n'avais pas droit aux repas. Je comptais prendre la plupart de mes dîners chez les sœurs jusqu'à ce que j'aie trouvé un emploi. Dès le premier jour, la cuisinière de la maternité, ma vieille amie sœur Sainte-Trinité, a mis un bout de pain beurré dans une serviette qu'elle a glissée dans ma poche pour mon souper. Honorine, elle, m'a rapporté une pomme et des biscuits cachés dans son tablier.

Les semaines se suivaient sans que ma condition ne s'améliorât. Beau temps, mauvais temps, j'arpentais les rues de la ville à la recherche d'un emploi. Chez *Fogarty & Brothers*, il n'y avait de place ni dans l'atelier d'Honorine ni dans un autre. J'aurais pu servir aux tables à l'hôtel Nelson que fréquentaient les officiers de la garnison britannique ou à l'hôtel Ottawa, rue Saint-Jacques, à côté du terminus des diligences, mais les sœurs m'incitaient à trouver un travail plus convenable. Je pouvais tenir jusqu'à la fin de l'été. Je n'étais pas encore au bout de mes ressources et, franchement, j'aspirais à un avenir plus honorable pour une jeune fille en âge de se marier.

Je comptais sur la présence quotidienne d'Honorine pour me réconforter. Son humour, ses encouragements, sa façon de me secouer les puces m'avaient déjà aidée à traverser d'autres sombres saisons de ma vie.

Mon amie n'était pas douée pour la lecture et elle manquait parfois de jugement. Mais sa mère ne l'avait pas faite sotte pour autant. Ses anecdotes, toujours délicieuses, m'amusaient. Tantôt, une des ouvrières de la manufacture l'avait entraînée chez *Dupuis Frères*, au coin d'Amherst et de Sainte-Catherine, pour écornifler. Suivait une description pittoresque du chapeau de paille qui lui faisait envie ou des rubans de satin de toutes les couleurs qu'elle rêvait de porter dans ses cheveux comme les demoiselles. Tantôt, un jeune ouvrier de l'atelier lui avait fait les doux yeux et elle s'était pincée pour ne pas rire. Il lui aurait fallu une échelle pour embrasser ce grand escogriffe.

On ne s'ennuyait pas en compagnie d'Honorine. Elle racontait des incidents anodins qu'elle épiçait à sa manière et dans lesquels elle jouait le rôle de l'arroseur arrosé. Comme de fait, elle mettait facilement les pieds dans le plat. Mais alors, elle se moquait si candidement de ses propres travers que ses anecdotes tournaient à la rigolade.

Parce qu'elle m'admirait, elle tentait de m'imiter. Ses efforts ne produisaient cependant jamais l'effet escompté. Ainsi, cherchant à exprimer correctement ses idées, ce que j'arrivais à faire sans effort, elle confondait le sens des mots. Par exemple, elle disait lapider pour dilapider et fouillage pour cafouillage. Je la corrigeais sans que cela l'irrite. Elle voulait tant s'améliorer.

Honorine collectionnait les superstitions puériles. Un fil blanc sur sa robe annonçait l'arrivée d'un nouvel amoureux. Une cheminée qui boucanait invitait le diable dans la cabane.

Le mariage occupait toutes ses pensées. Jamais elle ne s'assoyait sur le plateau d'une table, de peur de rester vieille fille. Elle voyait trois lumières allumées en même temps dans une pièce et en concluait qu'elle irait bientôt aux noces. Un cierge qui s'éteignait durant une cérémonie annonçait une vie de misère. La jeune fille qui prenait mari un jour de pluie verserait des larmes toute sa vie. Elle donnait les noms de trois de ses «flammes» à trois poteaux de son lit et si, la nuit suivante, elle rêvait à un autre garçon, elle l'épouserait.

Un bon matin, en se levant, elle avait malencontreusement enfilé son jupon à l'envers. Cela avait suffi pour qu'elle me mette en garde: «Apporte ton fichu, il va pleuvoir aujourd'hui.» Je l'avais envoyée paître, car un beau soleil scintillait. Naturellement, le soir venu, elle s'était vantée d'avoir prédit juste, ce qui, dans les faits, s'était avéré. Combien de fois m'a-t-elle sommée de ne pas tuer une araignée ou de ne rien entreprendre le vendredi? Ça portait malheur. En revanche, étrenner le samedi était de bon augure.

Certaines de ses prédictions me paraissaient franchement morbides. Ainsi, elle prétendait qu'à minuit il suffisait de placer son miroir au-dessus d'un puits pour voir passer son futur mari... ou son cercueil. Enfin, briser un miroir annonçait sept ans de malchance.

Depuis mon arrivée, toutefois, je ne reconnaissais plus l'Honorine moqueuse et espiègle qu'elle avait toujours été. Je la sentais moins joyeuse qu'à l'accoutumée. On aurait dit que ça ne tournait pas rond dans sa tête. Rongée par mes propres soucis, je n'avais pas cherché à comprendre ce qui lui donnait le cafard. Avec le recul, mon égoïsme me désola, car force était d'admettre qu'elle me lançait des signaux. Je me targuais d'être une fine observatrice et, pourtant, son désarroi m'avait échappé. La nuit, quand elle n'arrivait pas à fermer l'œil et m'empêchait de dormir, je perdais patience:

«Arrête de gigoter...»

Un soir, je fis semblant de m'assoupir pour mieux l'observer. Les yeux grands ouverts, elle fixait la fenêtre (nous n'avions pas de rideaux et la lune éclairait la chambre). Je lui touchai le bras et elle bondit dans son lit, comme si je la ramenais de loin.

«Honorine, tu es tendue comme une corde de violon.

— Laisse, j'ai sommeil, me répondit-elle évasivement.

— Justement, tu ne dors pas. Tu es à prendre avec des pincettes, depuis quelques jours. C'est ma présence qui t'agace? Tu veux que j'aille planter ma tente ailleurs? Au fond, tu as raison, je ne te laisse pas beaucoup d'espace.»

Elle secoua la tête en signe de dénégation.

«Non, ne pars pas. Je t'en supplie, ne pars pas, répéta-t-elle d'une voix implorante. J'ai besoin de toi.»

Sa réponse me parut sincère. Mais, pour en être tout à fait certaine, j'insistai :

«Tu sais, je ne t'en voudrais pas de me mettre à la porte. J'abuse de ton hospitalité. Tu devais m'héberger pendant deux ou trois jours, une semaine au plus, et je colle chez toi depuis un mois. Tu dois me trouver pas mal encombrante.

— Ne dis pas de bêtises. Bon, c'est vrai, je ne suis pas dans mon assiette, mais tu n'y es pour rien.

— Vas-tu enfin me dire ce qui ne va pas?

— Je t'en prie, ne me pose pas de questions.»

Je devinai hélas! ce qui n'allait pas. Malgré sa détermination à me cacher son état, le doute n'était plus possible. Ses violentes nausées des derniers jours n'avaient rien à voir avec des troubles digestifs, comme elle le prétendait. Sous prétexte qu'elle manquait d'appétit, elle me rapportait presque tout son petit-déjeuner. Nul doute possible, elle était enceinte. Cela me tracassait d'autant plus qu'elle ne me parlait plus de son fiancé. Je savais qu'il l'avait quittée quatre mois plus tôt parce qu'elle refusait de se donner à lui. C'est tout ce que j'avais réussi à tirer d'elle. L'avait-elle revu? Avait-elle finalement fait l'amour avec lui? Savait-il qu'elle attendait un enfant?

Je ne voulais pas la tourmenter avec mes questions, mais j'avais besoin d'en savoir plus. Sinon, comment pouvais-je l'aider?

«Tu as prévenu ton fiancé de ton état?» finis-je par lui demander, avec toute la délicatesse dont j'étais capable.

Elle se prit la tête à deux mains, éclata en sanglots et murmura entre deux soubresauts :

« Je n'ai plus de fiancé. »

Il me fallut une bonne demi-heure pour obtenir d'elle le fin fond de l'affaire. Après sa rupture avec Édouard, elle était demeurée un mois sans un signe de lui. Dévastée, sûre d'avoir commis l'erreur de sa vie en le laissant partir, elle l'avait relancé. Naturellement, il avait recommencé à lui faire des avances et, se fiant à ses belles paroles, elle avait cédé.

« Une seule fois, je te le jure. »

Une fois de trop. Elle n'essaya pas de me persuader de son innocence. Elle avait joué la mauvaise carte et perdu sa mise. À présent, elle pleurait à fendre l'âme. Un trop-plein de larmes accumulé s'échappa. Je me rapprochai d'elle. Pendant un moment, elle ne desserra pas les dents. Tout à coup, elle se confia, l'air accablé.

« Édouard ne veut plus entendre parler de moi. Il dit que l'enfant, c'est mon problème, pas le sien.

— Il faut peut-être mettre sa réaction sur le compte de la surprise, dis-je pour la rassurer. C'est un impulsif, ton Édouard. Comment peux-tu être sûre qu'il ne reviendra pas sur sa décision ? »

Elle n'avait guère d'illusion à ce sujet. Édouard travaillait au magasin de variétés tenu par son père, rue Saint-Paul. Honorine s'y était rendue à l'heure de fermeture. Elle n'avait pas eu ses règles depuis deux mois et voulait qu'il l'accompagne chez le médecin. Édouard avait piqué une sainte colère dont elle se souviendrait longtemps. La panique se lisait sur son visage. Surtout, elle ne devait en aucune circonstance le mêler à ses petites affaires, lui avait-il répété. Rien de tout cela ne le concernait. D'ailleurs, il n'avait jamais pensé à se marier, encore moins à avoir une famille. Elle devait se rendre à l'évidence, ses parents n'accepteraient pas de le laisser épouser une fille grosse. Après les menaces, les requêtes. Il implora sa compréhension, il ne pouvait plus la revoir à cause de son état. Comme de fait, depuis ce jour, il l'évitait. Si, d'aventure, il la croisait dans la rue ou à l'église, il changeait de trottoir ou de banc.

Honorine sécha ses larmes :

« Quel salaud ! m'exclamai-je.

— Je ne t'ai pas tout dit, reprit-elle en baissant la tête. Figure-toi qu'il a des doutes sur sa paternité. Il m'a réclamé des preuves. Après tout, si j'ai couché avec lui, rien ne lui garantit que je n'ai pas couché avec d'autres hommes. »

Malgré tout, elle l'aimait follement. Mais l'hostilité qu'il manifestait à son égard lui faisait perdre jusqu'au désir de vivre. Moi qui pensais bien connaître mon amie, je découvrais une fille fragile et démunie, incapable d'affronter pareil rejet. Au lieu de faire une croix sur cet amour impossible, elle espérait, contre tout bon sens, reconquérir son Édouard.

« Qu'as-tu l'intention de faire ? » lui demandai-je.

L'idée d'être mère l'apeurait à cause des difficultés qui s'abattraient sur elle au travail et à la pension. Elle jonglait avec des solutions, dont pour l'instant elle refusait de discuter avec moi. Cela ne me parut guère rassurant. Je me redressai sur mes coudes :

« Tu ne vas pas te faire avorter tout de même ? Ce serait commettre un crime. »

Non, je ne devais pas m'inquiéter, elle n'irait pas jusque-là. Une de ses camarades à la manufacture s'était laissé charcuter par un charlatan. Il l'avait pour ainsi dire saignée à mort.

« Je veux bien mourir, mais pas souffrir », m'avoua-t-elle, non pas pour me provoquer, mais parce qu'elle le pensait vraiment.

Pour l'instant, elle anticipait les problèmes immédiats. Ainsi, elle redoutait d'avoir à quitter son emploi prématurément. Ses modestes moyens ne lui permettaient pas d'arrêter de travailler. Il fallait pourtant envisager la chose. Il devenait de plus en plus difficile de la tirer du lit, le matin. Si, par malheur, elle n'était pas à son poste à six heures trente pile, elle devait payer l'amende. Le même système de pénalités était appliqué lorsqu'elle remettait une semelle défectueuse. L'épuisement dû à son état, la chaleur conjuguée aux particules de poussière dans l'air et au bruit des machines exigeaient d'elle un effort de concentration qu'elle ne pouvait plus fournir. Son contremaître, un Anglais habituellement compréhensif, l'avait à l'œil depuis quelque temps. Deux fois déjà, il lui avait fait des remontrances. Elle lui avait promis de s'amender, mais c'était plus fort qu'elle, son attention se relâchait et elle fondait en larmes pour un rien.

Je grimpai dans son lit et la pris dans mes bras pour la réconforter. Je lui promis de la tirer d'affaire. Nous restâmes là, sans bouger, silencieuses. Elle garda longtemps les yeux fixés au plafond, puis sombra dans un sommeil réparateur. Comme si le fait de m'avoir refilé ses tourments l'avait apaisée.

~

Pauvre Honorine! J'avais beau claironner que je la sortirais du pétrin, il n'y avait pas de solution miracle. Son silence m'effrayait parfois. Je n'avais jamais vécu ce genre de situation et je ne savais pas comment l'aider.

La vie continua, tandis que l'automne se pointait sans crier gare. Nous reprîmes nos habitudes, mais rien n'était plus pareil. Je forçais Honorine à manger et à se reposer. Notre chambre sous les combles n'était pas facile à chauffer et les vents frisquets de l'automne s'infiltraient dans le châssis mal ajusté. La nuit, j'enveloppais mon amie dans ma mante, car sa couverture de flanelle ne la protégeait pas du froid. À sept heures, le soir, j'allais la chercher à la manufacture et, le dimanche, je l'emmenais se promener pour lui donner des couleurs, elle était si pâle. Nous allions jusqu'à la maison d'Alphonse Cléroux, qui nous offrait un chocolat chaud comme lui seul savait le préparer.

Ce cher Alphonse n'exultait pas, lui non plus. Il me demandait sans cesse si j'étais contente de mon installation. Lui, il s'habituait couci-couça à ses nouveaux locataires.

« Notre Odile me manque, me répétait-il à chacune de mes visites.

— À moi aussi. »

Jamais il ne passa la moindre remarque sur le ventre d'Honorine maintenant gros comme un ballon. Elle épaississait à vue d'œil. Encore un peu et son patron lui indiquerait la porte. Et moi, pauvre andouille, c'est à peine si je réussissais à apporter un peu d'eau au moulin. J'avais décroché une place chez une dame à moitié sénile qui attendait un lit à l'Asile de la Providence de Mère Gamelin. C'était très pénible, car la pauvre vieille se souillait au moins trois fois par jour et je devais la nettoyer.

Au début, son fils venait me porter mes gages. Ensuite, il espaça ses visites et ses paiements. Sa mère le réclamait dans ses rares moments de lucidité, mais il la négligeait. Le chagrin de la vieille faisait pitié. Je n'allais quand même pas l'abandonner. Je me sentais coincée. Au bout d'un mois, une place se libéra au refuge. En venant chercher sa vieille mère, l'homme me promit de m'apporter le lendemain l'argent qu'il me devait. Il ne se montra pas le bout du nez, comme de raison. Je perdis ainsi trois semaines de gages, ce qui aurait pu faire la différence, car Honorine avait besoin d'une nourriture plus substantielle.

Entre-temps, à la pension, Honorine se sentait rejetée. Scandalisée de voir une de ses pensionnaires dans ce qu'on appelle en toute autre circonstance « un état intéressant », notre logeuse la poussait à ficher le camp. Madame Royer avait une peur bleue des cancans. À table, elle ne lui servait plus que les fonds de plat. Je n'osai pas m'en plaindre, par crainte d'être jetée à la rue. Sans moi, Honorine n'aurait pas tenu le coup.

Ma malheureuse amie oscillait entre la colère contre elle-même et la honte. Que de fois l'entendis-je dire en soupirant : « Celui qui est né pour un petit pain n'en aura jamais un gros. »

À la manufacture, le travail l'éreintait. Elle paraissait au bout du rouleau. Moi, je ne savais plus à quel saint me vouer. Je m'en ouvris aux religieuses de Sainte-Pélagie, qui furent de bon conseil. Sœur Sainte-Victoire me promit de parler d'Honorine à la nouvelle supérieure.

Sur le coup, ma démarche mécontenta mon amie. Toutefois, quand la supérieure me recommanda de l'amener à Sainte-Pélagie, où elle pourrait rendre de menus services en attendant sa délivrance, Honorine parut soulagée d'échapper aux tourments quotidiens dont elle était la proie.

Je l'accompagnai jusqu'au parloir. Je portais son baluchon, car elle avait peine à marcher. Rue Saint-Hubert, à quelques pieds de la maternité, les invectives se mirent à pleuvoir sur elle, à cause de ses formes arrondies : « grue », « roulure », « poule »… Les gens voulaient croire que seules les femmes de petite vertu frappaient à la porte de cette maternité. L'humiliation accablait Honorine. Une fille tombée, voilà ce qu'elle était. Comme sa mère. En arrivant devant l'enseigne, elle pressa le pas pour s'engouffrer au plus vite dans l'édifice aux volets clos sur la façade.

Je m'apprêtais à donner un coup de heurtoir quand je m'avisai qu'un homme me fixait d'une manière impertinente. L'instant d'après, il traversa la rue pour m'accoster. Je voulais fondre. Il s'agissait sans doute d'un des clients du bordel situé dans la rue d'à côté. Ceux-ci confondaient souvent les prostituées et les pensionnaires.

Et alors, à mon tour, je pensai à ma mère. Dix-neuf ans plus tôt, elle avait franchi, elle aussi, le seuil de Sainte-Pélagie en tenant son ventre ballonné. Rien n'avait changé dans les mentalités. Les filles-mères d'hier, comme celles d'aujourd'hui, ressentaient la même honte, le même désespoir. Peu importait les circonstances qui les avaient conduites là, elles faisaient partie de la cohorte des mauvaises filles. Je ne connaissais pas de meilleure personne que mon amie Honorine et, pourtant, elle était considérée comme une pécheresse. C'était injuste. Elle aimait sincèrement l'homme qui l'avait engrossée et qui ensuite l'avait trahie. Pourquoi fallait-il que la victime se retrouvât dans les souliers du coupable?

~

Honorine s'acclimata assez rapidement à sa nouvelle vie. Rien de plus normal, elle connaissait parfaitement la routine d'un couvent. À l'abri des regards, elle recouvra un semblant de sérénité. Si seulement elle avait pu échapper à l'ennui qui la dévorait entre les murs de sa «prison»! Elle se faisait des amies mais, comme la clientèle changeait continuellement, c'était toujours à recommencer.

Il y eut Adèle, une jeune mère rongée par les fièvres typhoïdes. Monseigneur Bourget lui avait administré les derniers sacrements. Sur son lit de mort, elle hurlait sa colère contre cette chienne de vie et ce monde pourri jusqu'à l'os. Honorine en fut chagrinée, car elle s'était attachée à cette jeune révoltée qui exprimait tout haut ce qu'elle-même pensait tout bas.

Mon amie porta ensuite un attachement maternel à Élodie, une fillette de treize ans, orpheline de mère et que le père avait répudiée, après lui avoir fait «des vilaineries». La surveillante pensait qu'elle sanglotait parce qu'elle regrettait sa faute. Honorine prétendait au contraire que la pauvre petite ne savait même pas comment elle avait pu se retrouver dans le pétrin. Dépassée par les événements, elle faisait franchement pitié. Nous nous cotisâmes, mon amie et moi, pour payer les deux dollars de pension de la fillette, car elle était sans le sou. L'économe ne voulut pas de notre argent et finalement, c'est l'aumônier qui sortit ses écus. Le bébé d'Élodie mourut à la naissance, avant d'être baptisé, et cela affecta la jeune mère. Lorsqu'elle fut relevée de ses couches, les sœurs la confièrent au refuge pour filles en difficulté de Mademoiselle Bissonnette, dans l'est de la ville. Il valait mieux ne pas la retourner dans son village.

Il y eut aussi une Américaine de Savannah, en Georgie. Personne ne savait comment elle avait abouti à Sainte-Pélagie. Elle parlait l'anglais avec l'accent du *Deep South* et le français en gesticulant. Lorsqu'elle racontait la guerre de Sécession qu'elle avait vécue aux premières loges, une novice irlandaise nous traduisait son récit. Elle parlait avec affection de la négresse qui l'avait élevée et qui avait fui au nord pour vivre en toute liberté. Ayant accouché prématurément, l'Américaine était rentrée à Savannah trop tôt pour voir tomber la neige au moins une fois dans sa vie. Elle quitta l'établissement au beau milieu de l'été indien.

Comme je passais mes dimanches à la maternité pour apporter mon soutien moral à Honorine, je connus plusieurs de ces filles. La plupart venaient de la campagne pour accoucher en cachette. Dès que quelqu'un sonnait à la porte, elles couraient se réfugier au dortoir, de peur d'être reconnues. Honorine aussi prenait ses jambes à son cou. Dans son état, ce n'était franchement pas une bonne idée.

~

L'automne de 1871 fut sombre et pluvieux. Un temps à ne pas mettre le nez dehors. Découragée, je songeai plus d'une fois à écrire à l'amie anglaise de Madame Odile pour lui offrir mes services. Mais je ne me résignais pas à laisser Honorine affronter seule les affres de l'accouchement. Un dimanche, le dernier de novembre, vers deux heures de l'après-midi, je reprisais des chaussettes avec les pensionnaires dans la salle commune quand une douleur aiguë traversa Honorine. Je lâchai mon aiguille pour l'observer, intriguée par ce qu'elle décrivait comme « un coup de poignard au milieu du ventre ». La douleur se calma. Au bout d'un quart d'heure, elle se manifesta à nouveau et, cette fois, le mal dura plus longtemps.

« Ça pousse, ça pousse, mais ce n'est pas normal », répétait-elle, les yeux exorbités et les dents serrées.

C'était en effet assez surprenant, car l'enfant n'était pas attendu avant trois semaines. Comme elle ne pouvait plus se tenir sur sa chaise, la surveillante manda le médecin, pendant que j'aidais mon amie à se rendre à la salle d'accouchement. L'examen de la religieuse sage-femme s'avéra concluant : le bébé était pressé de voir le jour. Je fis des pieds et des mains pour rester auprès d'Honorine, qui ne s'imaginait pas accouchant sans moi. La surveillante ne voulut rien entendre. Elle me refoula dans la salle d'à côté séparée par un paravent.

Le médecin n'eut pas le temps de franchir la grille d'entrée que déjà tout était terminé. La sage-femme n'en revenait pas. Elle avait quasiment attrapé au vol la petite boule de chair visqueuse, toute plissée, gluante, qui venait d'apparaître entre les jambes écartées de mon amie.

L'oreille collée à la cloison, j'épiai les premiers braillements du nouveau-né. Je sus à cet instant que ce poupon qui exerçait ses cordes vocales entrait dans ma vie pour y rester. Honorine refusa de le confier à l'Orphelinat des Enfants trouvés, malgré les exhortations des sœurs qui savaient dans quelle galère elle s'embarquait.

Celles-ci avaient remarqué les excellentes dispositions de mon amie et espéraient la retenir à la maternité après son accouchement. Elle était pieuse, humble et obéissante, autant de qualités que l'on recherchait chez les postulantes madeleines. Honorine manifestait de la compassion pour ses semblables. Même à la fin de son terme, elle s'était montrée besogneuse. Pour les religieuses, le noviciat permettait aux jeunes filles repentantes d'éviter une rechute.

Moi, j'appuyais Honorine dans sa décision de ne pas se séparer de son petit garçon. Lui avais-je assez répété qu'elle pouvait compter sur mon aide ? Elle me demanda d'être la marraine du petit Édouard.

Eh oui, Honorine donna à son fils le prénom du père qu'il ne connaîtrait jamais.

~

Une fille venue d'Alberta accoucha moins d'une heure après Honorine. Cela occasionna un problème d'effectifs : deux nouveau-nés devaient être conduits à l'église pour y être baptisés, mais une seule sœur pouvait s'absenter de la maternité. Comme le règlement lui interdisait de sortir seule, j'offris de dépanner. Bien entendu, c'est moi qui portai le petit Édouard tout emmailloté dans des langes de coton rude. La vieille sœur qui m'accompagnait avec le fils de l'Albertaine jeta sur ses frêles épaules une mante rapiécée qui cachait mal sa robe noire usée à la corde et nous prîmes la route.

Dans la rue, le manège observé le jour de l'arrivée d'Honorine à Sainte-Pélagie se reproduisit. Les passants nous maudissaient. Parce que nous sortions d'un refuge pour les filles tombées et que nous transportions des enfants du péché, ils nous reprochaient d'encourager le vice. Ces catins, à qui les sœurs offraient le gîte au lieu de les laisser barboter dans la fange comme elles le méritaient, étaient des dévoyées !

« Ignorez-les, me recommanda la sœur. Ils sont plus à plaindre que nos pénitentes. »

Nous continuâmes notre petit bonhomme de chemin, la tête haute, jusqu'à l'église Notre-Dame, en dépit des sarcasmes et des crachats. En franchissant le seuil, je me signai avant de me diriger sur le bout des pieds vers les fonts baptismaux. Je tenais mon précieux colis serré sur ma poitrine en me disant qu'un jour passé, c'était moi, ce petit être sans défense, qui étais venue ici me chercher un prénom, à défaut d'avoir un nom de famille.

La messe s'achevait et les fidèles terminaient leurs dévotions. Le bébé d'Honorine poussa des cris perçants qui eurent l'heur de déranger certains d'entre eux. On chahuta sur mon passage. Je crois qu'on me prenait pour une religieuse, à cause de la cape noire que sœur Sainte-Victoire avait jetée sur mes épaules. Une religieuse de la Congrégation de Notre-Dame soupira en me voyant. Elle avait honte pour moi. Honte qu'une femme consacrée à Dieu s'adonnât à ce jeu de complicité avec des pécheresses.

Debout à côté des fonts baptismaux, le vicaire paraissait pressé d'en finir. « Procédons, procédons », lâcha-t-il, impatient, sans même jeter un regard à la vieille sœur qui lui tendait le fils de l'Albertaine. Il lui demanda sèchement le prénom du nouveau-né à baptiser. Naturellement, il nous fallait lui choisir le nom d'un saint. Mais il ne pouvait pas s'appeler Joseph, car les enfants de l'inceste n'y avaient pas droit. La religieuse opta pour Roch, puisque la mère l'avait conçu dans les Rocheuses. D'humeur exécrable, le vicaire réclama ensuite un nom de famille. Nous n'en avions pas à lui fournir. Alors, il écrivit : né de père inconnu. Le même scénario se produisit lorsque je lui présentai Édouard. Il récita les paroles d'usage, fit couler quelques gouttes d'eau bénite sur le front de l'enfant, esquissa un signe de croix et s'en alla.

Édouard n'avait pas de père, mais moi, sa marraine, j'avais signé Rose au bas du certificat. Il se passerait d'un nom de famille. Dans quelques années, il s'en inventerait probablement un, comme je l'avais fait le jour de ma confirmation. L'évêque m'avait demandé : « Comment t'appelles-tu, petite ?

— Rose, Monseigneur.

— Rose quoi ?

— Rose tout court.

— Eh bien, nous t'appellerons Rose Toutcourt. »

En quittant l'église, nous poursuivîmes notre route jusqu'à l'Orphelinat des Enfants trouvés pour y laisser bébé Roch. Ça m'arracha le cœur de le déposer comme un colis, au milieu d'une centaine d'orphelins. La registraire pensait que nous voulions aussi lui confier Édouard, le fils d'Honorine. Je le serrai si fort qu'il se mit à hurler.

~

Honorine se releva rapidement de ses couches. Malgré sa petite taille, elle était solide. Nous jonglions avec les minces solutions qui s'offraient à elle quand la supérieure la convoqua à son bureau. Elle venait de recevoir la visite d'un monsieur de belle éducation dont l'épouse avait accouché l'avant-veille. Trop faible pour allaiter son nouveau-né, cette dame cherchait une nourrice. L'homme avait demandé à la religieuse de lui recommander une fille pouvant faire l'affaire. Il la voulait en excellente santé, serviable et dotée d'une bonne nature.

Sans hésiter, la supérieure lui avait vanté les qualités naturelles et l'habileté manuelle d'Honorine. Le visiteur souhaitait la rencontrer. Il attendait au parloir qu'on la lui présentât.

Honorine m'implora du regard. Fallait-il accepter cette proposition? En vérité, elle n'avait guère le choix, puisqu'elle avait déjà décliné celle des bonnes sœurs d'entrer chez les madeleines. Je l'encourageai à considérer l'offre, à condition de ne pas avoir à se séparer d'Édouard.

«Ce monsieur ne voudra jamais, m'objecta-t-elle, défaitiste comme toujours.

— Essaie au moins.»

Je l'aidai à se coiffer. Elle était ravissante, même si, depuis sa délivrance, elle paraissait perdue dans l'uniforme des pénitentes. Il eût mieux valu qu'elle se présentât devant ce monsieur distingué dans un autre accoutrement, mais la supérieure ne voulut pas faire attendre son invité. Aussi poussa-t-elle Honorine dans la pièce d'à côté en l'assurant que tout se passerait très bien.

L'homme se leva en la voyant entrer. Très grand, mince comme un fil, il prit une voix douce pour lui exposer ses attentes. Sa femme et lui vivaient à Saint-Jean, où il était notaire et échevin de sa ville. De nature frêle, son épouse, que l'accouchement avait affaiblie, avait besoin de quelqu'un pour s'occuper de son fils et accomplir quelques tâches dans la maison. Alors, il demanda à Honorine si la place l'intéressait.

« Vous serez très heureuse avec nous, mademoiselle. Mon épouse est bonne et généreuse.

— Monsieur, votre offre me touche, répondit posément Honorine. Après les épreuves que je viens de traverser...

— Ne dites rien, mademoiselle, votre passé vous regarde. Je ne suis pas là pour vous juger. Au contraire, si ma femme et moi pouvions vous redonner goût à la vie, nous en serions gratifiés.

— Je vous remercie de votre compréhension. Cependant je ne peux pas vous suivre. Je sais que c'est contraire aux habitudes, mais j'ai décidé de garder mon fils. Mère supérieure aurait dû vous prévenir. »

L'homme hésita un moment et Honorine crut voir passer tout droit la chance de refaire sa vie. Alors, il dit :

« Je ne m'attendais pas à votre réaction et j'aurais préféré pouvoir en discuter avec ma femme. Mais le temps me presse et vous me plaisez. Je sens que vous êtes une personne fiable. Si vous repartez avec moi aujourd'hui même, nous emmènerons votre bébé. Ma femme aura de l'aide et mon fils, de la compagnie.

— Alors j'accepte. »

L'homme partit faire ses courses. Il reviendrait la chercher plus tard. Elle me rejoignit dans la salle commune, où je l'attendais en me rongeant les ongles. Les yeux pétillants, elle répétait :

« C'est un miracle, il me permet de garder mon enfant, c'est un miracle. »

Malgré mon soulagement de la savoir casée, j'étais triste à l'idée de la perdre aussi rapidement. Le temps manqua pour pleurer sur notre séparation. Je courus chercher ses effets à la pension : une robe, deux jupons de coton, trois tabliers et quelques mouchoirs de poche. Je lui mis aussi mes bas de laine, car les siens étaient troués, et j'empilai quelques objets auxquels elle tenait. Comme de raison, Honorine ne possédait pas de sac pouvant contenir ses hardes. Qu'à cela ne tienne, je lui prêtai le mien.

J'arrivai au bon moment à la maternité. Mon amie m'embrassa très fort et déposa Édouard dans mes bras, le temps de grimper dans le coupé de son nouveau patron. Je donnai un gros bisou au petit et le remis à sa mère en la suppliant de m'écrire, dès qu'elle aurait une minute. Je promis de lui rendre visite avec Monsieur Alphonse, qui avait grand besoin, lui aussi, d'une balade au grand air.

15

La pension Royer

Il faut maintenant que je me reporte au premier lundi suivant l'arrivée d'Honorine à la maternité. Ce matin-là, j'ai pris le tramway pour me rendre à la *Fogarty & Brothers* afin d'offrir mes services à son contremaître anglais. Il venait tout juste de constater l'absence de mon amie. Je ne dirais pas qu'il s'est montré déçu. Agacé, certainement. Mais il n'a pas fait d'histoire. Elle partie, il lui manquait une opératrice. Je pouvais le dépanner :

« *This is your lucky day, young lady.* »

J'ai dit « *thank you* », les seuls mots que je connaissais en anglais, et je me suis laissé conduire à la machine d'Honorine. Autant l'admettre, ma nouvelle vie ne s'annonçait guère exaltante. Je posais des semelles douze heures par jour. Honorine avait raison, c'était éreintant. On me payait un sou la pièce. À la moindre défectuosité sur une semelle, on m'en retirait quatre. Et si, par malheur, ma machine brisait, eh bien, tant pis pour moi : mon salaire fondait comme neige au soleil. De l'esclavage...

J'ai pensé me trouver une place dans les textiles. Je connaissais une ouvrière qui gagnait quatre piastres par semaine à coudre des pantalons. On me l'a déconseillé. Apparemment, le bruit des machines était assourdissant et l'air, plus vicié qu'à notre atelier. Chaque tisserande surveillait quatre métiers, ce qui requérait une concentration de tous les instants pour déceler les manques dans les tissus. Là-bas aussi, on punissait d'amende les maladresses. Même système inhumain aux chaînes d'embouteillage de la brasserie *Molson* où les déductions sur les salaires étaient monnaie courante. De l'avis général, la vie était cent fois meilleure chez *Fogarty & Brothers*. J'ai donc pris mon mal en patience, en me promettant de chercher une place de demoiselle de compagnie à la première occasion.

D'ici là, je devais me serrer la ceinture. La pension me coûtait deux piastres par semaine. J'avais réussi à garder la chambre d'Honorine sous les combles, mais il m'avait fallu parlementer longuement avec sa logeuse. Finalement, Madame Royer avait accepté de me fournir les repas du matin et du soir. Nous mangions à heures fixes. Gare à ceux qui se présentaient à table en retard. Notre cerbère était à cheval sur la ponctualité.

⸙

La pension Royer, une maison de trois étages garnie de persiennes, était située au coin des rues Saint-Jacques et Saint-Laurent, à cinq minutes de marche de la manufacture. Dans cette maison pièce sur pièce datant de 1765, le célèbre docteur Wolfred Nelson, l'un des héros de la Rébellion de 1837, avait élevé sa famille et soigné ses malades. Depuis sa mort, en 1863, l'édifice se dégradait un peu plus chaque année.

Au-dessus de la porte, un écriteau tout écaillé indiquait *Pension Royer* et, en plus petits caractères, *avec ou sans repas*. Les maisons avoisinantes abritaient un commerce au rez-de-chaussée, la nôtre pas. À gauche, il y avait un marchand de tabac et à droite, une mercerie. Dans la rue, les tramways à chevaux circulaient toute la journée et l'agitation ne cessait jamais.

Madame Royer tenait chichement son établissement. Si elle admettait les hommes et les femmes, elle exerçait une surveillance constante, car elle ne tolérait aucun accroc aux bonnes mœurs. Ses pensionnaires, des gens de condition moyenne, étaient tous mieux nantis qu'Honorine et moi. En fait, elle avait accepté deux pauvres orphelines sous son toit tout bonnement pour occuper le cagibi sous les combles. Sans doute trouvait-elle avantageux d'en tirer un petit loyer? Madame Royer était de ces femmes cupides qui savent profiter de la moindre ressource disponible.

Même si elle avait perdu ses allures bourgeoises, sa maison avait conservé intacts ses murs lambrissés et ses vitres plombées. Derrière un portique exigu décoré d'un baromètre à mercure détraqué – il marquait uniquement le beau temps –, les pièces se suivaient en enfilade. De part et d'autre du couloir agrémenté de gravures monotones, des paysages tristounets montés sur des cadres noirs, se trouvaient le salon et la salle à manger.

Les frères Drouin, que nous appelions « ces messieurs de Saint-Eugène », occupaient les seules chambres du rez-de-chaussée. De loin les plus argentés parmi les pensionnaires, ils s'octroyaient des privilèges, notamment celui de recevoir leurs « amies très chères » derrière leurs portes closes. Madame Royer fermait les yeux. Des hommes capables de payer leur loyer rubis sur l'ongle s'exerçaient sûrement à la vertu et non au vice.

Les deux autres locataires de sexe masculin logeaient à l'étage. Leurs fenêtres donnaient sur la rue Saint-Laurent. Le premier, Monsieur Caron, un boucher à la retraite, passait ses journées à se bercer sur la galerie. Il connaissait tous les passants par leurs prénoms et les arrêtait dans la rue pour piquer une jasette. L'autre, Louis-Joseph Lalonde, un jeune homme dans la vingtaine que nous appelions simplement Louis, travaillait comme typographe au premier journal illustré canadien-français, *L'Opinion publique*. Originaire de Saint-Denis, où le grand Papineau avait de la famille, il portait le prénom de celui-ci comme un poids. Non pas qu'il ait été réfractaire à l'évangile du chef patriote, bien au contraire. La plupart du temps, il en répandait même les préceptes. Toutefois, s'il lui arrivait de douter du bien-fondé d'une déclaration du vieux chef, il aurait jugé déloyal de critiquer un homme qui avait perdu son aura à un âge avancé. De fait, Papineau devait mourir cet automne-là, dans la solitude, à l'âge de quatre-vingt-cinq ans.

Au fil des mois, Louis et moi allions devenir de bons amis.

Au second, les meilleures chambres s'ouvraient sur la cour arrière. Florida Lebeau, une veuve jouissant d'une rente viagère assez confortable, les avait louées à bon compte. Elle les partageait avec sa sœur Bérangère. Les deux femmes arrivaient des Trois-Rivières où la cadette avait dû surmonter un violent chagrin d'amour. Florida comptait sur un changement de décor pour guérir la blessure d'orgueil de sa sœur. Peut-être même espérait-elle trouver à la marier à Montréal. C'était là un pari risqué, car Bérangère dépassait la trentaine et se montrait le plus souvent taciturne. Elle s'enveloppait dans un foulard à franges d'un brun pâlot qui lui donnait des airs de vieille fille. Le bonheur l'avait assurément oubliée en chemin.

J'occupais seule l'unique pièce aménagée dans la mansarde. Grande comme un mouchoir de poche, elle était située au-dessus des appartements des deux Trifluviennes. Juste à côté, dans un immense débarras sans cloison, Madame Royer remisait les meubles brisés ou encombrants. L'hiver, Annette, sa bonne, y étendait le linge à sécher. Comparée à ma chambre, chez mamie Odile, c'était misérable, mais je m'en accommodais. J'avais déniché dans le barda une table estropiée que j'avais rafistolée en la posant pieds en l'air. Une fois placée sous la lucarne, elle s'avéra parfaite pour mes travaux d'écriture. Mes nouvelles occupations me laissaient peu de temps à consacrer à mon enquête. Cependant, je n'abandonnais pas l'idée de rechercher mes origines.

Mon désir, pour ne pas dire mon besoin viscéral, de retrouver ma mère ne faiblissait pas, loin de là. Mais la mort de mamie Odile, à cause du changement radical qu'elle avait apporté à ma situation, m'obligeait à mettre mes projets sur la glace. Pour l'instant, du moins.

❧

Les portes du salon s'ouvraient à sept heures pile et alors, la maison jusque-là silencieuse s'animait. Nous étions tous abonnés aux repas et attendions en devisant gentiment que Madame Royer sonnât la clochette nous invitant à passer à table. Meublée de fauteuils rembourrés de crin, la pièce se contentait d'un éclairage clair-obscur. Certains après-midi, le froid et l'humidité s'infiltraient dans l'âtre du foyer, notre pingre logeuse réservant les feux de cheminée pour les occasions rares. Autant dire que nous appréhendions les dégringolades de la température. Des fleurs artificielles plantées dans un vase assez commun trônaient sur une petite table octogonale, à côté du piano, que seule Mademoiselle Bérangère était autorisée à toucher. Pour notre plus grand malheur, ai-je envie d'ajouter, car elle n'était pas très douée.

L'attente ne durait jamais longtemps. Les odeurs de bouillon de poule ou de bœuf à la mode provenant de la cuisine nous permettaient de deviner le menu du soir. La faute en incombait au manque d'aération. Prétextant le bruit des voitures et la poussière de la rue, Madame Royer tenait fermées portes et fenêtres, même en été.

À cette heure, nous avions un rituel. C'était à qui annoncerait la nouvelle la plus consternante. Monsieur Caron partait le bal en reconstituant pour nous un accident survenu sous ses yeux : un jeune homme avait eu la jambe écrasée sous la roue d'un wagon, devant l'échoppe du boucher. Nous supputions alors ses chances d'être amputé. Le lendemain, notre retraité s'apitoyait sur le sort de la servante du forgeron. Il l'avait vue partir en pleurs, son baluchon sous le bras. De là à bâtir tout un roman, il n'y avait qu'un pas et son modeste auditoire le franchissait allégrement. Autour de la table, chacun ajoutait son grain de sel, parfois dans une cacophonie à laquelle s'ajoutaient le bruit des ustensiles et le ronron de la porte à battant. J'y allais moi-même de mes hypothèses les plus farfelues. Parfois, Madame Royer se permettait des observations que la charité chrétienne réprouvait. Ainsi, elle s'était laissé dire que la servante du forgeron avait la cuisse légère. Il s'agissait d'une rumeur, bien entendu, mais...

Si d'aventure les locataires discutaient de l'actualité politique, Madame Royer était sur des charbons ardents. De son côté, Florida Lebeau gardait les yeux fixés sur son assiette, manifestement plus préoccupée par le gras de porc suintant de la saucisse qui venait d'atterrir devant elle que par les échanges corsés qui se poursuivaient à table. Dès que le ton montait, sa sœur Bérangère examinait le vieux rideau de velours déchiré dans le haut, tout près des anneaux. Malgré les malaises que ces discussions provoquaient, un soir, il fut question de la Rébellion au Bas-Canada. La voix de Louis-Joseph Lalonde me sembla un cran plus élevée qu'à l'accoutumée, lorsqu'il évoqua la pendaison des douze patriotes en 1839. La nervosité, sans doute. On ne réveille pas sans risque les morts. Je voyais bien qu'il hésitait à poursuivre sa pensée devant des gens qui manquaient d'empathie. Des loyalistes notoires partageaient en effet notre repas.

Madame Royer plongea sa louche dans la soupière et servit Louis :

« Mangez pendant que c'est chaud, monsieur Lalonde », lui dit-elle en dodelinant de la tête en direction des messieurs de Saint-Eugène, comme pour s'assurer qu'ils refuseraient de se laisser entraîner sur ce terrain glissant.

Son manège échoua. Le plus chauve des deux « messieurs » n'allait pas rater une si belle occasion de mettre en boîte son voisin de table, dont il ne partageait pas les vues, loin s'en faut.

« N'attendez pas de compassion de ma part, dit-il à Louis. Les patriotes méritaient la potence.

— De la graine de cachot, renchérit son frère sur le même ton hautain.

— Vous débitez des balivernes », s'offusqua Louis, rompant avec son habituel calme olympien.

Devant la bêtise, une maladie qu'il jugeait incurable, Louis renonçait habituellement à défendre ses idées. Ce soir-là, il se sentait d'attaque :

« Nos aïeux ont payé le prix fort pour avoir osé réclamer ce à quoi tous les hommes ont droit : la liberté et l'égalité. » Après s'être raclé la gorge, il poursuivit, sarcastique : « Non, bien sûr, il ne faut pas blâmer les Habits rouges, direz-vous, messieurs. » Maintenant, il fixait d'un air méchant les deux locataires qui l'avaient défié. « Vous jugez qu'ils étaient parfaitement justifiés de monter dans les greniers des habitants pour y éventrer les poches de blé qui s'y trouvaient. Ils ont eu raison, aussi, de déverser des contenants de mélasse sur le blé qui dégoulina jusqu'au rez-de-chaussée. Après ? Ils ont fracassé les assiettes de faïence contre les murs, renversé le vin, brisé les miroirs… Après tout, il fallait bien corriger la populace rebelle… »

Devant cette tirade particulièrement émotive, qui n'en évoquait pas moins des faits douloureux et incontestables, ces messieurs de Saint-Eugène jugèrent préférable de ne pas renchérir.

≈

Après cet incident, Madame Royer se crut avisée d'interdire les discussions à saveur politique. C'était d'autant plus ennuyeux que le répertoire de commérages de Monsieur Caron commençait à se tarir. Les accidents, les bagarres et les rixes dans la rue nous ennuyaient mortellement. Moi, qui passais mes journées penchée sur ma machine à coudre, je n'avais rien de palpitant à raconter, le soir venu. Pour me gagner des sympathies, je proposai à mes compagnons de table de leur faire un brin de lecture avant le repas. Ma proposition fut accueillie avec enthousiasme. Louis nous rapportait *L'Opinion publique* et chacun y allait de ses suggestions pour décider quel article je devais lire.

Mon nouvel ami admirait son rédacteur, Laurent-Olivier David, qui signait des biographies dans *L'Opinion publique*. Pour lui faire plaisir, je lus au salon celle, très appréciée, de Monseigneur Ignace Bourget. En revanche, la tragédie du docteur Olivier Chénier, patriote mort pendant la bataille de Saint-Eustache, en 1837, fut accueillie froidement par les frères Drouin. Mais personne n'osa déclencher une dispute à son sujet.

J'eus plus de succès avec la nouvelle relatant la visite à Montréal du grand duc de Russie Alexis, venu de Russie à la mi-décembre. La gazette le décrivait comme un «grand blond de six pieds et deux pouces». Son coup de patin avait ravi les Canadiennes qui s'étaient ruées à la patinoire Victoria pour le voir évoluer. «On craignait que la glace, honteuse d'un si grand honneur, ne fonde, écrivait le journaliste. Mais non, elle a tenu bon.» Suivait la description du bal que la Ville avait offert en son honneur au *St. Lawrence Hall*.

Sur la délicate affaire Guibord, qui venait de connaître un rebondissement, mes commentaires épatèrent la galerie. Quelques mois plus tôt, la Cour du Banc de la Reine avait condamné le curé de la paroisse Notre-Dame à inhumer le corps de l'ex-président de l'Institut canadien dans la section catholique du cimetière. Or, la fabrique venait de porter la cause en appel. Je connaissais les tenants et aboutissants du procès – merci, Monsieur Alphonse ! – et cela piqua la curiosité de Madame Royer. Après le repas, tandis que je rangeais ma serviette dans la boîte à cases numérotées sur le buffet, elle s'étonna à haute voix qu'une jeune fille élevée à l'Orphelinat des Enfants trouvés sache si bien lire et puisse s'exprimer avec autant de facilité. Elle me soupçonnait de camoufler mon passé et laissa entendre que j'étais peut-être une roturière en rupture de ban avec sa famille. Ce qui ne lui aurait pas déplu. Et à moi non plus !

Cette bonne femme grassouillette de presque soixante ans, attifée d'un bonnet qui couvrait ses cheveux gras et ternes, n'avait qu'à ouvrir la bouche pour m'indisposer. Quand elle ne lançait pas des piques à son prochain, elle étalait ses misères en larmoyant. Des jérémiades à n'en plus finir, surtout à propos de sa fille ingrate qui se pavanait dans les salons, alors qu'elle, sa pauvre mère, portait des dentelles raccommodées et tenait pension pour gagner sa vie. Une pitié, à son âge! Dans ces moments-là, je la fuyais comme la peste.

Après le repas, prétextant une lettre à écrire, je quittai la pièce sans lui manifester une once de compassion et, bien entendu, sans assouvir sa curiosité concernant mes origines suspectes. Dans l'escalier, Louis semblait m'attendre. Ça sautait aux yeux, il me tournait autour depuis quelque temps. Comme la soirée s'annonçait délicieuse, il me proposa une promenade dans le voisinage. Je courus à ma chambre chercher ma pèlerine. Au salon, Mademoiselle Bérangère massacrait les notes du piano. Je bénis ma chance de ne pas être obligée d'y passer la soirée, car, je n'en doutais pas, elle pousserait bientôt en faussant une ou deux chansons de son répertoire.

Dehors, accoudé au parapet, Louis poursuivait une conversation animée avec Monsieur Caron, qui fumait sa pipe en prenant un peu d'air automnal.

« Tiens, v'là la p'tite demoiselle qui lit si bien les gazettes! Dites-moi pas, Louis, que vous la courtisez?

— Holà! Monsieur Caron, ne partez pas de rumeur », lui répondis-je sans m'arrêter.

⁓

Louis n'avait rien d'un Adonis, mais je le trouvais fort sympathique. Malgré son jeune âge, il avait le front légèrement dégarni et de petits yeux noisette ironiques, derrière ses lunettes en écaille. De taille moyenne, il portait une redingote de bonne qualité sur un gilet usé. On aurait facilement pu le prendre pour un étudiant de la même promotion qu'Antoine.

Depuis son établissement à Montréal, il passait ses temps libres à ratisser la ville à pied. Il s'aventurait avec autant d'aisance au fond des rues obscures du *Red Light*, pour y observer la vie nocturne, qu'à l'église, pendant le carême. Le dimanche, comme je ne travaillais pas, je l'accompagnais. Il prenait grand soin de choisir des destinations dont une jeune fille n'eût pas à rougir. Nous marchions pendant des heures, occupés à refaire le monde et à imaginer ce qu'il nous réservait. Mon travail à l'usine m'épuisait et je m'en plaignais. Aussi, Louis redoublait d'ardeur pour me distraire. Un jour, nous montions la rue Drummond où poussaient de belles résidences des richissimes anglophones ; un autre, nous longions la rue Notre-Dame jusqu'au Champ-de-Mars où défilaient les militaires en grande tenue. À ce moment-là, des Irlandais américains hostiles à l'Angleterre – on les appelait les « *Fenians* » – menaçaient d'envahir le Canada. Plus nombreux qu'à l'accoutumée dans les rues de la ville, les soldats britanniques s'entraînaient dans le dessein de mater ces éventuels envahisseurs. C'était assez impressionnant.

Louis m'emmena aussi au sommet de la tour de l'église Notre-Dame. Jamais je n'étais montée si haut ! Je pus voir tous les bâtiments qui s'alignaient le long des berges, le port grouillant de voiliers sur le point d'hiverner et le marché Bonsecours fourmillant de personnages minuscules. Ça me rappela les Lilliputiens du pays imaginaire de Gulliver, dont j'avais fait la connaissance dans le beau roman de Jonathan Swift que j'avais lu à mamie Odile.

Comme ces séances de lecture me manquaient ! J'avais l'impression de redevenir inculte. Ignorante comme une carpe ! Mademoiselle Bérangère me prêtait parfois ses livres, mais quand on avait eu, comme moi, la chance de lire les chefs-d'œuvre de Victor Hugo et de George Sand, on s'ennuyait mortellement en parcourant *Vie des vierges* ou *Geneviève dans les bois*. Je préférais relire *Béatrix*, le seul roman qui me restait de ma vie antérieure, même si les pages étaient écornées. Je reprenais à haute voix les passages les plus romantiques. Louis faisait semblant d'y prendre plaisir. Au fond de moi-même, je devinais que les amours déçues de Félicité de Touches ne l'émouvaient guère. Il n'osait pas s'en plaindre, puisque cela me rendait joyeuse. Lui, il préférait la politique à la littérature. Il adorait son travail de typographe, mais espérait secrètement avoir bientôt la chance de devenir journaliste.

Quelquefois, *L'Opinion publique* l'envoyait couvrir les funérailles des grands Montréalais. Une de ses affectations s'avéra une expérience assez cocasse. J'en lus le compte-rendu à table, pour le plus grand plaisir des locataires. La morte, Madame Charles McKiernan, était peut-être une illustre inconnue, mais son mari, Joe Beef, le plus connu des cabaretiers de Montréal, n'avait pas lésiné sur la dépense. Cet homme, réputé pour son excentricité, gardait des animaux sauvages encagés dans la cave de son établissement sis au coin des rues de la Commune et Callières. Lorsqu'un client se montrait trop bruyant, il soulevait la trappe pratiquée dans le plancher et le forçait à descendre les trois marches qui le séparaient d'un ours et d'un renard enchaînés, de deux singes plus ou moins domestiqués, d'un porc-épic recroquevillé derrière ses barreaux de fer et même, je vous le donne en mille, d'un alligator ramené de Floride par un client marin.

Éploré par la mort de sa douce moitié, le gargotier avait décidé que sa ménagerie accompagnerait la défunte à son dernier repos. Enfermées dans des cages hissées sur des charrettes grillagées, les bêtes avaient rugi et bondi pendant le trajet jusqu'au cimetière Notre-Dame-des-Neiges. Ce vacarme contrastait avec le recueillement de mise en pareilles circonstances. Les badauds se pressaient au passage du cortège pour apercevoir ce cirque qu'escortaient les clients de la taverne, des matelots et des débardeurs pour la plupart, mais aussi des ouvriers du canal Lachine et des indigents à qui le tavernier ne refusait jamais le gîte et le couvert.

En interrogeant ceux-ci pour son article, Louis avait appris que, pour faire impression sur un nouveau client, Joe Beef l'invitait à l'arrière de son auberge. Après avoir offert un siège à son visiteur, ce bonhomme pour le moins original tirait le rideau derrière lequel surgissait un squelette assez effrayant. Naturellement, l'anecdote ne figura pas dans le compte-rendu de Louis publié dans *L'Opinion publique*, mais elle dérida les convives à la pension.

16

Avis de recherche

Nous flânions, Louis et moi, place d'Youville, par une journée sans nuage de l'hiver de 1872. Honorine était maintenant sortie de ma vie et je me sentais nostalgique. Pour la première fois, je ne l'avais embrassée ni à Noël ni au jour de l'An.

Un silence inhabituel régnait autour de l'Hôpital Général. En voyant de grands espaces vides là où, jadis, les charrettes s'alignaient devant l'établissement, je compris que les Sœurs Grises avaient finalement déménagé. La Ville projetait depuis belle lurette de prolonger la rue Saint-Pierre jusqu'au fleuve et leur vaste propriété devait s'en trouver coupée en deux. Ces travaux d'envergure allaient aussi occasionner la démolition de la chapelle. Au lieu de s'imposer un réaménagement compliqué, les religieuses avaient décidé de se reloger dans l'ouest de la ville, au coin des rues Dorchester et Guy, un secteur en développement. De toute manière, les inondations printanières des dernières années, aux alentours du port, avaient provoqué des dégâts ruineux à leurs bâtisses. La perspective d'habiter un édifice neuf avait fini de les convaincre de plier bagage.

Cela me faisait tout drôle de penser que les enfants avaient déserté l'orphelinat. À ce qu'il me sembla, plusieurs bâtiments servaient désormais d'entrepôt de marchandises. J'y avais passé mon enfance et j'en conservais des souvenirs indélébiles. La fenêtre à carreaux du dortoir, la balançoire au fond de la cour, l'allée où il fallait prendre nos rangs...

Perdue dans mes pensées, je fis faux bond à Louis, qui s'inquiéta de mon silence prolongé. Il n'avait pas la moindre idée de ce qui motivait mon absence et je ne songeais pas à dérouler pour lui le fil de ma vie, dont il ignorait tout. Mais il me questionna avec insistance et je finis par passer aux aveux : j'étais née dans des circonstances troublantes, en juillet 1852, au moment du terrible incendie qui avait jeté à la rue tant de pauvres gens.

J'en étais là de mes confidences, lorsque nous arrivâmes devant la vieille porte de la crèche. Elle était condamnée. Deux planches de bois clouées à l'horizontale, pour me rappeler que les orphelins avaient été relogés dans des salles d'asile ouvertes aux quatre coins de la ville.

« J'ai fait mes premiers pas dans cet édifice, lui dis-je. Vous voyez les fenêtres sous les combles ? Notre dortoir couvrait tout l'étage. »

Il me prit par surprise en me demandant si Honorine y avait dormi aussi. Je hochai la tête en signe d'acquiescement, avant de lui décrire les lieux.

Il y avait une cinquantaine de lits alignés dans ce grenier mal aéré. Des couchettes de bébé et des lits à barreaux de fer, répartis entre les orphelins de tous âges. À chaque bout, une cellule fermée par un simple rideau et occupée par une surveillante. Des images floues se bousculaient dans ma tête. Peu à peu, une scène se détacha des autres. Debout dans son lit, une petite bonne femme gaie comme un pinson gesticulait pour attirer l'attention de ses compagnes. Elle ne voulait pas dormir, elle avait envie de s'amuser encore un peu. La sœur la gronda. Sa voix bourrue résonna dans la salle. Silence ! ordonna-t-elle en menaçant la fillette d'une bonne tape sur les fesses. « Et ça va chauffer ! » La petite se recoucha, penaude. La gorge serrée, elle ravala ses larmes en reniflant. Un gros chagrin l'oppressa. Elle se mordit la lèvre inférieure pour ne pas hurler : « Maman, ma petite maman, viens me chercher. »

Louis m'observait à la dérobée. Je lui souris tristement :

« Cette fillette, c'était moi. J'aurais tant voulu que quelqu'un me serre dans ses bras avant de m'endormir. Je quêtais la tendresse des uns et des autres, mais je ne récoltais que des ordres. Fais ceci, ne fais pas cela. La discipline et les réprimandes régentaient ma vie. Je peux comprendre aujourd'hui que les sœurs manquaient de temps pour distribuer des câlins, mais, quand j'étais petite, je pensais tout bonnement qu'elles ne m'aimaient pas. Alors je m'endormais en pleurant. J'étais aussi seule qu'un enfant peut l'être. Il est difficile d'imaginer qu'un petit être de quatre ou cinq ans puisse patauger dans la détresse comme un grand, et pourtant, c'est hélas! le cas. »

Alors, Louis m'interrogea longuement. Comme la plupart des personnes qui ont grandi dans une vraie famille, il ignorait tout du quotidien monotone d'un orphelinat. Je commençai par le début. Certains nourrissons étaient déposés dans une corbeille abandonnée devant la porte de l'institution, tel un colis sans importance. D'autres arrivaient de la Maternité de Sainte-Pélagie dans les bras d'une bonne sœur.

« J'étais de ceux-là, lui dis-je. À l'admission, on commençait par nous débarbouiller. Après deux ou trois jours, on nous mettait en nourrice, la plupart du temps à la campagne. Dès que nous étions sevrés, nous regagnions l'orphelinat. Les sœurs envoyaient les garçons à l'école du faubourg et faisaient la classe sur place aux filles. Les surveillantes nous apprenaient le catéchisme, la lecture, le calcul. La gymnastique aussi. Et puis, nous chantions des cantiques, en plus de réciter des fables. Une vie en apparence normale. Sauf que notre famille, c'était la centaine de garçons et de filles qui vivaient dans deux salles séparées, sous la garde de trois ou quatre religieuses tout au plus. À la première occasion, celles-ci plaçaient les garçons comme apprentis chez les cultivateurs. Quant aux filles, elles restaient à l'orphelinat jusqu'à ce qu'elles atteignent l'âge d'aller en service domestique.

— Vous n'aviez donc aucune chance d'être adoptés? demanda Louis.

— J'ai failli l'être, à ce qu'on m'a raconté. Ma nourrice, une mère de trois garçons, voulait me garder. Elle a même signé les papiers d'adoption. J'ai vécu chez elle un an tout au plus. Elle est morte en mettant au monde son quatrième fils. Alors, on m'a renvoyée d'où je venais.

— Et Honorine ?

— Son histoire est plus triste encore. Honorine était ce qu'on appelle une enfant « réservée ». Comme sa mère n'avait pas signé la lettre d'abandon, les sœurs ne pouvaient pas la proposer en adoption. Nous étions inséparables, elle et moi. Les religieuses nous appelaient les sœurs siamoises. Pourtant, j'étais grande et Honorine minuscule, j'avais les cheveux blonds et les siens étaient brun foncé. »

J'entrepris de lui raconter ce qui se passait, à l'orphelinat, les jours de visite, alors que les couples venaient se choisir un enfant. Honorine et moi ne trouvions rien de mieux à faire que d'épier les orphelins à adopter et leurs futurs parents. La salle était bien gardée et l'entrée nous en était interdite. Je soulevais Honorine afin qu'elle puisse atteindre l'unique fenêtre. Juchée sur mes épaules, elle me décrivait ce qu'elle voyait. Tout endimanchés, nos amis défilaient, leurs petits bras tendus vers ces étrangers venus choisir celui qui correspondait à leur goût. Certains restaient sur le carreau semaine après semaine. Pour des raisons stupides : les parents voulaient une fille aux cheveux blonds et les leurs étaient bruns ou noirs ; l'un bégayait, l'autre était trop délicat pour les travaux de ferme. Alors, les laissés-pour-compte quittaient le parloir la mine basse, en grand désarroi.

« Vous ne pouvez pas savoir comme c'est terrible pour un enfant de se sentir rejeté. Il ne comprend pas pourquoi ses amis partent main dans la main avec leurs nouveaux parents, alors que lui n'a pas trouvé preneur.

— Je comprends pourquoi Honorine était exclue de la parade. Mais vous ?

— Moi, je refusais avec entêtement d'être adoptée. Si jamais ma maman revenait me chercher, je voulais qu'elle me trouve là où elle m'avait laissée. Même si certains jours, j'étais franchement malheureuse, je tenais bon, animée par l'espoir de la retrouver.

— Les sœurs n'avaient-elles pas leur mot à dire?

— Tout à fait. Mais voyant que j'étais douée pour l'écriture et que j'apprenais vite, elles espéraient me convaincre de me faire religieuse à seize ans. »

À présent, ce qui préoccupait Louis, c'était de savoir à quoi pensait la petite Rose et ce qui trottait dans la tête d'Honorine, à huit, dix ou douze ans.

« Nous cultivions nos chagrins secrets », m'empressai-je de lui répondre, en esquissant une mimique d'enfant mélancolique.

« C'est simple, notre vie a commencé par un abandon. Moi, cela m'a frappée de plein fouet le jour où j'ai pris conscience que les autres enfants avaient un papa et une maman. Pourquoi pas moi? Il n'est pas facile pour une petite fille d'admettre que sa mère ne veut pas d'elle. À cet âge, on ne fait pas la distinction entre " ma maman n'a pas pu me garder" et "ma maman n'a pas voulu me garder". J'en crevais de honte. Tout se passait comme si je ne méritais pas d'être aimée. Les événements quotidiens se chargeaient de rouvrir constamment la blessure.

« Pas de mère ni de père, cela signifiait aussi pas d'étrennes au jour de l'An, personne pour bécoter bobo ou pour essuyer les grosses larmes, lorsque je m'écorchais un genou ou que quelqu'un me faisait de la peine.

« Je pense qu'on ne s'habitue jamais à n'être l'enfant de personne. Surtout, il ne faut pas pleurer. Alors, on ravale sa peine. »

Louis me demanda comment c'était de vivre encadré par des bonnes sœurs. Je le surpris en lui avouant que je considérais certaines d'entre elles – pas toutes, bien entendu – comme les seules mères que j'avais eues.

Pour finir, je lui énumérai les contrariétés qui se présentaient au quotidien. À commencer par l'absence d'intimité. Jamais seule, on a l'impression d'étaler son âme à tout vent. L'orphelin n'a pas non plus de guide pour faire son apprentissage. Il y a tellement d'enfants autour de lui qu'il apprend d'instinct à se débrouiller sans aide. Par exemple à attacher ses lacets ou à démêler la droite de la gauche. Gare à celui qui se trompe ! S'il a le malheur de faire son signe de la croix de la main gauche, il reçoit un coup de baguette sur les doigts d'une surveillante qui se prend pour un petit caporal.

« Il y a deux façons de survivre à l'abandon : tuer l'espoir en vous ou encore vous fixer un but qui vous occupera nuit et jour. C'est la solution que j'ai choisie. »

De fil en aiguille, j'en vins à lui révéler le côté sombre de mes origines, qui me ramenait inexorablement aux empoisonneuses, et je lui confessai que j'étais déterminée à découvrir d'où je venais et ce qui était advenu de ma mère. J'avais négligé mes recherches depuis mon embauche à la manufacture, mais je comptais les reprendre incessamment. C'était, plaidai-je, une question de survie pour moi. Comme une force irrésistible qui m'animait et me motivait. Une force qui me permettait de continuer à vivre.

Contrairement à Antoine, Louis m'approuva. Il trouvait parfaitement légitime mon besoin irrépressible de savoir. Je profitai de ce courant de sympathie pour lui confier mes déboires à répétition : je n'étais ni la fille de Noémi, ni celle d'Elvire. Mary Steamboat était probablement morte. Il me restait Mathilde X, mais elle demeurait introuvable. Louis eut alors une idée géniale. Il me proposa de placer une annonce dans son journal pour demander des renseignements sur la fameuse Mathilde X que je recherchais en vain depuis des mois. À notre retour à la pension, nous potassâmes le libellé de l'annonce. Elle se lisait comme suit :

AVIS DE RECHERCHE

Ayant obtenu son congé de la Maternité de Sainte-Pélagie, à Montréal, au matin de l'incendie de juillet 1852,

Mathilde X n'a pas été revue depuis. Elle y avait accouché, deux jours avant la catastrophe. Prière de communiquer tout renseignement à Rose T., une parente intéressée à la retrouver.

Louis me suggéra d'offrir une récompense. « Mais je suis pauvre comme Job », lui objectai-je. Pouvais-je promettre des espèces sonnantes que je ne possédais pas ? Mon ami fit taire mes scrupules : la promesse d'une prime pouvait accélérer les choses et, le moment venu, je trouverais sûrement le moyen de remplir mon engagement. Alors, il inscrivit au bas de l'avis : « Une généreuse bourse sera remise pour toute information permettant de retrouver cette personne. »

Il ne me restait plus qu'à attendre de voir si cette Mathilde donnerait signe de vie. Je me croisais les doigts.

~

Janvier 1872 arriva bientôt, avec ses froids de canard. Aux côtés de Louis, j'ai fait mes premiers pas en patins à la *Montreal skating ring* de la rue Saint-Urbain. J'y suis allée à reculons, car la peur des maladresses me paralysait. Il m'était difficile de refuser. Mademoiselle Bérangère m'avait prêté ses bottines fourrées, auxquelles j'avais fixé les semelles de bois garnies d'une lame de fer que Louis avait empruntées au cordonnier.

Un petit vent du nord soufflait la neige fraîchement tombée. Il faisait terriblement froid et je m'étais couverte de tous les vêtements chauds que je possédais. Emmitouflée de la tête aux pieds, une ceinture fléchée nouée à la taille, j'avais l'air d'un bonhomme de neige. Bérangère ne voulut pas me laisser partir sans son manchon de fourrure pour que j'évite de me geler les doigts.

C'est donc ainsi accoutrée que je me suis pointée à la patinoire. Louis s'est fait rassurant : autant de coussins me protégeraient des ecchymoses, si par malheur je chutais. Il riait de moi si fort que j'ai menacé de foutre le camp avant même d'avoir mis le premier pied sur la glace. Une fois chaussée, j'ai observé un instant les patineurs expérimentés qui déambulaient élégamment sur la piste. Cela semblait étonnamment simple. Contre toute logique, j'ai tiré de cette vision un certain courage. Je me voyais déjà glissant sur la surface polie d'un pas assuré et, pourquoi pas, gracieux.

Aussitôt dit, aussitôt fait. Sans même prendre le bras de mon cavalier empêtré dans ses lacets, je m'élançai hardiment en solo et vlan ! je m'étendis de tout mon long sur la glace en lâchant un petit cri aigu. Je n'eus même pas le réflexe de chercher à amortir le choc. J'atterris sur mon postérieur bien rembourré, sous l'œil moqueur des patineurs qui se dilataient la rate à mes dépens. Jamais je ne m'étais autant couverte de ridicule. Engoncée dans mon accoutrement bariolé, je n'arrivais pas à me relever, malgré mes efforts. J'y parvenais à moitié et hop, je retombais. Heureusement, l'hilarité des autres fut contagieuse et je m'esclaffai à mon tour jusqu'à en faire pipi dans ma culotte. Finalement, deux bons samaritains eurent pitié de moi. Ils me soulevèrent et, me prenant chacun un bras, me déposèrent dans le banc de neige à côté de Louis, qui avait suivi la scène en finissant d'attacher ses bottines.

« Chère Rose, toujours aussi impétueuse ! me lança-t-il en gloussant. Vous auriez pu m'attendre. »

Trop orgueilleuse pour admettre mon manque d'adresse, je blâmai les bottines de Bérangère, tellement grandes que mes pieds flottaient dedans. Louis croyait plutôt que je m'étais montrée présomptueuse. Il me proposa son aide pour une deuxième tentative.

« Allez ! un peu d'humilité, mademoiselle la fanfaronne. »

Cette fois, il me soutint la taille et, tout doucement, m'entraîna dans un coin peu fréquenté de la patinoire. Nous fîmes un petit pas, puis un second, plus long. Toujours accrochée à son bras, je gagnai de l'assurance. À la fin, je patinais assez décemment pour y prendre plaisir. J'espérais refaire l'exercice le dimanche suivant, mais Louis avait en tête d'autres expériences à me faire partager.

~

Ce que je vais raconter maintenant, les bonnes sœurs ne l'ont jamais su. Sûrement, elles m'auraient crucifiée. Imaginez! au beau milieu du carême, je suis allée glisser en toboggan. Le parc du Mont-Royal n'était pas encore inauguré, mais les Montréalais le prenaient déjà d'assaut, même si les descentes auraient gagné à être mieux balisées.

C'était très mal d'aller glisser, et je n'essaierai pas de faire croire à quiconque que je l'ignorais. Sa Grandeur nous sermonnait assez à propos de cette folie nouvelle! Les glissades, déplorait-il, favorisaient la promiscuité entre les jeunes gens et les personnes du sexe faible. La jeunesse devait se tenir loin de ce divertissement emprunté aux sauvages. Surtout nous, les jeunes filles, car nous risquions de contracter des habitudes de dissipation et peut-être même de dépasser les bornes de la modestie.

Qu'est-ce qui m'a pris de défier l'interdit? Allez savoir! Cela me gêne de l'admettre, mais jamais je ne me suis autant amusée. Louis avait emprunté la traîne sauvage d'un de ses collègues typographes. Sans mentir, nous avons descendu la pente une bonne douzaine de fois. Naturellement, le plus dur, c'était d'enjamber la neige molle pour remonter la côte jusqu'au point de départ. À voir le monde qui s'agglutinait sur le mont Royal, je ne crains pas d'affirmer que je n'allais pas être la seule à devoir me confesser pour avoir désobéi à l'évêque.

Au moment d'amorcer la dernière descente, « une pour la chance », Louis m'annonça à brûle-pourpoint qu'il avait un grave secret à me confier sur le chemin du retour. Ça m'embêtait drôlement. Mon ami allait-il gâcher notre belle amitié en me déclarant son amour? Depuis le départ d'Honorine, il était devenu mon unique confident, mon amuseur, mon frère. Je lui racontais mes bons coups comme mes échecs, à charge pour lui de me remonter le moral. En clair, il était tout pour moi, sauf mon amoureux. Je redoutais de perdre son affection, mais, s'il se déclarait, je ne pouvais pas davantage répondre à son amour. Malgré sa personnalité attachante, il ne m'inspirait pas de sentiment amoureux et j'avais espéré qu'il en était de même pour lui. Au moment d'atterrir au bas de la pente, je prétextai la fatigue pour échapper à ses confidences.

« Ouf! soupirai-je, j'ai les jambes en compote et les oreilles me bourdonnent. Si on remettait cette conversation à demain?

— J'insiste, répondit-il en me regardant dans les yeux. Ça ne peut plus attendre, j'en perds le sommeil. Je me retiens depuis trop longtemps. Rose, accordez-moi, je vous en supplie, quelques minutes. Ensuite, je ne vous en reparlerai plus, si vous me le demandez. »

Rien n'aurait pu ébranler sa détermination. Nous redescendions à pied vers la pension. La rue était enneigée. Chacun de son côté du toboggan, nous tenions la corde. À chaque pas, il glissait sur la neige en nous frappant les chevilles.

« Allez-y, je vous écoute, fis-je résignée, en me croisant les doigts pour qu'il me parle de n'importe quoi sauf d'amour.

— Je suis amoureux. »

J'ai pensé : ça y est, je suis perdue. Dire que nous étions si bien ensemble! Il poursuivait déjà sur sa lancée, sans tenir compte de mon air résigné :

« Je voulais me déclarer, j'avais préparé mon boniment, mais elle est partie avant que j'aie pu le lui réciter. »

Avait-il réellement dit « elle »? Mais alors, il ne s'agissait pas de moi. Je lui demandai de préciser sa pensée :

« De qui parlez-vous? »

Louis devint tout rouge : « Je n'ose pas vous dire son nom. Vous allez vous moquer de moi.

— Bérangère ? Vous aimez Bérangère ? Mais elle est bien trop vieille pour vous.

— Non, voyons, je ne vous parle pas de Bérangère.

— Allons, allons, Louis, ne me faites pas languir. Nous sommes les meilleurs amis du monde, vous pouvez tout me dire.

— Vous ne devinez pas ? C'est Honorine.

— Honorine ? Ma petite sœur siamoise ?

— Oui, j'aime Honorine, depuis le premier jour où nos yeux se sont croisés.

— Mais elle a eu un enfant, vous le savez. Elle l'a emmené avec elle à Saint-Jean, où elle vit.

— Je sais, je sais... Le petit Édouard n'est pas un problème. Je l'adopterais volontiers. L'ennui, c'est qu'il est trop tard, maintenant. Honorine est partie et je suis inconsolable.

— Pourquoi m'avez-vous caché cela, Louis ? Surtout, pourquoi ne pas le lui avoir dit à elle ? C'est incroyable ! »

Je secouai la tête, incrédule. Soit ! j'étais soulagée de ne pas être l'élue de son cœur. N'empêche, la nouvelle me renversait. Louis se mourait d'amour pour Honorine. Elle ne s'était aperçue de rien et moi non plus. Quelle tête de linotte je suis parfois ! Louis ne me semblait pas plus brillant. Une simple déclaration aurait pu changer le cours de sa vie et, qui sait, redonner le sourire à Honorine.

« Vous n'aviez rien à perdre, vous auriez dû vous déclarer.

— Je n'ai jamais osé. À la pension, elle nous parlait souvent de son fiancé, surtout au début. Ensuite, elle semblait mélancolique. Il m'est arrivé de lui envoyer des signaux, mais elle ne les captait pas. Je n'existais pas pour elle. J'ai su trop tard qu'elle vivait un drame personnel. Et moi, pauvre imbécile ! j'étais là, tout près, incroyablement impuissant. J'aurais voulu la consoler, lui dire que j'étais prêt à l'épouser, à élever l'enfant qu'elle attendait comme mon propre fils.

— Si seulement j'avais su ! J'aurais pu être votre messagère.

— Cela m'a rempli de bonheur d'apprendre qu'elle avait eu un petit garçon. J'ai pensé à lui écrire ou même à aller la voir. Mais elle a décroché cette place, à Saint-Jean, et elle est partie sans que j'aie pu lui dire au revoir.

— Maintenant, que comptez-vous faire ?

— Maintenant ? Eh bien, je l'aime toujours. Malgré la distance, malgré le temps qui passe, je pense à elle du lever au coucher. » Il hésita avant de poursuivre : « Je me demandais si vous, son amie, vous ne pourriez pas m'aider. Toute la question est de savoir si Honorine a quelque sentiment pour moi. Ou pourrait en avoir. »

Nous étions debout, l'un en face de l'autre. La neige tombait à gros flocons, mais nous n'en avions cure. D'un coup, ma fatigue avait disparu. Je n'avais qu'une idée : faire en sorte que Louis et Honorine se retrouvent. Ce serait le plus beau jour de ma vie, si mes deux meilleurs amis fondaient un foyer ensemble.

« Et si nous allions à Saint-Jean, dimanche prochain ? »

Pour moi, l'affaire paraissait simple comme bonjour. J'écrirais à Honorine pour lui annoncer ma visite à Saint-Jean. Une jeune fille distinguée ne pouvant pas voyager seule, et comme Monsieur Alphonse avait d'autres engagements, je me ferais accompagner d'un jeune homme de la pension. Pour qu'il n'y ait aucun malentendu, je préciserais que nous étions de bons amis, lui et moi, rien de plus. Je lui mentionnerais que cet ami, Louis-Joseph Lalonde, l'estimait beaucoup. Il se disait ravi de la revoir. Une fois rendue chez Honorine, j'emmènerais bébé Édouard en promenade et Louis en profiterait pour faire sa déclaration. Mon plan me semblait assez ingénieux, voire infaillible.

Voilà où nous en étions à la fin de l'hiver. Louis espérait des nouvelles d'Honorine et moi, j'attendais un signe de vie de Mathilde X.

17

Fragile Mathilde

Ensuite, tout s'est passé très vite et, ma foi, pour le mieux. Honorine a accueilli avec des larmes de joie, et peut-être aussi de la reconnaissance, la proposition de Louis. Deux ou trois visites du dimanche ont suffi pour éveiller ses sentiments et sceller leur avenir. Mon meilleur ami a déménagé ses pénates à Saint-Jean, après s'être fait embaucher comme typographe au *Franco-Canadien*, le journal libéral de Saint-Jean, qui défendait la langue et la religion. Une feuille qui convenait parfaitement à ses idées patriotiques. Par chance, le patron venait de perdre son homme de confiance et l'arrivée d'un jeune blanc-bec ayant fait ses classes à Montréal l'arrangeait énormément. Aux dernières nouvelles, mes deux amis filaient le parfait amour.

De mon côté, j'avais du pain sur la planche dans le dossier « Mathilde ». Avant de quitter *L'Opinion publique* pour de bon, Louis avait reçu trois réponses à l'avis de recherche paru dans son journal. Je tremblais en les ouvrant. La première, sans signature, se voulait menaçante : *Ne remuez pas le passé*. Rien là pour m'aider dans mes recherches. La seconde me demandait de l'argent en échange de renseignements. Je devais déposer les billets à la poste restante au nom d'un certain Romuald. Louis m'a déconseillé d'y donner suite. Ce genre d'attrape-nigaud était courant et presque toujours le fait d'un imposteur. Nouvelle déception. Enfin, la troisième, une lettre anonyme, m'a bouleversée :

Montréal, 30 avril 1872

Je tiens à vous informer que Mathilde Mousseau vit au 33 de la Côte-Saint-Antoine. Je ne pense pas me tromper en affirmant qu'il s'agit de la femme que vous recherchez (elle a eu un enfant du péché, il y a presque vingt ans). Ses proches la tiennent recluse depuis son accouchement. Ils la font passer pour folle, mais je vous assure qu'elle a toute sa tête. Je ne sollicite aucune récompense. La discrétion m'oblige à garder l'anonymat. Je vous souhaite bonne chance, peu importe vos motivations. »

Une qui espère vous avoir été utile

L'espoir renaissait, après des mois d'atermoiements. Un fol espoir qui me donnait des ailes. Brûler les étapes pouvait cependant s'avérer aussi dangereux que de me traîner les pieds. Aussi, j'ai commencé par me calmer, avant d'entreprendre quelque démarche que ce soit. Monsieur Alphonse n'a pas approuvé mon projet d'aller frapper à la résidence des Mousseau, des banquiers riches comme Crésus, qui avaient la réputation de faire des affaires presque exclusivement avec les Anglais. Après s'être fait prier, il a consenti néanmoins à m'y conduire, étant bien entendu qu'il m'attendrait dans la voiture. Sous aucune considération, il ne mettrait les pieds dans la maison de ces parvenus. Message reçu.

Un surcroît de travail à l'atelier m'a obligée à reporter cette visite de quelques semaines. Je bouillonnais d'impatience. Un mardi, le troisième du mois de mai, je me suis fait déclarer malade. Le beau temps tenait bon. J'ai enfilé une robe de coton pâle tachetée de petits pois et, pour me vieillir, j'ai noué mes cheveux en bandeaux. Monsieur Alphonse avait sa tête des mauvais jours. Je l'ai constaté dès qu'il a ouvert la portière de son cabriolet. Tout au long du trajet, il m'a fait la morale : j'avais assez perdu de temps avec cette affaire de retrouvailles. Ma belle jeunesse, je la gaspillais à tourner en rond ; si seulement Odile avait été là pour me secouer les puces ! Selon lui, il me restait une seule chose sensée à faire : écrire à la cliente de Madame Odile, cette Charlotte Hatfield, pour lui dire que j'acceptais sa proposition. Je l'ai laissé jacasser sans l'interrompre, bien résolue à faire à ma tête. Devant mon silence, qu'il a interprété comme un début de consentement, il a poursuivi sur sa lancée : « Ah ! revoir Londres… Ce que je donnerais pour avoir votre chance ! »

Pour l'amadouer un peu, je lui ai souri, sans aller jusqu'à lui donner raison. À mon grand soulagement, nous arrivions devant la résidence cossue des Mousseau. Je ne voulais pas me prendre aux cheveux avec lui, ni le laisser sur une mauvaise impression. Il se montrait si généreux de son temps. D'ailleurs, au fond de moi-même, je pensais comme lui. Tant et si bien que j'ai fini par le rassurer à moitié :

« Je vous le promets, monsieur Alphonse, c'est la dernière tentative que je fais. Si j'échoue, vous n'entendrez plus jamais parler de ma mère naturelle. »

Située un peu passé *Papie Track Avenue*, la Villa des Pins surplombait la ville. À notre arrivée devant la haute grille de fer, un ouvrier coupait la pelouse à la faux. Sur la façade de la maison à trois cheminées, une large véranda entourée de fleurs de toutes les couleurs regardait la ville en contrebas. Devant l'écurie légèrement en retrait, un domestique en livrée astiquait une voiture dont la moitié était déjà rutilante. Il déposa son torchon et s'avança vers nous.

« Qu'est-ce que je peux faire pour vous, monsieur ?

— C'est Mademoiselle Rose qui a affaire à votre patron, répondit Monsieur Alphonse en retirant son chapeau. Moi, je suis son humble chauffeur.

— Mademoiselle vient pour la place ? »

Je dis oui sans réfléchir, même si je n'avais jamais entendu parler d'une offre d'emploi. Monsieur Alphonse me jeta un regard réprobateur. J'avais répondu d'une manière qu'il jugeait tout aussi écervelée, lors de notre excursion à Lachine. Depuis, il se méfiait de mes réparties impulsives. Mais je ne fis pas de cas de sa réaction. Je savais très bien où je voulais en venir.

« Monsieur Mousseau ne reçoit que sur rendez-vous, fit le domestique sèchement.

— Essayez tout de même, lui répliquai-je sur le même ton. Je suis venue jusqu'ici pour le rencontrer. Je ne vais pas m'en retourner bredouille.

— Bon, dit-il en soupirant, suivez-moi, je vais voir ce que je peux faire. »

Il m'aida à descendre de la voiture et je marchai derrière lui jusqu'à la maison. Une fois devant la porte, il me céda le passage. Jamais je n'avais vu un hall d'entrée aussi impressionnant, à commencer par les portes intérieures du vestibule dont les vitraux étaient plombés rouge et jaune. Les murs lambrissés de panneaux de chêne foncé s'élevaient jusqu'en haut du large escalier muni d'une rampe stylisée et dont les marches étaient recouvertes d'un tapis à baguettes de cuivre. C'était grandiose. Le valet m'introduisit dans le bureau de « Monsieur », et m'indiqua l'unique chaise droite en acajou, placée devant un pupitre complètement dénudé, sauf pour une feuille imprimée qu'il me présenta :

« M'avez-vous mentionné votre nom, mademoiselle ?

— Rose. Rose Toutcourt, dis-je assez bas et sans bien articuler.

— Je suppose que vous savez lire, mademoiselle Tougas ? »

Comme de fait, il avait compris de travers, mais je me gardai bien de corriger son erreur.

« Naturellement, je sais lire. » Probablement mieux que vous, eus-je envie d'ajouter, car son attitude arrogante m'agaçait. Qui croyait-il être ?

« Eh bien, prenez connaissance des exigences de Monsieur Mousseau. Je le préviendrai de votre présence uniquement si vous y répondez. »

Je lus :

NOUS AVONS BESOIN

D'UNE BONNE SERVANTE canadienne-française capable de se rendre généralement utile auprès d'une femme malade. Elle devra voir aux besoins d'hygiène de celle-ci et s'assurer qu'elle s'alimente convenablement, en plus de lui faire prendre ses médicaments. La personne que nous recherchons saura tenir compagnie à notre malade, la désennuyer en jouant aux cartes avec elle, et en l'accompagnant dans ses promenades, lorsque sa santé le lui permettra. Un salaire de $8 par mois sera donné et les dépenses de voyage seront payées d'avance. Ne devront se présenter que les jeunes femmes munies de bonnes recommandations.

« Vous pouvez faire venir Monsieur Mousseau, dis-je d'un air assuré, je réponds en tous points à ses exigences. »

Il s'inclina et alla prévenir son patron qu'une candidate souhaitait le rencontrer. Auguste Mousseau me fit poireauter un quart d'heure avant de me rejoindre dans son bureau. Je me tourmentais pour ce pauvre Alphonse qui m'attendait sous un ardent soleil. Ce temps d'attente me permit d'examiner la galerie de portraits accrochés au mur, de part et d'autre de la cheminée. Qui était cette dame au visage austère, en robe à chemisette bouffante en tulle, avec de longues manches, qui me regardait droit dans les yeux ? Peut-être bien ma grand-mère ? Et ce vieillard chauve portant la toge, sûr de lui, sa canne à pommeau à la main, était-il mon grand-père ? Arrête de divaguer, me dis-je, car ce n'était pas le moment de construire un roman.

Bien entendu, le maître des lieux ne me présenta pas ses excuses pour le temps d'attente. Je pensai : les hommes de son rang et de sa corpulence se croient tout permis.

Il était en effet fabuleusement gras, avec une brioche à la taille. Le cheveu poivre et sel, la calvitie naissante, je lui aurais donné la jeune cinquantaine. Il portait, malgré la saison, une redingote sombre bien coupée et ses ongles frais taillés me parurent soignés. Contrairement aux personnes éléphantesques que j'avais déjà côtoyées dans ma courte vie, et dont la bonhomie compensait l'absence d'élégance, il présentait des traits durs. Un regard vif sur des paupières bouffies. Sans prendre la peine de me saluer, il demanda en me regardant dans le blanc des yeux :

« Vous avez des références, mademoiselle Tougas ? »

Je ne le détrompai pas au sujet de mon nom. Cela aurait demandé des explications que je n'étais pas prête à livrer.

« Pendant un an, j'ai été la demoiselle de compagnie de Madame Odile Lavigne, décédée récemment, ce qui explique ma présence chez vous. Un de ses proches parents, Monsieur Alphonse Cléroux, marchand de fourrures de la rue Notre-Dame qui m'accompagne aujourd'hui, vous dira que j'ai accompagné cette dame durant son agonie. Jusqu'à son tombeau, devrais-je préciser. Auparavant, j'avais tenu tous mes engagements envers elle, il pourra en témoigner. »

Naturellement, je me crus avisée de ne pas lui mentionner mon emploi chez *Fogarty & Brothers.*

« Qui vous a parlé de la place ? »

Cette fois, je patinai vite :

« Madame Davignon, de la rue Sherbrooke. Elle savait que la mort de la veuve Lavigne m'obligeait à me chercher une nouvelle place et elle m'a fait part de vos besoins. J'ignore de qui elle tenait l'information. Sans doute circule-t-elle dans la bonne société ? »

Je me ménageai une pause avant de conclure : « En fait, il y a un malentendu. Je suis venue chez vous en pensant que vous recherchiez une demoiselle de compagnie et non une servante. »

Je mentais avec une assurance crâne. Jusque-là, cela semblait me servir. Il ignora ma remarque.

« Si j'ai bien compris, vous savez lire ?

— Oui, monsieur. Je lis à haute voix. Il m'est arrivé de lire devant un salon rempli de dames distinguées et elles m'ont grandement appréciée.

— Que leur avez-vous lu ?

— Pour occuper les longs après-midi de ma patronne qui, hélas ! ne pouvait plus se déplacer à cause de ses infirmités, je lui lisais des œuvres de Chateaubriand, de Lamartine et de Georges Boucher de Boucherville. Bientôt, les amies de Madame Lavigne ont commencé à se joindre à nous. J'avais pris l'habitude de fréquenter la librairie Beauchemin, rue Saint-Paul. Monsieur Hamel, le libraire, que vous connaissez peut-être, est un homme de bon conseil. »

Je n'avais pas osé mentionner les romans de George Sand ou de Victor Hugo, de peur qu'il ne les condamne. À présent, je me croisais les doigts pour qu'il ne me questionne pas à propos de Chateaubriand dont, à ma courte honte, je n'avais rien lu. Heureusement, il abordait déjà un autre sujet. L'interrogatoire se prolongea pendant une vingtaine de minutes. Auguste Mousseau ne voulait pas savoir d'où je venais ni où j'habitais, mais plutôt si je savais coudre, broder, jouer aux échecs, etc. Je répondis à chacune de ses questions à sa satisfaction. Cependant, je le sentais réticent.

« Vous me semblez bien jeune », remarqua-t-il sans me quitter des yeux.

— Peut-être, mais la vie m'a fait mûrir. J'ai surmonté bien des épreuves grâce à ma foi. »

Mes croyances ne l'impressionnèrent pas davantage, alors je changeai de tactique :

« Je suis franche et honnête, si c'est ce que vous voulez savoir. Et je sais tenir mon rang. »

Il approuva d'un signe de tête. Cela faisait en effet partie des qualités qu'il attendait d'une domestique.

« Je pensais offrir huit dollars. Mais, comme vous êtes éduquée, je pourrais aller jusqu'à neuf. »

Je rajustai mes bandeaux avant de lui demander :

« Puis-je à mon tour vous poser quelques questions concernant mes fonctions ?

— Allez-y, je vous écoute.

— Qui est la personne dont je devrai m'occuper?

— Ma sœur. Une terrible maladie l'a laissée, comment dirais-je? diminuée. Affaiblie. Fragile. Enfin, elle n'est pas tout à fait normale. Elle va mieux, maintenant, mais elle a gardé des séquelles de son mal.

— Est-elle mariée? A-t-elle des enfants?

— Non, Dieu l'en garde, dit-il avec un cynisme qui m'épouvanta.

— Et... comment s'appelle-t-elle?

— Mathilde Mousseau.» Il tira sur la chaîne de sa montre en or attachée à son gilet et regarda l'heure. «Écoutez, le temps file et je suis attendu à la banque. Je vais vous prendre à l'essai. Quand pouvez-vous commencer? Le plus tôt sera le mieux, car je n'ai personne pour s'occuper de ma sœur. Enfin, sa vieille et fidèle domestique reste actuellement auprès d'elle, mais son âge ne lui permet pas d'assumer pleinement une aussi lourde responsabilité. Mes conditions vous conviennent-elles?

— Oui, monsieur.

— Autant vous prévenir, j'ai dû remercier votre prédécesseur à ce poste parce qu'elle n'avait pas respecté notre entente. Je vais être clair. Vous ne devez sous aucune considération franchir la porte qui sépare la partie de la résidence que j'occupe avec ma famille des appartements de ma sœur. Ni elle ni vous ne vous montrerez chez nous. Vous comprenez? Je ne veux rien vous cacher : mon fils et ma fille ont peur de leur tante. Elle fait des crises épisodiques d'une rare violence qui indisposent les enfants.

— Je vois.

— Quant à ma femme, elle préfère n'avoir aucun contact avec ma sœur. Donc, elle souhaite de ne pas vous croiser sur la propriété. Cela dit, vous vous engagez à me tenir scrupuleusement au courant de tout ce que vous voyez ou entendez. Depuis la mort de nos parents, je suis le tuteur de ma sœur Mathilde et j'ai la responsabilité d'assurer son bien-être. Aussi, mes conditions ne sont pas négociables.

— Je les accepte, monsieur. Je peux m'installer chez vous dès jeudi, si cela vous convient. Le temps de rassembler mes affaires et de prévenir mes proches.

— Laissez votre adresse à mon chauffeur. Il passera vous prendre avec vos bagages jeudi, en matinée.

— Puis-je faire la connaissance de votre sœur ?

— Non. Vous la rencontrerez jeudi. L'arrivée d'une nouvelle personne à son chevet crée toujours un peu de tension chez elle. Si elle vous voit repartir, elle croira vous avoir déplu. »

~

Je payai mon dû à Madame Royer qui, étonnamment, parut fort peinée de me voir quitter sa pension. J'en vins presque à croire qu'au fil des mois elle s'était attachée à ma petite personne. Je me trompais, comme je l'ai vite compris. Mon départ, ajouté à celui de Louis, creusait un trou dans son budget et le moment ne pouvait pas être plus mal choisi, se lamenta-t-elle.

Ce jeudi-là, le cabriolet d'Auguste Mousseau m'attendait de bon matin. Son chauffeur s'empressa de me faire lire une feuille lignée, écrite à la main par son patron, et qui énumérait de nouvelles règles auxquelles j'étais priée de me plier, sous peine de renvoi. En gros, sa note me disait ceci : dès mon lever, à sept heures, je devais faire ma toilette et me présenter au chevet de Mademoiselle Mathilde, que je n'étais autorisée à quitter qu'à l'heure du coucher. La nuit, je dormirais à petite distance de sa chambre, de sorte que je pourrais accourir au premier bruit. Le jour, en aucun cas, je ne devais la laisser seule, quitte à avertir la bonne si je devais m'absenter pour aller me soulager. Tous mes repas seraient servis dans les appartements de Mathilde et j'étais invitée (façon de parler !) à les prendre en sa compagnie. Il était de ma responsabilité de voir à ce qu'elle s'alimente convenablement. Le médecin qui passait l'examiner deux fois par semaine me transmettrait lui-même ses consignes. Si j'envisageais une sortie avec Mademoiselle Mathilde, il me fallait obtenir au préalable l'autorisation de Monsieur Mousseau. D'ailleurs, pour une meilleure coordination des activités quotidiennes, celui-ci avait prévu des rencontres régulières entre lui et moi.

J'enfouis la feuille dans la poche de ma jupe en me promettant de la relire à tête reposée. Je me sentais tellement anxieuse, à la veille de faire la connaissance de Mathilde, que les mots dansaient sur la page. J'avais connu un grand désenchantement auprès d'Elvire et je redoutais un nouvel échec. Je ne pourrais pas le supporter.

Avant d'arriver aux appartements de Mathilde, il fallait traverser une série de pièces. Le domestique tourna la clé dans je ne sais plus combien de serrures qu'il prit soin de verrouiller derrière nous. Pas une fenêtre sans barreaux, pas une porte sans grillage. La malheureuse Mathilde vivait dans un véritable cloître, pour ne pas dire une prison.

Cependant, le décor, tel qu'il m'apparut lorsque s'ouvrit la porte-fenêtre menant chez elle, m'enchanta. Moins somptueux que le reste de la maison, mais feutré et chaleureux. Tout au fond du salon trônait un piano à queue. Devant les bow-windows, deux causeuses se faisaient face. Dans le jardin d'hiver attenant, un tableau sur un chevalet et quelques toiles appuyées contre le mur témoignaient de la présence d'un peintre du dimanche. Ainsi, Mathilde peignait. Des natures mortes et des paysages champêtres. Une palette sombre et des coups de pinceaux violents, révélateurs de son état d'esprit. Cependant, ni ses dessins ni ses croquis ne semblaient émaner d'un esprit dérangé.

Une vieille domestique se leva pour me souhaiter la bienvenue.

« Mademoiselle Mathilde est dans sa chambre, dit-elle en clopinant jusqu'à moi. À cette heure, elle flâne au lit. Venez, je vais vous la présenter.

— Je préfère patienter jusqu'à ce qu'elle soit tout à fait réveillée, objectai-je en reculant d'un pas. Je ne voudrais pas la déranger.

— Non, non, venez, elle vous attend. Vous tombez bien, c'est un de ses bons jours. »

Je suivis la bonne en m'efforçant de contrôler ma nervosité. Le premier regard de Mathilde me donnerait-il à croire qu'elle était ma maman ? Cela m'excitait et me terrifiait tout à la fois. Sa chambre baignait dans une pénombre qui contrastait avec la lumière éclatante de cette journée. Une odeur d'eau de Cologne embaumait la pièce. Le blanc des meubles et des tissus dominait. Frémissante, je m'avançai de quelques pas dans ce sanctuaire. Au creux de l'imposant lit d'acajou, au pied duquel était pliée une courtepointe à fleurs de couleur jaune paille, se dessinait la silhouette frêle de Mathilde. Appuyée sur un amas d'oreillers et de coussins, elle m'examinait, cependant que je m'approchais timidement de sa couche. Je commençais à distinguer ses traits. Elle affichait la moue éteinte des personne résignées. Combien de bonniches avait-elle vues défiler dans son cloître avant moi ?

« Vous êtes la nouvelle recrue de mon frère, fit-elle en se redressant à l'aide de ses maigres coudes. Vous devez être bien mal prise, pour vous être laissé enrôler comme un conscrit dans cette galère. J'imagine qu'il a dû délier ses goussets. »

Ignorant ses sarcasmes, je lui fis ma révérence et, un sourire engageant aux lèvres, je me présentai :

« Bonjour, madame. Je m'appelle Rose et je suis très contente de faire votre connaissance.

— Tiens donc, vous vous appelez Rose ! » répéta-t-elle, comme si mon nom pouvait avoir de l'importance. « Aidez-moi, je vais prendre le frais dans le jardin d'hiver.

— Vous avez raison, la journée est exquise. »

Je lui passai un peignoir et me penchai pour glisser ses pieds menus dans ses mules. Ensuite, elle se suspendit à mon bras, le temps de traverser la pièce. Elle pesait une plume. J'avais l'impression de tenir un petit oiseau blessé. Une fois installée dans le fauteuil en osier recouvert d'un coussin fleuri, elle me demanda de tirer la porte pour lui éviter les courants d'air. La tête appuyée au dossier et les yeux à demi fermés, elle m'ignora pendant un bon moment. J'évitai de la regarder, de peur de l'indisposer. C'eût été impertinent de l'observer.

Alors, je profitai du temps que dura cet intermède pour faire quelques pas dans le jardin, afin d'admirer la nature majestueuse qui s'offrait au regard. À ma gauche, des arbres au feuillage luxuriant grimpaient jusqu'au firmament. Au milieu d'un bassin, l'eau jaillissait d'une fontaine. Ici et là, des plates-bandes de géraniums voisinaient avec des bancs de bois placés de manière à permettre au regard de se poser sur le clocher d'une église dont j'ignorais le nom. Le brouillard matinal achevait de se dissiper et l'on devinait le fleuve Saint-Laurent dans le lointain. À ma gauche, un mur épais de conifères marquait la limite de son royaume qui, je l'apprendrais bientôt, était complètement clôturé. À peine soupçonnait-on qu'un autre monde existait derrière cette barricade de pins. La villa leur devait son nom. De l'autre côté, j'entendais les cris des enfants qui se chamaillaient. Ses neveux, sans doute.

Mathilde ne desserra pas les dents jusqu'à ce que la vieille bonne nous annonce que le déjeuner était servi.

« Ce n'est pas trop tôt ! » marmonna-t-elle en me tendant son bras pour que je l'aide à se lever.

Malgré sa pâleur cireuse et ses joues creuses, je la trouvai très belle. Son épaisse chevelure brune bouclée était coiffée avec art. Se sentant observée, elle murmura comme pour elle-même :

« J'aurais dû me donner un coup de peigne et mettre un peu de fard. J'ai le teint livide.

— Votre coiffure est très élégante, la complimentai-je pour meubler le silence. Je vous envie. Moi, je n'arrive à rien avec ma tignasse rebelle.

— Vous ne savez pas y faire, fit-elle en fixant mes boucles. Je vous montrerai. Vous avez de beaux cheveux, mais vous êtes maladroite.»

J'aimais bien sa façon directe de dire les choses. Elle ne cherchait ni à me blesser ni à m'impressionner. J'eus l'intuition qu'entre nous la glace finirait par se rompre. Je respirais déjà mieux. Une fois à table, moi à une extrémité, elle, à l'autre, c'est une Mathilde tout à fait différente qui se révéla. On aurait pu croire à une dame du monde qui recevait à déjeuner une jeune fille de bonne famille. Elle me traitait avec beaucoup d'égards, comme si j'étais son invitée.

«Vous prendrez bien un peu de cette fricassée sautée au beurre?» dit-elle d'une voix chantante, tout en faisant signe à sa domestique de me servir. Puis, voyant que je ne bougeais pas, elle s'excusa : «Mais où sont mes manières? Commencez, ma chère, je vous en prie.»

Le soleil de midi plombait dans la pièce. Si la chaleur l'indisposait, elle n'en laissa rien paraître. À peine s'épongea-t-elle le front à une ou deux reprises avec le mouchoir retenu à son poignet. Puis, sur le même ton affecté, elle voulut savoir si j'avais fait bonne route.

«Au fait, d'où venez-vous exactement? Je ne crois pas vous avoir jamais croisée à Montréal. Ni au théâtre ni dans les magasins.»

Elle s'adressait à moi comme si nous étions du même monde.

«Je n'ai pourtant jamais vécu ailleurs.

— Dans quel quartier habitent vos parents?»

Je passai à un cheveu de lui avouer que je n'avais ni père ni mère. Que j'étais née à Sainte-Pélagie et que j'avais été élevée à l'Orphelinat des Enfants trouvés. Mais cela me sembla prématuré. Mon impatience risquait de tout compromettre. Mathilde n'était pas Elvire. J'avais en face de moi une femme fragile. Un mot malvenu pouvait l'effaroucher. Je devais prendre le temps de l'apprivoiser, sinon mon château de cartes risquait de s'écrouler.

« Jusqu'à tout récemment, j'habitais rue Notre-Dame, non loin de l'église, chez Madame Odile Lavigne, dont j'étais la demoiselle de compagnie. J'ai perdu cette excellente personne il y a quelques mois à peine. Elle était comme une mère pour moi. » Je défis le bouton du haut de ma robe et tirai la chaîne à mon cou. « Voyez ce pendentif, c'est elle qui me l'a offert en héritage.

— Vous avez là un fort joli bijou, fit-elle admirative. Une améthyste, si je ne m'abuse. Voyez comme elle est sculptée en relief. Cela met en valeur sa couleur violette.

— Une améthyste, dites-vous? Je ne connaissais pas le nom de cette pierre. J'y tiens comme à la prunelle de mes yeux. Même si elle ne valait rien, jamais je ne m'en séparerais.

— Et votre mère? Vous ne portez rien qui vous vienne d'elle?

— Je... je n'ai pas de mère. »

Son regard s'assombrit. Je me dis : elle pense à la fille qu'elle a eue jadis. Son esprit s'absenta quelques instants. Ses yeux fixaient le vide. Je cherchai à la ramener à la réalité.

« Chez Madame Odile, j'avais l'habitude de faire deux heures de lecture à haute voix chaque jour. Est-ce que ça vous plairait que je commande quelques bons romans? Je lis très bien, vous savez. »

Elle revint sur terre, déposa sa fourchette sur le bord de son assiette et avala une gorgée d'eau avant de me répondre de sa voix de femme du monde :

« Qui vous a montré à lire?

— Les religieuses.

— Ah oui? Eh bien, du moment que vous ne m'imposez pas leurs bondieuseries, je veux bien que vous me lisiez des livres. »

Nous conversâmes à bâtons rompus pendant tout le repas, qui s'acheva sans anicroche. Immédiatement après, elle souhaita regagner sa chambre.

« C'est l'heure de ma sieste, s'excusa-t-elle. Je n'aurai pas besoin de vous, je vais m'étendre. Vous voudrez probablement en faire autant », ajouta-t-elle en m'indiquant la chambre qu'on me destinait. « Peut-être préférerez-vous ranger vos affaires ? À vous de voir, dit-elle encore, avant de pénétrer dans sa chambre. »

J'eus un moment d'hésitation qui ne lui échappa pas.

« Je peux vous tenir compagnie, si vous préférez, lui proposai-je timidement.

— Ah ! je vois. On vous a prévenue de ne pas me lâcher d'une semelle. Félicitations, vous avez bien appris la leçon. Mais ne vous inquiétez pas. Il fait trop chaud pour que l'envie de sauter la clôture me prenne. »

Sa réplique me laissa pensive. Il me faudrait redoubler de prudence pour éviter de la froisser, ai-je pensé. Son visage s'était refermé. La pénible réalité de son enfermement, qu'elle avait semblé oublier durant le déjeuner, venait de la rattraper.

Je gagnai ma chambre. Sa vieille domestique m'y attendait avec ma malle.

« Ne vous en faites pas, elle dort toujours à cette heure-ci, me dit-elle en déposant deux draps sur le lit. Moi, c'est Angeline. Si vous avez besoin de quelque chose, vous me le demanderez.

— Vous connaissez Mademoiselle Mathilde depuis longtemps ?

— Et comment ! Elle était au berceau lorsque j'ai pris mon service. Bientôt quarante ans. Déjà !

— Vous ne l'avez jamais quittée ?

— Jamais. Enfin, quelques mois seulement. Le temps qu'elle subisse de mauvaises influences. Dieu merci, il y a très longtemps de cela.

— Que voulez-vous dire ?

— Ça ne vous regarde pas. Vous et moi, nous ferons bon ménage si vous ne mettez pas le nez dans nos affaires.

— Compris.

— Vous verrez, si vous lui plaisez, Mathilde ne vous fera pas la vie dure. Elle nous rudoie, comme ça, de temps à autre, mais ça ne porte pas à conséquence. Quant à moi, vous touchez à un cheveu de sa tête et je vous fais renvoyer. »

Elle referma la porte derrière elle. Je ne savais trop si elle se révélerait une alliée ou si elle me mettrait des bâtons dans les roues. Pour l'instant, je n'allais pas me faire de mauvais sang. Les vieilles, avec ou sans cornette, ça me connaissait. Je saurais bien l'amadouer.

Ma nouvelle chambre m'est apparue encore plus jolie que celle que j'occupais chez Madame Odile. Tapissés d'un papier peint bleu lavande, les murs étaient étonnamment hauts. À côté du lit étroit, une table de chevet sur laquelle était posée une lampe basse à deux anses. Son verre de couleur ambre était décoré de motifs délicats. Mais c'est la coiffeuse enjuponnée qui me ravit le plus. Sur son tablier, Angeline avait posé des peignes, un flacon de parfum et une boîte contenant de la poudre de riz à mon intention. Jamais je n'avais eu d'aussi jolis accessoires à ma disposition. Dans le coffre placé au pied du lit, elle avait plié une pile de serviettes et des draps de rechange. Tout me plaisait dans cette pièce. Ce sera mon refuge, pensai-je en déposant mon journal intime sous le matelas, par mesure de précaution. Sait-on jamais si on a affaire à des fouineurs ?

∿

J'eus à peine le temps de ranger mes affaires dans les tiroirs de la commode que j'entendis des cris.

« Doux Jésus ! Mathilde est en crise, Mathilde est en crise. Il faut prévenir monsieur. »

La vieille Angeline trottinait autour du lit de sa protégée en agitant une clochette. Cent fois, elle avait vu sa Mathilde dans cet état et, pourtant, elle se trouvait toujours aussi démunie. La voilà qui lui épongeait le front comme si elle avait eu de la fièvre.

C'était bien inutile. La pauvre réclamait à cor et à cris ses médicaments, que l'autre refusait de lui donner.

« Le docteur a dit jamais au milieu de la journée, Mathilde. Il faut être sage. »

Pour toute réponse, celle-ci hurla des insanités en se frappant la tête :

« Donne-moi ma potion, vieille folle ! Tu m'entends ? Donne-moi mes gouttes ou je te fous à la porte. »

Figée, j'observais la scène sans trop savoir ce qu'on attendait de moi en pareilles circonstances. Surprenant mon regard affolé, Mathilde m'apostropha, le visage grimaçant, presque hideux :

« Et vous, l'insignifiante, ne restez pas là comme une momie. On ne vous paie pas à rien faire. Apportez-moi mes médicaments. C'est un ordre. »

Je frémis de peur. La vieille Angeline tentait toujours de la calmer.

« Allons, allons, Mathilde, que dira monsieur votre frère, s'il vous trouve dans cet état ? Sûrement, il vous placera au *Montreal Lunatic Asylum.*

— Foutaise ! Une Mousseau chez les idiots et les imbéciles ? Jamais il n'exposera sa famille à la honte. Il a bien trop peur des qu'en-dira-t-on. »

Elle éclata d'un rire hystérique qui s'arrêta net. Angeline lui prodiguait ses encouragements en lui frottant les tempes :

« Allez, ma petite chérie, mettez-y de la bonne volonté. »

Sa colère apaisée, Mathilde fondit en larmes.

« Je vous en supplie, ma bonne Angeline, aidez-moi. Si vous m'aimez, faites ce que je vous demande. Ensuite, je serai sage, je vous le promets. Mon frère n'en saura rien. »

Angeline ne céda pas et la crise reprit subitement de la force. L'oppression devenait plus douloureuse et la vieille servante redoutait que sa « petite chérie » fasse une syncope. Jamais je ne m'étais sentie aussi impuissante. Quel était ce mystérieux mal qui, en quelques minutes, transformait une femme apparemment normale en une hystérique? On aurait dit que ses yeux sortaient de leurs orbites. Ses deux poings serrés posés sur le drap, elle était secouée de spasmes effrayants. Sa respiration sifflait. Quand Auguste Mousseau arriva enfin, une demi-heure après le début de sa crise, il me foudroya du regard :

« Que lui avez-vous fait, malheureuse? me lança-t-il d'un ton péremptoire.

— Je n'ai rien fait. » J'implorai la servante du regard. « Dites-lui, Angeline, que je n'y suis pour rien.

— Elle a raison, monsieur. Mathilde voulait son laudanum et j'ai refusé de le lui donner. »

Monsieur Mousseau, je l'ignorais alors, avait peur que sa sœur s'enlève la vie, une hantise dont il n'arrivait pas à se libérer. Elle avait déjà attenté à ses jours en se tranchant la veine du poignet. Il l'avait trouvée baignant dans son sang. Elle en avait conservé une mince cicatrice que son mouchoir de dentelle camouflait.

Ce suicide raté expliquait la brusquerie de mon patron, brusquerie qui m'affligea néanmoins. Loin de s'en excuser, il blâma mon inexpérience et se reprocha de m'avoir laissée seule avec la malade. Je ne trouvai rien à lui répliquer et j'allais sortir de la pièce quand il me rappela.

« Regardez, elle se calme. Elle va dormir maintenant. Allez vous reposer, Angeline. Rose restera à son chevet. Approchez, mademoiselle, n'ayez pas peur, c'est fini maintenant. »

~

Des scènes semblables, il y en eut à la douzaine pendant mes huit mois à la Villa des Pins. Le système nerveux de Mathilde était irrémédiablement atteint. Même les bons jours, elle pouvait passer d'un calme stupéfiant à des sautes d'humeur irrépressibles.

À la moindre contrariété, elle explosait. Elle se déchaînait surtout lorsque ses médicaments ne faisaient plus effet ou qu'elle réclamait son laudanum. À faibles doses, l'opium agissait comme un soporifique. À plus fortes doses, il la transportait dans un autre monde. Le médecin lui en prescrivait beaucoup trop et depuis fort longtemps, si bien qu'elle en abusait, probablement avec la complicité de son entourage. Une chose était certaine, les premiers temps, Angeline allait jusqu'à doubler en cachette le nombre de gouttes recommandées. L'effet d'accoutumance s'était bientôt fait sentir et les problèmes de comportement de la malade s'étaient accentués.

Une fois la crise passée, elle se recroquevillait dans son lit et regardait dans le vide, un peu irritée tout de même de se sentir jugée. Dans ces moments-là, elle supportait plus facilement la présence d'Angeline que la mienne. Sa vieille bonne aurait vendu son âme pour lui arracher un sourire. Elle lui massait le front, lui frictionnait le dos, peignait ses longs cheveux... Moi, je n'étais pas assez intime pour m'adonner à ce genre de familiarités, mais je me réjouissais de la voir émerger de la tempête.

Au début de mon séjour, elle ne recherchait pas tellement ma compagnie. Le soir, plutôt que de jouer au whist, comme je l'en priais, elle restait assise dans le noir. Combien de jours avait-elle vu mourir ainsi en vingt ans? Contrairement à son frère, je ne la soupçonnais pas de vouloir fuir. Même affaiblie, elle aurait pu, en y mettant l'effort, enjamber la fenêtre, grimper dans le pommier dont les branches se frottaient contre la clôture et se laisser tomber dans le champ voisin. Cependant, elle se serait échappée pour aller où? Non, tout ce qu'elle voulait, c'était dormir. Ne plus se réveiller.

L'air de rien, je questionnai Angeline pour arriver à reconstituer le passé de Mathilde. Ô comme elle se méfiait de moi, la vieille! J'eus recours à plus d'un stratagème pour arriver à mes fins. Ce que j'appris m'étonna. C'est bien pour dire, mais l'argent ne rime pas toujours avec bonheur. On peut nager dans l'opulence et néanmoins mener une vie d'une désolante tristesse.

Naturellement, chaque soir, je notais dans mon cahier les révélations de la servante.

Apparemment, il fallait remonter à la conception de Mathilde pour comprendre le mal qui la dévorait encore des décennies après. Sa mère, une bourgeoise assez frivole, au dire d'Angeline, poursuivait une grossesse sans histoire lorsque l'épidémie de choléra de 1832 s'était déclarée. Au début, elle ne s'en souciait pas outre mesure, convaincue que la peste ne s'attaquait pas aux gens bien, seulement aux indigents et aux ivrognes. Quand son propre frère, un distingué notaire, avait failli y laisser sa peau, la contagion lui avait inspiré de la terreur. Elle approchait alors de la fin de son terme et la survie du fœtus s'en était trouvée menacée, pas tant à cause du choléra que de ses propres angoisses qui altéraient sa santé.

« J'ai pour mon dire que les troubles nerveux de Mathilde ont pris naissance dans le ventre de sa mère », prétendit Angeline.

« Vous pensez ? » fis-je sans grande conviction, tant l'explication me semblait tirée par les cheveux.

Après la naissance de Mathilde, les Mousseau avaient déniché une bonne pension à Terrebonne où ils avaient expédié Angeline et le nourrisson pour l'éloigner de la ville. Ils avaient aussi retenu les services d'une nourrice.

« Je ne vous mens pas, à la campagne, cette enfant-là a poussé comme de la mauvaise herbe. Elle s'en allait sur ses quatre ans quand je l'ai ramenée en ville, vigoureuse comme une paysanne. » Angeline se rapprocha de moi et, d'une voix feutrée, ajouta : « Je ne devrais pas dire ça, mais la petite me connaissait mieux que sa propre mère. »

Alors, je flattai la vieille dans le sens du poil, comme on dit :

« En somme, ses parents vous devaient une fière chandelle.

— Si seulement ils m'avaient laissée là-bas avec la petite ! Je lui aurais épargné bien des tracas. »

Angeline reprit son récit là où elle l'avait arrêté. À cinq ans, Mathilde allait subir de nouvelles secousses, peu propices au développement sain d'un enfant. Montréal était alors le théâtre d'échauffourées, qui inquiétaient gravement les bourgeois. Les dirigeants anglais de la Banque de Montréal et leurs sous-fifres canadiens-français étaient dans la mire des bagarreurs. Un matin, Mathilde avait trouvé son chat égorgé devant la résidence. Des voyous avaient ensuite brisé plusieurs carreaux de la maison en lançant des pierres. N'eût été de l'arrivée des policiers, ils l'auraient sans doute fait flamber avec leurs torches. Une petite fille vive comme Mathilde voyait tout, comprenait tout. Excitable, d'une sensibilité à fleur de peau, elle en avait développé des peurs pouvant mener à des dérèglements.

« Ne vous demandez pas pourquoi ses nerfs sont détraqués. »

J'aurais pu argumenter que les peurs de l'enfance se dissi-paient avec le temps. Qu'une fillette normale s'en libérait et ne devenait pas cinglée pour autant. Mais je ne voulais pas indis-poser Angeline. Peut-être sentit-elle mes réticences, car elle ne voulut pas m'en dire davantage, sinon que, devenue une jolie jeune fille, Mathilde, de plus en plus capricieuse, n'en faisait qu'à sa tête. J'apprendrais bientôt que celle-ci avait alors vécu ses plus belles années.

∼

Comme je le pressentais, les mois passant, des liens se tissèrent entre Mathilde et moi. L'automne, pluvieux et frisquet, favorisa nos moments d'intimité. Confinées à l'intérieur, nous jouions aux cartes pour passer le temps durant les après-midi maussades. Mathilde me battait à plate couture. Cela lui donnait de l'entrain et la rendait volubile. La partie terminée, elle sortait ses albums de daguerréotypes et me racontait avec force détails les folles échappées de sa jeunesse. De son propre aveu, elle n'avait connu le bonheur à aucun autre moment de sa vie. J'étais tout ouïe. Son récit correspondait à celui que Marie-Madeleine m'en avait fait, à ce détail près que j'y prêtais foi, moi. La réputation de fabulatrice de Mathilde me semblait surfaite.

Sur les clichés, elle était ravissante à vingt ans. Une abondante chevelure brune, très bouclée, la taille élancée et un sourire à couper le souffle. Ici, elle portait une robe de taffetas blanc au corsage très bas, carré, avec des manches tombantes ; là, une robe de bal tachetée de flocons de neige et parée d'arabesques de molleton. Des fleurs de printemps enjolivaient sa coiffure. Mathilde se souvenait vaguement d'une couturière de la rue Saint-Amable qui lui avait confectionné une ou deux toilettes inspirées de la mode parisienne. J'aurais parié qu'il s'agissait de ma chère Madame Odile.

Mathilde avait promené son insouciante jeunesse dans les salons huppés de Montréal et d'Ottawa, où son banquier de père brassait des affaires. Elle dansait divinement. Un cliché la montrait en compagnie du gouverneur du Canada qui lui donnait le bras. Elle paraissait beaucoup trop jeune pour lui, mais lord Elgin la préférait aux autres femmes pour danser le cotillon. Le vice-roi réussissait à accaparer l'attention de sa séduisante cavalière le temps d'une contredanse, malgré la raideur de ses jambes, faiblesse sans doute accentuée par un léger embonpoint. Lorsque la musique cessait, Mathilde faisait la révérence devant son distingué partenaire et passait au suivant. Son carnet de bal ne désemplissait pas, ce qui n'allait pas sans provoquer la jalousie des jeunes filles moins courtisées, qui faisaient tapisserie.

« Comme je vous envie ! lui dis-je, moi qui n'ai jamais été au bal.

— Vous savez danser ? » me demanda-t-elle.

J'éclatai de rire :

« Vous n'y pensez pas ? J'ai grandi à l'orphelinat. Des bonnes sœurs dansant la mazurka, c'est inimaginable. J'ai davantage appris à prier à genoux qu'à valser.

— Venez, je vais vous montrer. »

Nous étions à peu près de la même taille. Mon visage près du sien, sa main sur ma hanche, elle me dirigeait habilement. Un pas en arrière, deux en avant. Je faillis m'évanouir, tant je me sentais comblée. Jamais deux corps n'avaient bougé avec autant d'harmonie, me semblait-il. À ce moment précis, je voulus qu'elle soit ma mère. À tout prix. Tant pis si elle se tapait de foudroyantes crises de nerfs qui me bouleversaient. Je l'apprivoiserais, elle reprendrait goût à la vie, je ne la quitterais plus.

~

Le jour de l'Action de grâce, comme nous terminions la lecture des *Fiancés de 1812*, une histoire d'amour émouvante entre une jeune Canadienne et un vaillant colonel, pendant la guerre opposant les États-Unis à l'Angleterre, Mathilde me parla de l'amour de sa vie.

Non, son amoureux n'était pas colonel dans l'armée, comme dans le roman de Joseph Doutre, encore moins général. Il avait fait fortune dans l'import-export, était marié et père d'un fils. Elle avait vingt ans à l'époque et s'était laissé ensorceler par cet amoureux de deux fois son âge.

« Jamais un homme n'a exercé un tel charme sur moi. Un tel magnétisme », ajouta-t-elle, les yeux perdus dans le vague.

La révélation inattendue me laissa pantoise.

Ils s'étaient rencontrés au bal du gouverneur, justement. À l'époque, elle n'en ratait pas un. Sa robe au décolleté profond attirait les regards de convoitise. Elle adorait cette sensation. Un quadrille allait bientôt commencer. Au premier coup d'archet, un de ses fidèles soupirants l'avait entraînée sur la piste. Ni l'un ni l'autre ne connaissaient leurs vis-à-vis, un homme fort séduisant et son escorte, une femme fragile comme une porcelaine. Tout au long de la danse, l'homme avait cherché avec insistance le regard de Mathilde. Il l'avait si bien envoûtée qu'elle se serait permis les pires audaces pour faire sa connaissance.

Lorsque la musique s'était arrêtée, sans se concerter, l'un et l'autre s'étaient débrouillés pour se retrouver en tête-à-tête près d'une large fenêtre qui donnait sur le jardin. Un garçon passait des rafraîchissements. L'homme en avait pris deux, un pour elle et un pour lui. Ils avaient fait quelques pas côte à côte dans l'allée bordée de rosiers. Après les présentations d'usage, ils avaient bavardé. De quoi avaient-ils parlé exactement? Elle l'avait oublié. À un moment, il avait frisé ses moustaches d'un geste familier, comme s'il cherchait la bonne formule, et lui avait demandé sur un ton insolent : « Et si je souhaitais vous revoir? » Sans même y réfléchir, elle avait fait signe que oui. Il avait sorti une carte de la poche de sa redingote et avait griffonné une adresse au dos, en la priant de le retrouver là, le lendemain, sur le coup de trois heures. Il l'avait saluée en s'inclinant et s'en était allé rejoindre sa délicate épouse.

« Nous nous retrouvions à l'auberge del Vecchio, deux après-midi par semaine, ajouta-t-elle. C'était un endroit de passage que fréquentaient les marchands. Je me souviens encore de l'adresse : 404, place Jacques-Cartier. Vous n'avez pas idée des prétextes que j'inventais pour m'éclipser de la maison. »

Ils occupaient toujours la même chambre. Lui, il arrivait le premier. Un quart d'heure après, elle entrait par l'entrepôt adjacent, rue Saint-Paul, et se faufilait discrètement jusqu'à l'établissement. Il lui ouvrait la porte de la chambre, elle retirait l'épingle de son chapeau et laissait tomber ses cheveux sur ses épaules. Il l'aidait à déboutonner sa mante, qu'il posait sur une chaise. Tout ce temps, il la dévorait des yeux et, alors, il ouvrait les bras et elle s'y lovait.

« J'étais éperdument, follement amoureuse. Il avait un sourire irrésistible, une voix chaude, délicieuse. »

Je fronçai les sourcils. N'avait-elle pas cédé trop rapidement? Ne risquait-elle pas d'entacher sa réputation? Elle le reconnut d'emblée : son comportement ne correspondait pas à celui qu'on attend d'une jeune fille vertueuse.

« Je n'ai aucun repentir pour ce qui est arrivé », affirma-t-elle d'un air désabusé, en scrutant mon visage. Nous connaissions l'un et l'autre les conséquences de nos actes.

Elle l'adorait et elle était payée de retour. Il exerçait une incroyable emprise sur elle. S'ils se croisaient dans les salons, il feignait l'indifférence. En réalité, il se montrait férocement jaloux, lui défendait de flirter avec d'autres hommes et l'obligeait à border de dentelle ses décolletés. Elle, la rebelle qui défiait l'autorité, se pliait docilement à tous ses caprices, sans rien exiger, sinon sa constance. Bien qu'il n'ait jamais envisagé de quitter sa femme, elle l'avait secrètement espéré, sans oser le lui suggérer. Elle aurait tout laissé pour le suivre. Elle se serait contentée même d'être sa maîtresse sa vie durant, plutôt que de le perdre.

Hélas ! les événements s'étaient précipités. Coup sur coup, l'épouse de son amant avait découvert le pot aux roses (elle l'avait fait suivre) et Mathilde était tombée enceinte. La réaction de ses parents avait été terrible. Dès le début de sa grossesse, ils l'avaient cachée, de peur que leurs relations découvrent qu'elle s'était compromise avec un homme marié.

« Comment ont-ils su qu'il n'était pas libre ?

— Mon père a chargé Augustin de faire enquête. Mon frère n'a pas eu à chercher longtemps. Avec de l'argent sonnant, il arrive toujours à ses fins. »

Plus tard, sa famille l'avait conduite à Sainte-Pélagie pour lui apprendre comment se débrouillent les filles de rien qui se retrouvent dans le pétrin.

Mathilde ne devait plus jamais revoir son amant. Il lui avait envoyé une lettre de rupture bouleversante de tendresse et de désespoir. Sa femme l'avait sommé de choisir. Il s'y était résigné à contrecœur. Elle devait le comprendre. Il avait un fils, une famille, une carrière. Son devoir d'époux et de père lui avait dicté la conduite à suivre. Mathilde devait l'oublier. Lui pardonner aussi, si elle en était capable, de l'avoir entraînée dans cette aventure sans issue. Elle conserverait toujours la première place dans son cœur.

Je me levai pour rassembler les tisons dispersés et ajouter une bûche dans la cheminée. Je pensais qu'en faisant diversion, elle ne lirait pas le malaise sur mon visage. J'étais chamboulée. L'égoïsme de cet homme – peut-être était-il mon père? – me révoltait. Son amour à elle, certes coupable, mais pur, la consumait. L'homme, lui, faisant fi de son innocence, n'attendait d'elle qu'un banal commerce charnel. Je repris ma place sur la causeuse. Pour me donner une contenance, je lissai une mèche de mes cheveux derrière mon oreille. Mon stratagème ne lui échappa pas.

« Vous me jugez, n'est-ce pas?

— Non, je ne vous juge pas, vous étiez si jeune, si naïve. C'est votre beau ténébreux que je blâme. Demander à une jeune fille dans la fleur de l'âge de renoncer à son avenir pour satisfaire ses caprices à lui me semble une exigence démesurée. Il vous tenait dans une sorte d'esclavage.

— Cet homme m'a tout appris de la passion. On vous fera croire que les gestes de l'amour et le plaisir des sens sont sales et laids. Rien n'est plus faux. L'union de deux corps qui s'aiment en une communion parfaite procure plus de volupté que vous ne sauriez l'imaginer. Croyez-moi, je sais ce dont je parle : une vie sans quelqu'un à aimer et à désirer ne vaut pas la peine d'être vécue. C'est déjà une chance inouïe d'avoir connu ce bonheur, aussi éphémère fût-il. »

Elle fit une pause, posa sur moi un regard attendri et ajouta : « Vous ignorez tout de l'amour, ma chère Rose. Un jour, vous jouirez d'une telle plénitude, je n'en doute pas. Vous m'en reparlerez. »

18

Noël 1872

La veille de Noël, Mathilde se leva tôt, fit sa toilette et s'habilla avant même que je prenne mon service. Je lui trouvai bonne figure. Depuis quelques jours, elle s'obligeait à prendre l'air et mangeait avec plus d'appétit. Son esprit me semblait extrêmement lucide. Je pensai : elle commence à se libérer de l'opium. J'aimais croire que ma présence n'était pas étrangère à ce petit miracle.

«Venez», me dit-elle en m'entraînant dans le jardin d'hiver.

Elle fit à mon bras quelques pas. Je la sentais fébrile. Elle n'écoutait pas ce que je lui disais à propos du menu que sa belle-sœur nous avait concocté pour le réveillon. Bien entendu, nous devions manger seules, mais Madame Mousseau avait prévu une bouteille de vin de Bourgogne pour accompagner la dinde préparée expressément pour Mathilde. Cela ne sembla pas réjouir celle-ci outre mesure. J'aurais pu lui parler du *plum-pudding* qui compléterait notre repas de fête, mais je préférai laisser tomber mon babillage.

Chaque anniversaire la ramenait à sa solitude implacable. Elle se préparait probablement à passer son vingtième Noël seule. Cela devait être terrible de regarder les heures filer, une à une, puis les jours et les saisons, sans une lueur d'espoir au bout du tunnel, sinon la mort. Personne à aimer. Personne à qui confier sa peine. Et l'enfermement, comme un châtiment pour lui rappeler sa honte d'avoir mis au monde un enfant du péché, la déchirure d'en avoir été séparée et, pourquoi pas? le remords de s'être résignée à cette séparation.

« Voilà des années que mon frère me retient de force », dit-elle tout à coup, comme si elle lisait dans mes pensées.

C'était la première fois qu'elle abordait le sujet avec moi. Elle ouvrit la fenêtre. Le froid pénétra. Elle se drapa dans son châle en s'exclamant :

« Comme c'est joli, il neige. J'aimerais tant me promener en carriole dans les rues de Montréal. »

Plusieurs fois, depuis une semaine, elle avait exprimé ce modeste souhait. Et moi qui voulais tant lui faire plaisir, j'avais sollicité la permission de l'emmener en ville une heure ou deux, le temps de voir les commerces décorés de rouge et de vert.

« Alors là, j'ai une bonne nouvelle à vous annoncer, m'écriai-je gaiement. J'ai demandé à monsieur votre frère l'autorisation de faire une promenade. Il approuve cette sortie et met à votre disposition ses chevaux et sa voiture cet après-midi.

— Vous êtes sûre?

— Puisque je vous le dis. »

Je m'attendais à ce qu'elle me saute au cou, mais elle n'en fit rien. Je la sentis à nouveau pensive. L'effet de la surprise, probablement. Je ne m'en souciai pas outre mesure. Nous regagnâmes le salon et elle s'installa au piano. Je ne l'avais encore jamais entendue jouer. Elle ne peignait plus non plus. Pour se dégourdir, elle fit ses gammes de la main gauche, puis recommença de la main droite. Ensuite, elle exécuta une mélodie de mémoire.

« J'ai les doigts rouillés, maugréa-t-elle en voulant refermer le couvercle.

— Continuez, je vous en prie. »

La musique envahit la pièce. Elle interpréta *Ça, bergers, assemblons-nous…*, que je chantonnai avec elle. Puis, elle enchaîna avec *Les anges dans nos campagnes*, qu'elle connaissait aussi par cœur. Elle avait dû jouer délicieusement autrefois. Ses doigts glissaient sur les touches, cependant qu'elle tournait vers moi un regard énigmatique. Que pouvait-elle bien mijoter? Avec elle, je redoutais toujours le pire. D'un mouvement décidé, elle pivota sur le tabouret en me gratifiant d'un sourire aguicheur :

« Vous savez ce que nous allons faire? Nous irons traîner du côté de la rue Notre-Dame. Il y a si longtemps que je n'y ai pas mis les pieds. Ensuite, vous direz au chauffeur que vous avez une course à faire dans la Grande rue Saint-Jacques. Vous lui donnerez l'adresse que j'aurai griffonnée sur un bout de papier. Une fois rendus, vous monterez et je vous attendrai dans la voiture.

— Qui faudra-t-il demander? Que devrai-je faire?

— Rien de bien compliqué. Vous donnerez une enveloppe de ma part à l'homme qui vous répondra et il vous en remettra une à mon intention. » Elle hésita, puis ajouta : « C'est de la poudre de riz qui vient de France. Je me la procure à meilleur prix directement de l'importateur. »

Je n'étais pas née de la dernière pluie. Il ne fallait pas être devin pour comprendre qu'elle voulait faire de moi sa complice. J'étais franchement déçue. Je m'étais fendue en quatre pour la sortir de sa prison et j'étais toute à mon bonheur de me balader avec elle, loin de ces murs. Mais pour Mathilde, seul son opium importait.

« Je ne peux pas faire ça, lui répondis-je froidement. Je manquerais à mon engagement de vous protéger contre vous-même.

— Écoutez-moi bien, Rose. Vous ne pouvez pas me refuser ce service. Vous êtes très intelligente et je vous demande de me comprendre. Comment pensez-vous que j'ai pu survivre jusqu'ici? Sans mon élixir, je me serais déjà ouvert les veines. »

Elle s'arrêta et me fixa longuement de ses yeux inquiets, comme pour vérifier si son plaidoyer m'avait touchée. Malheureusement pour elle, je n'en démordais pas.

« Ça m'ennuie d'avoir recours à vous, insista-t-elle, mais Angeline est trop vieille pour circuler seule en ville. Vous ne voudriez pas qu'elle tombe dans la rue et se blesse? À son âge, un pied foulé ou une hanche fracturée pourrait lui être fatal. »

Je hochai la tête de droite à gauche pour lui signifier mon refus.

« Je vous en prie... Nous sommes amies, toutes les deux.

— Je ne peux pas. Votre frère me congédierait.

— Il n'en saura rien, ma petite Rose. »

Cela me crevait le cœur de la décevoir et, pourtant, je résistai à ses appels. Alors, elle se fâcha :

« Débarrasse le plancher. Je ne veux plus te voir. »

Je fondis en larmes comme une enfant grondée pour une faute qu'elle n'a pas commise. Pendant un bon moment, je sanglotai sans qu'elle ne fasse un geste vers moi. Soudain, je sentis sa main caressante dans mes cheveux. Elle se pencha vers moi et me prit dans ses bras. Et je ne pus m'empêcher de lui céder :

« Je ferai tout ce que vous me demandez. »

⌒

La neige ouatée recouvrait le chemin menant à la ville, c'était féerique. Pas de vent, pas de poudrerie, juste des flocons qui dansaient dans les airs. Mon cœur battait double. Les carrioles se suivaient dans un tintement de grelots continu. Aux abords de la ville, les attelages avançaient plus lentement. Nous pouvions tout à loisir admirer les édifices en brique munis de fenêtres à guillotine, la dernière mode. Rue Notre-Dame, les pelleteux étaient à pied d'œuvre. Ils s'esquintaient à pousser la neige des trottoirs au centre de la chaussée, ce qui compliquait la vie des cochers dont les voitures sur patins encombraient les étroits passages.

« Les marchands de pelles à neige font fortune, cette année », nous dit Aurèle, le cocher de Monsieur Mousseau.

Jamais je n'avais vu la ville aussi joliment décorée. Des piétons déambulaient d'une boutique à l'autre, un sourire béat aux lèvres. Ils se hâtaient, pressés d'acheter des étrennes. Enveloppées dans des peaux de fourrure, nous n'avions pas assez d'yeux pour tout admirer. Mathilde passa son bras sous le mien. Le col de son manteau lui couvrait la moitié du visage, mais je la savais sereine. Moi, je nageais dans le bonheur. Bien sûr, le petit service que j'avais promis de lui rendre assombrissait ma journée, mais j'en avais pris mon parti. Puisqu'il me fallait trahir mon patron pour la rendre heureuse, je le ferais. Mathilde n'avait-elle pas droit à sa ration d'allégresse, elle aussi ? Et moi, allais-je me priver de cet instant béni d'intimité ? Plus je m'attachais à elle, plus je voulais croire qu'elle était ma mère. J'accumulais les indices pour m'en convaincre. À défaut de preuves irréfutables, mon cœur parlait. C'était donc cela, les liens du sang. Avec Elvire, je n'avais jamais ressenti pareil bouleversement d'émotion, ni éprouvé des sentiments comparables à ceux que Mathilde m'inspirait.

Près de la rue Bonsecours, la voiture s'arrêta pour laisser traverser des clients de la *Maison Jacques-Cartier*, le magasin en passe de devenir le plus populaire de Montréal. L'avant-veille, nous avions lu dans la gazette que ses propriétaires, messieurs Dupuis et Labelle, offraient des primes. Je me désolai de n'avoir jamais pu m'attarder devant leurs étalages. Mathilde n'était jamais entrée dans ce nouveau magasin, elle non plus. Ce serait pour la prochaine fois. Le cocher claqua son fouet et la voiture s'ébranla.

« Aurèle, vous voudrez bien prendre la Grande rue Saint-Jacques. Mademoiselle Rose a une course à faire. »

Ah ! non, fis-je intérieurement, quand la voiture s'engagea dans la rue encombrée de voitures. Devant la boutique des importateurs de Steinway, *Mason & Hamlin*, Mathilde s'adressa à nouveau au cocher, cette fois pour lui demander de me laisser descendre. Elle voulait se remettre au piano et avait besoin de nouvelles partitions : les Sonates de Beethoven et les Nocturnes de Chopin. J'échappai un soupir de soulagement en me levant. Je n'avais pas d'argent, mais cela n'avait aucune importance. Il suffisait de faire mettre mon achat sur le compte d'Auguste Mousseau. Ma commission remplie, je repris ma place en silence.

Mon Dieu! faites que Mathilde ait changé d'idée! me répétai-je sans grand espoir, tandis que la voiture démarrait.

«Vous vous arrêterez devant le 138, ordonna-t-elle au cocher. C'est bien là qu'habite votre oncle, n'est-ce pas, Rose? Ne perdez pas de temps, il commence à se faire tard et nous devons songer à rentrer.»

Elle avait pris sa voix de dame du monde. J'étais déçue, fâchée même. Je lui répondis sur un ton défiant :

«Vous ne voulez pas m'accompagner?

— Non, je préfère vous attendre ici. Je ferai la connaissance de votre oncle un autre jour.»

Mon faux oncle logeait au-dessus d'un magasin de variétés. Je montai l'escalier sans deviner le moindrement ce qui m'attendait. Je tirai le cordon de la sonnette. Quelqu'un poussa légèrement le rideau de dentelle pour voir qui s'annonçait. La porte s'ouvrit et Théo, le fils d'Elvire, m'apparut, tel un revenant.

«Ah! ben, ça parle au diable! C'est-y pas ma petite sœur adorée! T'as changé d'idée? Tu veux que je te fasse gagner des sous?»

Saisie par l'apparition, je reculai d'un pas.

«Entre, n'aie pas peur. Je ne mange pas les petites filles, même si elles sont jolies comme toi.

— Ce n'est pas la peine. Je viens vous porter cette enveloppe de la part de la dame en bas.» Je me tournai pour lui montrer Mathilde, qui, bien entendu, regardait ailleurs. «Elle m'a prévenue que vous en aviez une pour elle.

— Te voilà revendeuse de substances hallucinogènes. Comme on se retrouve!

— Je... Je fais simplement les commissions de la dame.

— Ben oui! Qu'est-ce que tu crois, ma belle oie blanche, que Mathilde Mousseau t'envoie chercher sa ration d'eau bénite pour l'année?

— Je ne sais pas de quoi vous parlez.

— Tu veux que je te fasse goûter à mon élixir?»

Je ne répondis pas, pressée de déguerpir.

« La belle Rose avec la mystérieuse Mathilde. Celle-là, c'est la meilleure. Tu as fini par la trouver. Quand je vais raconter ça à Elvire, elle va se bidonner.

— Je vous en prie, ne lui dites rien. Votre mère a juré de se venger de Mathilde si jamais elle découvrait où elle se cache.

— Tu parles ! Ça fait un bail qu'elles ont réglé leurs comptes, ces deux-là. Ta Mathilde n'est pas loin d'avoir payé en argent sonnant pour tout le mal qu'elle nous a causé.

— Il faut que je parte.

— Mais je sens que tu vas revenir. En attendant, souhaite un Joyeux Noël à Mathilde de ma part. Dis-lui de mettre la pédale douce. Cette poudre, c'est de la bonne camelote, mais faut pas en abuser. »

⌇

En rentrant à la Villa des Pins, Mathilde, épuisée, voulut se reposer. J'en profitai pour retourner à mon journal intime. Tant de choses venaient de se produire en ce court laps de temps ! Je crois bien avoir noirci une dizaine de pages pour y voir clair. Plus j'y réfléchissais, plus tout s'embrouillait.

Elvire m'avait bien possédée. Ce n'était pas une grande découverte et il n'y avait pas de quoi s'en étonner. N'empêche, j'aurais voulu savoir pour quelle raison elle m'avait caché ses rapports avec Mathilde. Surtout, pourquoi son fils Théo approvisionnait-il en drogue la femme qui avait laissé sa mère payer seule le prix d'un crime qu'elles avaient apparemment commis à deux ? Naturellement, il n'était pas question d'aller demander des comptes à Elvire. Je me tenais le plus loin possible de cette femme, de peur de me retrouver mêlée à ses magouilles.

Et Mathilde, quel rôle tenait-elle exactement dans ce mélodrame ? J'avais assez tergiversé. Le moment était venu de mettre cartes sur table. La vieille Angeline passait la veillée de Noël dans sa parenté. Elle ne rentrerait qu'après le réveillon. J'allais donc profiter de notre dîner en tête-à-tête pour avouer à Mathilde la véritable raison de ma présence chez elle. C'était risqué, j'en convenais. Mais ses attentions affectueuses à mon égard m'autorisaient à tenter le tout pour le tout.

La salle à manger avait été modestement décorée pour l'occasion. Comparé au magnifique sapin de Noël plein de guirlandes que j'avais aperçu par la porte entrebâillée du salon des Mousseau, notre centre de table composé de cônes de pin peinturlurés faisait piètre figure. Le feu crépitait dans la cheminée. J'avais déposé sur le bras du fauteuil de Mathilde l'écharpe de laine que j'avais crochetée pour elle. J'attendais beaucoup de cette soirée. J'étais confiante, un peu fébrile, tout de même.

Lorsque Mathilde fit son entrée dans la pièce, après sa courte sieste, je la trouvai d'un calme olympien, l'air un peu perdu. C'était clair comme de l'eau de roche, elle avait pris sa poudre d'opium. Elle sourit en découvrant mon écharpe et la jeta sur ses épaules. À son tour, elle me tendit un cadeau frais emballé.

« C'est pour vous. »

Il s'agissait d'un cahier à tranche dorée dont la couverture était brodée de fleurs de toutes les couleurs. On le lui avait rapporté d'Angleterre, alors qu'elle avait mon âge. Elle l'avait gardé pour le jour où elle se déciderait à confier ses émois à la page blanche. Ce jour n'était jamais venu. Connaissant mon penchant pour l'écriture, elle me l'offrait en me souhaitant l'inspiration qui lui avait fait défaut. Elle l'ouvrit pour me montrer la pensée qu'elle avait notée à la première page en des temps meilleurs : *Le seul bien de la vie que nul ne peut ravir est la trace chérie d'un petit souvenir.*

« Je suis très touchée… »

C'est tout ce que je trouvai à dire, tant j'étais émue. Elle ajouta :

« J'aurais voulu vous offrir une jolie cape de velours comme celle que nous avons vue dans le catalogue mais, vous le savez, mon geôlier ne m'autorise pas à courir les magasins.

— Ce cahier m'est plus précieux encore, puisqu'il vous appartient, fis-je. Ça me touche d'autant plus que vous ne vous en êtes jamais séparée.

— Ce sera votre journal pour l'année qui vient. »

Comment savait-elle que mon vieux cahier était rempli ? L'idée m'effleura l'esprit que Mathilde me faisait espionner par sa vieille nourrice. Se pouvait-il qu'elle ait lu des extraits de mon journal ? Mes espoirs et mes chagrins s'y étalaient noir sur blanc. Je chassai cette détestable pensée. L'après-midi, si fertile en émotions, m'avait troublée. À présent, je devais créer un climat propice aux confidences. J'ignorais comment la soirée se déroulerait, mais je me sentais confiante. Mathilde interrompit sans le vouloir cette douce méditation.

« Monsieur le curé viendra bénir la famille de mon frère, juste avant le dîner. Il demandera à me voir. Comme chaque année, je lui interdirai ma porte. Puisque je ne suis pas digne d'entrer dans son église, je ne vois pas pourquoi il serait le bienvenu chez moi. Cependant, si vous désirez le rencontrer, sentez-vous bien à l'aise. La bonne vous conduira à lui.

— Tout bien pesé, je ne le verrai pas non plus. »

Mathilde prévint la domestique venue allumer les bougies sur la table que nous ne souhaitions pas recevoir la visite du curé. Peu après, on frappa. Le corpulent Auguste Mousseau, sa maigrelette épouse et leurs deux enfants se tenaient debout dans l'entrée. Ils venaient offrir leurs vœux de Noël à Mathilde. Celle-ci ne les invita pas à s'asseoir au salon. De toute manière, ils ne souhaitaient pas davantage s'éterniser. La fillette d'une douzaine d'années, une espèce de garçon manqué, s'avança jusqu'à sa tante pour lui présenter un écrin dans lequel scintillait une perle noire sertie de diamants.

« Papa dit que vous allez mieux, ma tante. Vous m'en voyez ravie. »

Son boniment débité sur le ton de la leçon apprise, la petite exécuta gauchement sa révérence et se retira en oubliant d'embrasser Mathilde, qui déposa sur la table le boîtier sans même le regarder. Ensuite, le garçon boutonneux, à peine plus âgé que sa sœur, me remit une enveloppe dans laquelle se trouvaient deux piastres. Je le remerciai maladroitement. Monsieur Mousseau donna le signe du départ, après nous avoir recommandé de ne pas abuser du vin de Bourgogne de grand prix qu'il nous offrait aussi.

Enfin seules, et ma foi assez contentes de l'être, nous nous mîmes à table, bien décidées à faire honneur au repas. Pour l'occasion, je portais ma plus jolie robe, la dernière que Madame Odile avait cousue pour moi. Mathilde aussi était parée de tous ses atours. Elle garda sur ses épaules l'écharpe que je lui avais offerte. En l'absence d'Angeline, qui réveillonnerait avec sa famille pour la première fois en vingt ans, je servis le potage gardé sur un réchaud. En me rassoyant, je découvris dans mon assiette à pain la boîte contenant la perle noire :

« Prenez, elle est à vous, je n'en veux pas.

— Je ne peux pas… c'est trop beau.

— Allez ! Puisque je vous la donne. Elle sera magnifique à votre cou. »

∾

Nous étions encore à table quand la demie de onze heures sonna à la pendule murale. J'avais eu les yeux plus grands que la panse, si bien que le *plum-pudding* ne passait pas. Repue, elle aussi, Mathilde chipotait. À mi-chemin entre le potage julienne et la dinde aux marrons, elle m'avait envoyée derrière les « lignes ennemies » pour chercher une seconde bouteille de vin, car nous avions fait honneur au Bourgogne. Le tintement de grelots de la voiture nous avait confirmé que les Mousseau étaient partis à l'église pour la messe de minuit. La voie était libre. Pour me rendre au cellier, j'avais suivi les indications de Mathilde. À l'allée comme au retour, je n'avais pas croisé âme qui vive. N'y connaissant rien, j'avais choisi au hasard dans la réserve un Bordeaux dont l'effet se fit rapidement sentir. Quand on n'a pas l'habitude de l'alcool, on ne sait plus s'arrêter. Je buvais soi-disant pour me donner du courage, mais plus je buvais, plus le courage me manquait. En revanche, je me sentais excitée intérieurement. Mathilde n'en était pas à sa première cuite, mais, vu sa santé délabrée, elle manifestait des signes de fatigue et je redoutais qu'elle soit bientôt trop ivre pour écouter ce que j'avais à lui dire. De peur de rater l'occasion de lui livrer mon secret, une occasion qui ne se reproduirait peut-être plus, je me jetai à l'eau :

« Mathilde, il faut que je vous dise, je ne suis pas arrivée chez vous par hasard.

— Je sais. »

Il n'y avait pas l'ombre d'une manifestation de surprise sur son visage. Elle se leva lentement, marcha jusqu'au guéridon, ouvrit la petite boîte de porcelaine et en tira une cigarette qu'elle alluma en fermant les yeux quelques secondes.

« Je ne fume que les grands jours », fit-elle coquettement en me tendant une cigarette.

J'acceptai pour lui faire plaisir. Faute d'habitude, je toussai en inhalant de la fumée. Cela l'amusa.

« Alors ? demanda-t-elle en aspirant une seconde bouffée. Allez-y, je vous écoute.

— Attendez ! Vous avez dit : je sais. Que savez-vous au juste ?

— Que vous avez placé une annonce dans le journal afin de retracer une certaine Mathilde qui a accouché à Sainte-Pélagie en 1852.

— Mais...

— Ne faites pas cette tête-là. C'est moi qui vous ai répondu.

— La lettre anonyme, c'était vous ? »

Nos yeux se rencontrèrent.

« Allez chercher mon coffre. Vous savez où je le range ? »

Je me précipitai dans sa chambre et lui rapportai sa mysté-rieuse boîte recouverte de velours bleu. Jamais elle ne l'avait ouverte devant moi. Elle retira la chaîne qu'elle portait au cou et laissa glisser une petite clé en or dans sa main. Celle-ci tourna dans la serrure et Mathilde souleva le couvercle du coffre qui contenait ses petits trésors, dont certains enrubannés : un pro-gramme de théâtre datant du début des années cinquante, un médaillon en or ciselé, un carton d'invitation à un bal, une lettre commençant par *Mon amour, tu habites mes rêves les plus fous…*

« Ma vie en mille miettes, soupira Mathilde en déplaçant déli-catement ses précieux objets, avant de tomber sur un brouillon froissé qu'elle me lut : *Je ne pense pas me tromper en affirmant qu'il s'agit de la femme que vous recherchez (elle a eu un enfant du péché, il y a presque vingt ans). Ses proches la tiennent recluse depuis son accouchement. Ils la font passer pour folle, mais je vous assure qu'elle a toute sa tête.* »

Je la connaissais par cœur, cette lettre. J'étais médusée. Je n'aurais pas entendu la foudre tomber. Une fois surmontée ma stupéfaction, je la questionnai :

« Vous êtes-vous demandé pourquoi je vous recherchais ? »

Elle hocha la tête en tirant une longue bouffée de sa cigarette. Des volutes de fumée s'élevèrent.

« Elvire m'avait fait prévenir que vous étiez une petite futée et que vous finiriez bien par me retrouver.

— Elvire ? m'écriai-je, incrédule. Je croyais qu'elle vous en voulait à mort.

— Elle a plus d'un tour dans son sac, notre Elvire. Mais elle est si prévisible.

— Je pensais qu'elle ne vous avait pas pardonné de l'avoir laissée pourrir en prison pour le meurtre du médecin, vous, sa complice. »

Mon ton se voulait direct, sinon provocant.

«Oh! jeune demoiselle, vous allez un peu vite en affaires. Gobez-vous toujours aussi naïvement ce qu'on vous raconte? Je n'ai aucunement trempé dans ce meurtre. Elvire et moi avons échafaudé cette vengeance à deux, c'est vrai, mais, dans mon esprit, ce n'était pas sérieux. Nous étions en colère et notre réaction a été disproportionnée. N'oubliez pas, j'avais vingt ans et Elvire, à peine cinq de plus. À cet âge, on ne manque pas d'audace. Cependant, j'ai reculé, bien avant qu'elle ne commette son acte fatal. Et je n'ai rien ménagé pour lui faire entendre raison. Je savais que cela lui apporterait des ennuis. Vous la connaissez, elle a ignoré mes mises en garde et m'a lancé peu élégamment : " Toi, la bourgeoise, je savais que tu te dégonflerais. Vous êtes toutes les mêmes. "

— N'avait-elle pas une autre complice prénommée Mary?

— L'Irlandaise n'a rien eu à voir avec ce complot. Elle ne parlait pas français et ne comprenait pas ce dont Elvire et moi discutions.

— Pourtant, n'est-ce pas cette Mary Steamboat, comme les bonnes sœurs l'avaient baptisée, qui est allée chercher le poison aux cuisines?

— Elvire l'avait en effet chargée de cette commission, mais l'Irlandaise s'est heurtée à une porte d'armoire verrouillée. Finalement, c'est Elvire qui a fait sauter la serrure. Mary Steamboat a tout compris quand elle a vu notre amie déposer l'arsenic dans un verre d'eau. Elle a fait comme moi, elle l'a suppliée : " *Oh my God! Miss, don't do that.* " Elvire ne voulait pas entendre raison. Seule sa vengeance lui importait. Pendant son procès, elle a essayé de me faire porter le chapeau. Ç'aurait pu fonctionner, puisque je n'étais pas là pour me défendre, mais finalement, ça s'est retourné contre elle.

— Attendez... Je commence à comprendre... Vous avez vous-même écrit la lettre anonyme adressée au tribunal pour vous disculper. D'après l'avocat d'Elvire, cette preuve a changé le cours du procès.

— J'étais innocente et je devais à tout prix sortir blanchie de cette affaire. C'était ma planche de salut, vous comprenez ? Je croyais qu'après, on me laisserait vivre en paix. Comme j'étais naïve ! Mon frère a soudoyé le juge et payé les frais d'avocat d'Elvire. De cette manière, il me tenait à sa merci. Je n'avais peut-être pas trempé dans le meurtre du médecin, mais j'avais commis un crime pire encore, à ses yeux : j'avais mis au monde un enfant conçu dans une relation adultérine. Si l'affaire s'était ébruitée, j'aurais terni la réputation de sa sacro-sainte famille, en plus de salir celle d'un homme d'affaires bien en vue de Montréal. Auguste s'est comporté comme un gentilhomme moyenâgeux, avec la bénédiction de nos parents, qui m'ont aussi condamnée sans appel. »

Mathilde fumait cigarette sur cigarette. D'une chose à l'autre, j'en vins à la questionner à propos des sœurs qui, m'avait-on dit, avaient passé une partie de la nuit avec les présumées empoisonneuses.

« Il n'y avait qu'une seule religieuse, me corrigea-t-elle. Mère de la Nativité, si je me souviens bien.

— Vous ne vous rappelez pas une autre sœur, plus jeune ?

— Je n'ai vu aucune autre religieuse dans la salle des pénitentes, cette nuit-là, affirma-t-elle sans l'ombre d'un doute. Nous étions quatre filles sous la surveillance de cette vieille religieuse très dévouée.

— Vous êtes sûre ? On m'a pourtant dit qu'une jeune sœur avait aidé Mère de la Nativité à faire la toilette de la défunte. »

Mathilde n'en démordit pas. Comme elle avait bu plus que de raison, je mis sur le compte de l'ivresse son trou de mémoire et n'y pensai plus. Elle déboucha une bouteille de fine qu'elle gardait aussi pour les grands soirs. La tête me tournait de plus en plus. J'avalai une petite gorgée de cette eau-de-vie en grimaçant. Mathilde ajouta de l'eau dans mon verre. Elle cala le sien pur, d'un coup sec.

« À sa sortie de prison, poursuivit-elle après une brève pause, Elvire m'a retrouvée sans peine. Son métier l'avait mise en contact avec de gros bonnets qui se sont fait un plaisir de lui refiler mon adresse. Elle venait à peine de regagner son bordel quand mon frère a reçu la visite de Théo. Croyez-le ou non, même si Auguste avait payé la défense d'Elvire – et elle ne s'en était pas trop mal tirée, dans les circonstances –, eh bien, Théo nous a fait un sinistre chantage. Encore une fois, mon frère a sorti ses gros billets. Avec de l'argent, on peut faire taire n'importe quel maître chanteur. La suite, vous la devinez : quand j'ai compris que Théo pouvait me procurer des paradis artificiels, je l'ai contacté.

— Vos gardes-chiourmes devaient pourtant vous surveiller ?

— Moi aussi, j'ai plus d'un tour dans mon sac. Angeline a joué les intermédiaires. Contre son gré, bien entendu. Elle cédait à mes demandes ou je me suicidais. »

⁓

Nous étions maintenant avachies sur le canapé, les pieds sur le même pouf. Mathilde reconstruisait pour moi la suite de son histoire pathétique. La condamnation d'Elvire n'avait rien changé pour elle. Sa prison était peut-être moins sinistre que celle du Pied-du-Courant, mais sa réclusion à elle durait toujours, près de vingt ans après un crime dont elle était innocente. Au fil des années, elle avait donné à son entourage les signes d'une dépression mélancolique ponctuée de révoltes parfaitement justifiées : on lui avait arraché sa fille, sans lui laisser aucun espoir de la retrouver un jour, et on la coupait du monde. La cruauté de son frère me révoltait. Non content de l'avoir enfermée pour la punir d'avoir eu un enfant du péché, Auguste Mousseau minait lentement sa résistance. Pour l'écraser tout à fait, il avait retenu les services d'un de ses confrères du Collège de Montréal. Mathilde se méfiait de ce médecin qui, après un examen bâclé, avait diagnostiqué une neurasthénie sévère, excellent prétexte pour la bourrer de drogue.

« Mon sort est scellé, conclut-elle d'un ton à vous arracher les larmes. Je ne sortirai jamais d'ici, sinon les pieds devant. Alors, vous comprenez, ma poudre d'opium, c'est tout ce qu'il me reste. »

J'étais chavirée. Sa lucidité forçait l'admiration, mais son fatalisme, sa démission ressemblait à de la soumission. Je communiais avec ses malheurs, tout en refusant d'admettre que la résignation s'avérait la seule issue.

« Mais je suis là, moi. Je vous aiderai à vous enfuir.

— Ma pauvre Rose ! de quoi vivrions-nous ?

— C'est tout simple : je travaillerai. »

Elle se redressa et caressa ma joue du dos de sa main. Puis, elle planta ses yeux dans les miens avant de me dire sans préavis :

« Qu'attendez-vous de moi au juste, ma petite Rose ? Que je vous dise que je suis votre maman ? »

Elle me regarda tendrement, avant d'ajouter tout bas : « Comment le pourrais-je ? » Elle chercha ma main, la prit dans les siennes et la serra très fort.

« La dernière fois que j'ai vu ma fille, elle avait trois jours à peine, dit-elle. On me l'a volée sur mon lit d'accouchée, ça aussi on vous l'a probablement raconté. On m'a droguée pour me ramener à la maison. » Il y eut un silence. Puis, elle me regarda en balbutiant : « Comme vous voyez, ma consommation d'opium remonte aussi loin. Au début, le médecin m'en prescrivait soi-disant pour calmer mes nerfs malades. En réalité, ces substances m'amortissaient. On me neutralisait pour m'empêcher de fuir. »

Elle me demanda de lui passer son coffret resté sur le coin de la table. La coupure de presse qu'elle en tira était jaunie. Elle me la tendit en murmurant d'une voix hésitante :

« Je… Je suis désolée, Rose. »

Et alors, j'encaissai un choc effroyable. Une quinzaine d'années plus tôt, son frère Auguste lui avait annoncé avec sa délicatesse habituelle que sa fille naturelle était morte. La petite avait alors cinq ans. Sur le coup, Mathilde avait refusé de le croire. Son frère n'était qu'un fieffé menteur. Il lui avait si souvent raconté des faussetés. Un jour, il avait prétendu que sa bâtarde avait été placée dans un orphelinat éloigné de Montréal. Un autre, il lui avait annoncé qu'elle avait été adoptée par une famille ontarienne ; enfin, qu'elle n'avait pas survécu à la variole. Quand avait-il dit vrai ?

« La seule fois où la vérité est sortie de sa bouche, ç'a été pour m'annoncer la mort de mon enfant. »

Elle haussa les épaules en signe d'impuissance et me demanda de lire l'article publié dans le journal *Le Pays* :

Un bien triste accident est survenu, le samedi 6 juillet 1857, dans le fleuve Saint-Laurent, près de la Pointe-Saint-Charles, où se baignaient les pensionnaires de l'Orphelinat des Enfants trouvés, sous la surveillance de deux religieuses de la communauté.

Au cours de leur baignade, trois fillettes s'éloignèrent du groupe, pour le plus grand malheur de l'une d'elles, qui fut emportée par le courant. La petite se débattait en appelant au secours. Les cris de ses compagnes impuissantes à la tirer du pétrin enterrèrent sa voix, si bien que les sœurs pensaient que les petites filles folâtraient dans l'eau. Lorsque l'une des surveillantes prit soudain conscience du drame, elle se jeta à l'eau, tout habillée, pendant que sa compagne donnait l'alerte. Des hommes accoururent qui purent secourir les deux autres fillettes menacées, elles aussi, de couler à pic. Hélas ! il était trop tard, le remous avait emporté la petite victime. Elle avait eu cinq ans la veille de sa mort. Après quelques heures de recherches, on retrouva son corps emporté plus bas dans le fleuve.

Quand je relevai la tête de la coupure de presse, une émotion m'étreignit. Cette scène réveillait en moi de lointains souvenirs que je m'étais sans doute forcée d'oublier :

J'avais cinq ans, moi aussi, comme la petite noyée. Nos surveillantes nous avaient emmenées nous baigner à la Pointe-Saint-Charles. C'était la première fois de ma vie que je sortais de la ville. J'avais enfilé mon maillot, cachée derrière un arbre. Il était bleu et gris. La culotte était un peu juste, mais je tirai dessus pour la rallonger, car je ne voulais pas être privée de bain. Je nous revoyais clairement, Honorine et moi, batifolant dans l'eau en lançant des petits cris. Anne nous suppliait : « Attendez-moi, attendez-moi... » Nous voilà toutes les trois en train de faire des sparages. Anne était surexcitée, elle s'éloignait de nous en gesticulant. Elle riait, inconsciente du danger. Tout à coup, elle disparut de ma vue. Je criai son nom : « Reviens, Anne », mais elle ne m'entendait pas. Alors je hurlai : « Au secours, Anne se noie. » Personne ne réagit. Sur le rivage, les deux bonnes sœurs marchaient côte à côte, leur chapelet entre les doigts. Pourquoi ne se retournaient-elles pas ? Alors, je vis Anne émerger de l'eau, le visage crispé, avant de s'enfoncer dans la vase à quelques pieds de nous. À côté de moi, Honorine voulait aller à sa rescousse. Ni l'une ni l'autre, nous ne savions nager. « Non, Honorine, n'y va pas. » Je l'agrippai par le collet, je la retins de peine et de misère. Elle se débattait, me poussait, me rouait de coups, sans réussir à se libérer de mon emprise. Mais voilà qu'Anne remontait à la surface une dernière fois, avant de disparaître pour de bon.

Les images, floues d'abord, devenaient claires. Un homme nous sortait de l'eau, Honorine et moi. Quant à la sœur qui avait plongé dans le fleuve pour secourir notre amie, selon le compte-rendu du journal, ça ne me rappelait rien. Il faudrait que j'en reparle à Honorine.

« Cette petite s'appelait Anne, dis-je à Mathilde d'une voix étranglée. Le saviez-vous ? Vous pensez qu'elle était votre fille ? »

Elle ne répondit pas. L'effet de l'alcool combiné à la drogue l'avaient intoxiquée. Elle avait glissé dans le sommeil et je restais là, devant elle, avec mon plaidoyer, inutile à présent. Je voulais la convaincre que c'était moi, sa fille, pas cette Anne qui s'était noyée à cinq ans. Je refusais de croire le contraire, je ne pouvais pas le croire. Je savais d'instinct que j'étais la chair de sa chair. L'autre était minuscule, nous l'appelions « souris ». Elle riait tout le temps et ne surprenait pas par sa vivacité d'esprit. Je l'aimais quand même, et sa mort tragique m'avait déchiré le cœur. Mais aujourd'hui, alors que je touchais au but, je ne la laisserais pas me voler ma mère. Voilà ce que j'aurais voulu dire à Mathilde. Je divaguais et cela me demandait un effort pour rester éveillée. Cette nuit était supposée marquer la fin de ma quête, mais rien ne se passait comme je l'avais prévu. Je marmonnai d'une voix à peine audible :

« Je t'en supplie, maman, écoute-moi. »

J'avais prononcé le mot qui me brûlait les lèvres depuis longtemps, mais elle ne m'avait pas entendue. Je l'embrassai sur la joue sans déclencher plus de réaction de sa part. J'eus beau la secouer, impossible de la réveiller pour la conduire à son lit. Tant pis. Je lui dépliai les jambes pour les étendre sur le canapé. Je posai un coussin sous sa tête et détachai son corsage, car sa respiration semblait gênée. Après avoir enlevé ses chaussures, je la couvris de l'écharpe que je lui avais brodée. Je la veillai un moment, en priant pour que la vieille Angeline revienne au plus vite de son souper de Noël. À deux, nous l'aurions mise au lit sans difficulté.

Comme je tombais de sommeil, je me retirai finalement dans ma chambre. J'avais la tête grosse et l'âme brisée. Un doute insupportable me torturait. Et si Anne était vraiment la fille de Mathilde ? Je cherchais ses traits effacés par le temps. Non, c'était invraisemblable. Rien, chez Anne, ne rappelait Mathilde. Trop petite de taille, des cheveux trop foncés, trop insignifiante. Tandis que moi, je pouvais dresser la liste de nos ressemblances et de nos points communs. Nous avions toutes les deux des lèvres saillantes, de minuscules oreilles et un rien nous faisait éternuer. Certes, j'avais les cheveux châtain clair, tandis que les siens étaient bruns, j'étais plus grande aussi (à peine), mais cela ne signifiait rien. Et puis, côté caractère, nous avions, elle comme moi, une imagination débordante, de l'esprit et une sensibilité affûtée.

~

Je me réveillai en sursaut au milieu de la nuit, ma chemise complètement trempée. La porte de ma chambre était fermée, mais je reconnus la voix caverneuse d'Auguste Mousseau provenant du salon de Mathilde. Je courus pieds nus sur le parquet glacé jusqu'au bout du couloir, mon bougeoir à la main. Je manquai de renverser la fougère plantée dans une jardinière de grès. J'ouvris la porte sans faire de bruit. Toutes les lampes étaient allumées et le feu s'éteignait dans l'âtre. Lui, je l'aperçus de dos. Il arpentait la pièce comme un lion en cage. Le plancher craquait sous ses pas. Il tourna la tête vers moi. Ses yeux me lancèrent des éclairs d'indignation.

« Sortez d'ici ! Allez m'attendre dans mon bureau. »

J'eus à peine le temps d'apercevoir son ami médecin penché sur Mathilde. Elle était étendue au pied du canapé, le corps ramassé en boule, la tête renversée, immobile. Elle avait vomi. La bassine à côté d'elle contenait un liquide jaunâtre malodorant. Madame Mousseau, son mouchoir collé à ses narines, avait les yeux rivés sur elle. À côté, la vieille Angeline n'avait pas pris le temps d'enlever son chapeau. En pleurs, elle fixait sa petite chérie blanche comme un drap. Dans sa chute, celle-ci avait fait tomber la lampe à l'huile sur le guéridon. Elle avait probablement cherché à éteindre un début d'incendie, puisque la nappe qui recouvrait le meuble était noircie.

Je retraversai le salon d'un pas mesuré, évitant tout mouvement qui eût pu donner à penser que la scène sous mes yeux et la voix de l'ogre me terrorisaient. Je passai une robe de chambre et chaussai mes pantoufles sans me presser, mais en m'efforçant de remettre mes idées en place. La porte du bureau de mon patron était ouverte et la veilleuse allumée. Dans la pénombre, je constatai que le cabinet était aussi dénudé que le jour où j'y avais mis les pieds pour la première fois, huit mois plus tôt. Presque rien ne traînait sur le pupitre luisant comme un sou neuf. Au mur, les parents de Mathilde me fixaient sans pitié.

L'attente se prolongea. Une chose me frappa soudainement. Augustin Mousseau n'avait pas la moindre compassion pour sa sœur. Il veillait à ce qu'elle n'eût à souffrir d'aucune incommodité matérielle. Des draps propres, une alimentation saine, un décor paisible. Mais il ne supportait pas que l'on puisse l'entourer d'affection. Il tolérait difficilement les épanchements de sa vieille nourrice et exigeait de moi un détachement peu propice à créer des liens. Sa sœur avait fauté à vingt ans et elle devait payer sa liaison coupable jusqu'à la fin de ses jours. Non seulement elle avait mis au monde un enfant illégitime, mais, en plus, elle avait comploté pour assassiner son accoucheur. Augustin Mousseau n'avait jamais cru en l'innocence de Mathilde. Il avait payé le gros prix pour laver l'honneur de sa famille et extirper sa sœur de la fange dans laquelle elle se traînait. Le pardon n'existait pas pour lui. Cette histoire de mœurs à relents de scandale avait failli compromettre sa propre carrière dans les banques et continuait d'empoisonner sa vie.

L'horloge venait de sonner quatre coups lorsque j'entendis ses pas pressés claquer dans le couloir. Je serrai les poings. Qu'allait-il faire de moi? J'étais pétrifiée. Il referma la porte derrière lui et, m'ignorant, alluma la lampe à kérosène en pestant contre ses domestiques qui le servaient si mal. Enfin, il se tourna vers moi.

« Mademoiselle, je n'ai pas de mots pour qualifier votre conduite. Vous avez trahi ma confiance.

— Monsieur, laissez-moi m'expliquer.

— Taisez-vous! Ma sœur était sous votre responsabilité. Je vous paie grassement. Au lieu de vous en occuper, vous l'avez fait boire au point de la rendre malade. Mais il y a pire: en rentrant, hier soir, Angeline a trouvé sur le guéridon de la poudre d'opium en quantité. Assez pour la tuer. »

Il marchait d'un bout à l'autre de la pièce, les mains dans le dos. Brusquement, il s'arrêta et pointa un doigt accusateur vers moi.

« C'est vous qui lui avez procuré ce stupéfiant. Où avez-vous pris l'argent ? Je ne serais pas étonné d'apprendre que vous m'avez volé.

— Je vous interdis. Je ne suis pas une voleuse.

— Vous n'avez rien à m'interdire. Si je ne redoutais pas les conséquences fâcheuses pour ma famille et pour ma banque, je vous dénoncerais à la police. Savez-vous de combien de temps vous écoperiez pour achat de stupéfiants ? »

Sa réponse glaciale coupa court à mes velléités d'établir un dialogue. Je l'écoutai, silencieuse, prononcer ma condamnation. Tout ce que j'aurais pu dire pour ma défense risquait de nuire à Mathilde. Il me faisait porter seule le chapeau. Sa sœur ne m'avait pourtant pas attendue pour se procurer du laudanum ni même de l'opium pur. La vieille Angeline, le médecin, le cocher… tous l'avaient approvisionnée à l'occasion. Même le jardinier. Il fallait connaître Mathilde pour savoir comment elle opérait. Elle avait un charme fou. Un moine sourd, muet et aveugle se serait laissé manipuler par elle. N'y tenant plus, je dis simplement en relevant les yeux :

« Vous êtes injuste, monsieur. »

En entendant ces mots, Auguste Mousseau entra dans une colère épouvantable. Il leva le bras, je pensai qu'il allait me frapper.

« Comment osez-vous ? Vous vous êtes introduite chez moi malhonnêtement, pour ensuite, sans vous embarrasser du moindre scrupule, vous faire passer pour sa bâtarde. Son esprit dérangé n'a pas supporté cette charge émotive. Ça vous étonne que je sois au courant, hein ? »

Le visage rouge, bouffi, il pointait toujours son index dans ma direction. À cette minute, je le crus capable du pire.

« Dans son délire, ma sœur m'a tout dit sur vous. Elle déparlait, allant jusqu'à s'imaginer que vous étiez sa fille. Mais vous ne l'êtes pas. Mettez-vous ça dans la tête une fois pour toutes.

— Comment pouvez-vous en être aussi sûr ? » osai-je lui demander.

Ignorant ma question, il poursuivit en ricanant :

« Vous vous êtes dit : le bonhomme a de l'argent, il paiera pour se débarrasser de moi. Eh bien, vous perdez votre temps. Je ne me chauffe pas de ce bois-là, moi. » Il s'épongea le front, respira profondément et, ayant repris le contrôle sur lui-même, m'avisa, plus calmement, cette fois : « Figurez-vous que je détiens la preuve écrite que vous n'êtes pas la fille de Mathilde Mousseau ».

J'étais si remontée à cause de ses accusations mensongères que je lui rétorquai vivement :

« Prouvez-le ! »

Il devint plus agressif encore : « Votre ballon se dégonfle, mademoiselle. J'espère pour vous que vous n'avez pas déjà dépensé le magot que vous espériez toucher », ajouta-t-il perfidement.

Il plia son énorme corps en deux pour atteindre le tiroir du bas de son bureau et en sortit une chemise qu'il ouvrit devant lui. Le document qu'il retira de la pile de feuilles portait la signature de la supérieure de l'Orphelinat des Enfants trouvés.

« Lisez ! » m'ordonna-t-il en me le tendant si violemment que je faillis l'échapper. Je m'exécutai.

Cher Monsieur Mousseau,

J'ai le regret de vous annoncer que Dieu a rappelé à lui la fille de votre sœur bien-aimée. Elle s'est noyée dans le fleuve Saint-Laurent, lors d'une baignade organisée pour les orphelines de notre institution. Nos prières l'accompagnent.

Cet accident tragique vous libère de la pension que vous avez fidèlement payée pour notre cher petit ange depuis sa naissance. Permettez-moi cependant de vous dire que votre généreuse contribution sera toujours la bienvenue. Nos besoins sont grands et nos moyens si limités.

Que Dieu vous bénisse, cher Monsieur,

Sœur Sainte-Cunégonde,
Supérieure,
Orphelinat des Enfants trouvés

Je perdis alors tout à fait contenance. Il venait de river le clou à mon cercueil. Mathilde n'était pas ma mère. J'avais tout faux, une fois de plus. Au même moment, Angeline passa la tête dans la porte :

« Monsieur, j'ai trouvé ce que vous cherchiez dans les affaires de Mademoiselle Rose, dit-elle en déposant sur le bureau l'écrin de velours bleu contenant la perle noire qu'il avait offerte à Mathilde, la veille.

— J'avais donc raison, vous êtes une voleuse.

— Vous vous trompez ! C'est Mathilde qui m'en a fait cadeau. »

Il ricana rageusement en enfouissant l'écrin dans sa poche :

« Pour sceller vos liens filiaux, je suppose ?

— Donnez-moi cette perle. Elle est à moi, c'est vous, le voleur. »

Il me jeta un regard noir pendant que la bonne déposait ma valise à côté de moi.

« Merci, Angeline, vous pouvez disposer », dit-il. Se tournant, il ajouta à mon intention : « Déguerpissez ! Je ne veux pas vous voir rôder autour de chez moi, sinon je vous fais arrêter pour vagabondage. »

J'avais retrouvé mon aplomb et je m'opposai vigoureusement. Je tenais à vérifier moi-même si Angeline n'avait rien oublié.

« Ne vous inquiétez pas, fit celle-ci d'une voix rancunière, votre précieux cahier que vous cachiez sous votre matelas est dans la malle.

— Vieille chipie ! hurlai-je. Je me doutais que vous fourriez votre nez dans mes affaires ! »

Elle nia avec véhémence.

« Puis-je au moins faire mes adieux à Mademoiselle Mathilde avant mon départ ? implorai-je.

— Il n'en est pas question, s'exclama Auguste Mousseau, au comble de l'exaspération. Vous l'avez assez perturbée comme ça. »

Son hostilité fit monter ma colère d'un cran :

« Et vous, vous la tuez à petits feux, Mathilde, lui assénai-je. Vous avez fait le vide autour d'elle, vous la traitez comme une invalide. Vous la gardez prisonnière, c'est inhumain. Elle a perdu espoir... Le grand responsable de son état, c'est vous. Vous êtes sadique, vous êtes un monstre ! Mathilde vous déteste ! Et moi aussi !

— Assez ! Faites-la disparaître de ma vue, dit-il en s'adressant à Angeline.

— Pardonnez-moi, monsieur, fit celle-ci, sans doute prise de remords. Rose pourrait attendre le lever du jour avant de prendre la route. Il fait encore nuit.

— J'exige qu'elle parte sur-le-champ. Ça ne lui fera pas de mal de marcher pour cuver tout le vin qu'elle nous a dérobé. Cette petite intrigante en profitera pour réfléchir aux conséquences de ses actes. »

Je réclamai mes gages. Il paya rubis sur l'ongle. Avant de détaler, je lui lançai :

« Je n'ai pas dit mon dernier mot ! »

C'était pure bravade. En vérité, que pouvais-je faire, moi, pauvre orpheline, contre ce riche salopard ? Au moment de sortir, je crus tout de même bon d'ajouter :

« Vous me jetez à la rue en pleine nuit. En hiver, par-dessus le marché ! S'il m'arrivait un mauvais sort, vous en porteriez la responsabilité !

— Allez, ouste ! Dehors ! »

~

Je quittai la Villa des Pins sans me retourner. Pour rien au monde, je n'aurais voulu qu'Auguste Mousseau voie mon visage défait. J'avais dû m'habiller à la hâte. Tout était pêle-mêle dans ma valise et je n'avais pas réussi à mettre la main sur mon foulard ni mes gants. Couverte de mon vieux manteau, je m'élançai sur la route. N'eût été de la fine neige de la veille qui couvrait les champs avoisinants, ç'aurait été noir comme chez le loup. J'aurais voulu courir, mais mon lourd bagage me ralentissait. Le nez me coulait et j'avais froid. Je marchai pendant environ un quart d'heure, à ce qu'il me sembla, avant d'entendre des clochettes teinter en cadence dans le silence de la nuit. Une charrette se rapprochait. Je n'osai pas me retourner.

« Wo ! la grise. »

La bête s'arrêta à côté de moi. La voix me parut énergique mais pas menaçante.

« Ce n'est pas une heure pour vous promener, mam'selle, dit l'homme qui tenait les rênes, un paysan sans doute.

— Ma mère est malade en ville, prétextai-je. J'ai dû partir de bonne heure. Si, par malheur, elle devait succomber …

— Vous n'aviez personne pour vous conduire ?

— Non, monsieur. Mon patron n'a pas voulu réveiller son cocher.

— Misère ! Ces bourgeois-là mériteraient un coup de pied au derrière. Montez. Je descends au marché. Je peux vous déposer en chemin. »

Je ne me fis pas prier pour grimper à côté de lui. Il me tendit une peau de fourrure pour me tenir au chaud. Je poussai un soupir de soulagement. Livrée aux cahots, sa voiture filait dans la nuit étoilée, cependant que je me demandais à quelle porte j'allais frapper au milieu de la nuit. Je pensai sonner à la pension Royer, mais la patronne m'avait bien avertie : en aucun cas elle ne reprendrait une locataire qui l'avait laissée sans préavis.

Monsieur Alphonse? Il m'avait prévenue que mon enquête finirait par m'attirer des ennuis. Restaient les bonnes sœurs. Qui
d'autre m'accueillerait sans me tourmenter avec des questions à
n'en plus finir? Elles hocheraient la tête, l'air de dire : la petite
s'est encore foutue dans le pétrin.

N'empêche, ça m'embêtait de dire au cultivateur de me laisser
à Sainte-Pélagie. Il croirait que j'étais grosse. Tant pis! Au point
où j'en étais, il pouvait bien penser ce qu'il voulait.

«S'il vous plaît, déposez-moi au coin de Dorchester et Saint-
Hubert, lui dis-je. Ma mère habite en face du couvent des sœurs.
Vous avez été bien aimable, monsieur, je vous remercie.

— Ça m'a fait plaisir d'avoir de la belle compagnie, mam'selle,
dit-il en sautant de voiture pour me tendre ma valise. Vous avez
de la chance que je sois passé par là, à c't'heure-ci. Allez, bon
courage! Un jour à la fois, voilà ma devise.»

Il donna un coup de fouet et poursuivit son chemin dans la
nuit finissante. L'aube d'un jour nouveau se dessinait doucement.

19

Vie de Rosalie

Cette nuit-là, les bonnes sœurs m'ont accueillie comme une revenante. Il n'y a que les pauvres pour vous ouvrir grand les bras et vous donner le gîte sans vous demander de comptes.

Je suis passée par-derrière. Il y avait de la lumière dans la cuisine. J'ai pensé : Sainte-Trinité est déjà aux fourneaux. Il devait être à peu près cinq heures et demie. J'ai frappé trois petits coups. Occupée à glisser un morceau de bois dans le poêle, ma vieille amie n'a rien entendu. Alors, je suis entrée.

« C'est moi, ma sœur, ai-je fait timidement.

— Qui ça, moi ? »

Elle s'est retournée. Son visage s'est illuminé, puis assombri.

« Rose, ma petite. Tu en fais une tête. Tu n'es pas malade au moins ? Mais d'où sors-tu ? On dirait que tu as dormi sur la corde à linge. »

Mon apparence devait être bien saisissante pour qu'elle en oublie son vouvoiement. Je me suis jetée dans ses bras en pleurant.

« Je n'ai nulle part où aller et j'ai sommeil. »

Sainte-Trinité m'a serrée contre son cœur. Ensuite, elle m'a versé une tasse de lait chaud, avant de me conduire au dortoir des novices. Je me suis jetée tout habillée sur le seul lit inoccupé. La bonne sœur a délacé, puis enlevé mes chaussures. Ensuite, elle m'a couverte d'une catalogne usée qui s'effilochait. J'ai dormi comme une marmotte. À mon réveil, avant même que j'aie ouvert les yeux, des scènes de la veille ont ressurgi dans mon esprit : Mathilde inconsciente, gisant sur le sol, Auguste Mousseau rouge de colère, me chassant comme un animal galeux, moi, complètement démunie dans la nuit noire. Soudain, j'ai mesuré l'immensité de mon désespoir. Mathilde n'était pas ma mère. Et ce père manipulateur que je voulais malgré tout m'approprier, l'homme sans nom qu'elle avait follement aimé, et dont elle parlait encore avec passion, vingt ans après la fin de leur liaison, il m'échappait aussi. Je n'étais la fille de personne.

Mon âme était triste à mourir. Le printemps se lèverait sans moi à la Villa des Pins. Pire, je ne reverrais plus jamais Mathilde. La tête enfouie sous les draps, je demeurai longtemps à penser à elle. Comment se sentait-elle, en ce lendemain de veille ? Mon absence devait l'inquiéter. Elle aurait sûrement du chagrin en apprenant que je ne reviendrais plus, peut-être même piquerait-elle une crise d'hystérie. Je me demandais ce qu'on inventerait pour lui faire avaler mon départ. Saurait-elle jamais que je n'avais rien admis qui aurait pu lui nuire ? Surtout, je n'avais pas révélé à son monstre de frère comment et par qui elle se procurait son opium. Non, je ne l'avais pas trahie. Si seulement j'avais eu, avant de partir, la chance de lui dire combien j'aurais aimé qu'elle soit ma mère ! Ça non plus, elle ne le saurait jamais.

En somme, je n'en menais pas large. Un mur s'élevait devant moi. Je me faisais l'effet d'une perdante. Sans emploi, pauvre comme Job, sans foyer... Je me retrouvais à la case départ dans ma quête d'une mère. La tête enfouie dans les couvertures, je m'apitoyais sur mon sort lamentable. Contre tout bon sens, j'en voulais à la défunte Mère de la Nativité. Que faisait-elle dans son ciel ? M'avait-elle oubliée, moi, sa filleule préférée ? Sur son lit de mort, elle avait promis de veiller sur moi. Allez, La Nativité, grouillez-vous ! Je sombre dans l'abîme et vous vous en fichez comme de l'an quarante. À quoi cela vous sert-il d'être si près du bon Dieu, si vous ne pouvez même pas intercéder auprès de Lui en faveur de ceux qui pâtissent sur terre ? J'énumérais les occasions de me venir en aide qu'elle avait loupées. Malgré mes prières, elle n'avait pas réussi à empêcher le bon Dieu de venir chercher mamie Odile. D'accord, elle m'avait aidée à retrouver Elvire, mais cela ne m'avait apporté que déceptions et frustrations. Et maintenant, il y avait Mathilde, à qui je ne pouvais penser sans verser de larmes. Là encore, elle ne m'avait pas été d'un grand secours.

Déjà, haute comme trois pommes, quand je la suppliais de me parler de ma maman, elle évitait le sujet : « Tu es tombée du ciel, ma belle Rose. Ta maman, c'est la vierge Marie. » Aujourd'hui, j'en étais encore là, à venir de nulle part. Autant d'efforts pour rien. Combien d'échecs allais-je encore m'infliger ? Me revint à l'esprit ma promesse faite à Monsieur Alphonse : si j'échouais une nouvelle fois, je m'étais engagée à tout laisser tomber pour de bon. J'étais à un cheveu de jeter la serviette.

Mon instinct de survie m'ordonna de me secouer. Lorsque j'émergeai de sous les couvertures, avec un mal de tête carabiné pour me rappeler mes abus de la veille, je vis, épinglée au pied du lit, une note qui m'était destinée : *Rose, mère supérieur veu vou voir à vot réveil.* Une fois lavée et habillée, je me traînai chez celle-ci, sans grand enthousiasme. Pourvu qu'elle me laissât dormir au noviciat pendant deux ou trois jours, le temps de réorganiser ma vie, c'est tout ce que je lui demandais.

Comme de raison, la supérieure voulait connaître mes intentions, mais elle ne me brusqua pas, bien au contraire. Elle essaya d'abord de me convaincre que le Très-Haut m'envoyait cette nouvelle épreuve pour me signifier qu'il attendait de moi le don de ma vie.

« Si vous décidez de répondre à Son appel, une place vous attend parmi nos jeunes novices du couvent, me dit-elle. Que de gratifications vous obtiendrez !

— Ma sœur, je regrette de vous décevoir, mais je ne pense pas être appelée.

— En êtes-vous sûre, ma fille ? Avez-vous bien réfléchi ? Donnez à votre voix intérieure le temps de se manifester. »

Nous parlementâmes pendant une dizaine de minutes. Par chance, elle ne fit pas d'histoire, quand elle eut finalement admis que la vie religieuse ne figurait pas dans mes plans. Elle accepta néanmoins de me garder temporairement, à condition que je lui accorde quelques heures par jour pour transcrire, et peut-être même compléter, la biographie de Rosalie Jetté, en prévision des fêtes qui devaient se tenir en mai 1873. On soulignerait alors en grandes pompes le vingt-cinquième anniversaire de la communauté des Sœurs de Miséricorde qu'elle avait fondée en 1848, soit trois ans après l'ouverture de la Maternité de Sainte-Pélagie.

Monseigneur Bourget avait insisté pour que l'album-souvenir consacrât ses premières pages à la vie séculaire de Mère de la Nativité. Malgré un horaire chargé et de lourdes responsabilités, Marie-Madeleine en avait rédigé une première ébauche, mais le document qu'elle avait fait parvenir de New York s'avérait incomplet et illisible. Aucune des religieuses instruites n'avait réussi à décrypter ses hiéroglyphes.

La proposition de la supérieure me convenait parfaitement. Moi aussi, j'avais besoin de temps. Ça ne me disait rien de retourner m'échiner chez *Fogarty & Brothers*. Je comptais plutôt entrer en contact avec Mrs Hatfield, la riche cliente de Madame Odile, pour lui proposer mes services. L'année 1873 allait bientôt débuter et j'avais assez branlé dans le manche. Je pris la ferme résolution de lui envoyer sans tarder une lettre bien fignolée. Avec un peu de chance, je recevrais sa réponse dans une semaine. Si elle ne se trouvait pas déjà au bout du monde, elle voudrait peut-être encore de moi comme demoiselle de compagnie.

～

Je retrouvai ma place dans l'ancien bureau que je partageais avec Marie-Madeleine, à l'époque où je lui servais de copiste. J'ouvris le cartable portant le titre de *Vie de Rosalie* que la supérieure m'avait remis. Mon ancienne patronne avait inscrit entre parenthèses les deux versions du nom de famille de Rosalie, *Jetté* et *Chetté*, afin qu'on ne se méprenne pas. En effet, les anciens, dont la plupart savaient à peine lire et écrire, ne s'accordaient pas sur la manière de l'épeler. Ils écrivaient son nom comme il sonnait à leurs oreilles.

Mon encrier posé devant moi, ma plume aiguisée finement, je plaçai la copie de Marie-Madeleine à ma gauche et une rame de papier à ma droite. Comme le temps avait passé! Deux ans et demi plus tôt, j'avais recopié l'histoire des débuts de la maternité fondée par Rosalie. J'allais maintenant apprendre tout ce qui s'était passé dans sa vie avant son entrée en religion. Cela piquait ma curiosité, parce que jamais je ne m'étais arrêtée à imaginer Mère de la Nativité avant sa prise d'habit. Je savais combien elle s'était dévouée pour les filles tombées, mais j'ignorais tout de la fillette qu'elle avait été, bien avant de fonder son œuvre. Je découvrais qu'elle s'était amusée, avait ri et pleuré comme tous les enfants du monde. Que, devenue une belle jeune fille, elle était tombée amoureuse et avait épousé l'homme qu'elle aimait.

L'écriture de Marie-Madeleine m'apparut fort relâchée et ses propos me semblèrent parfois décousus. Elle avait probablement consacré ses nuits à noircir des pages et des pages. À l'évidence, sa supérieure new-yorkaise ne l'avait pas libérée de ses corvées quotidiennes pour lui permettre de se consacrer à la biographie de la fondatrice. Qu'à cela ne tienne, je peaufinerais le texte à sa place.

Mon intérêt pour la vie de Rosalie n'était pas innocent. C'était ma façon de demeurer fidèle à ma marraine. À l'Orphelinat des Enfants trouvés, j'attendais fébrilement ses visites. Chaque dimanche, malgré l'ampleur de sa tâche, elle venait voir si j'avais été sage. Avant de repartir, elle me donnait un sac de bonbons. Plus tard, quand ses infirmités l'empêchèrent de se déplacer, j'allais à mon tour lui dire un petit bonjour à la maternité.

J'avais onze ans à son décès des suites d'une incurable maladie des reins. Après, il m'est souvent arrivé de l'invoquer pour obtenir une faveur. Je n'étais pas la seule à lui vouer un culte. Plus d'une sœur lui attribuait sa guérison. D'ailleurs, Monseigneur Bourget avait demandé aux religieuses de préparer un dossier en vue de sa béatification. Si Rome accueillait favorablement sa demande, quel honneur rejaillirait sur ses diocésains!

Fallait-il y voir un signe? Chaque fois que je touchais le fond du baril, ma marraine ressurgissait dans ma vie comme par enchantement. J'avais d'abord renoué avec elle grâce à Marie-Madeleine, qui avait fait de moi son commis aux écritures. Et voilà que je me retrouvais en train de recopier sa biographie, alors que je ramassais ma vie en miettes pour la énième fois.

La légende de la famille Cadron – c'était le nom d'origine de Rosalie – cultivait un côté fabuleux qui ne me déplut pas. L'un de ses ancêtres maternels, soldat du régiment de Carignan-Salières, avait épousé à Québec une fille du Roy qu'il avait ensuite abandonnée avec leur fils unique, pour aller tenter sa chance à Montréal. Malheur à lui! Criblé de dettes, on l'avait emprisonné pour insolvabilité. Sitôt relâché, il s'était laissé prendre en flagrant délit d'adultère par un mari jaloux, qui était aussi son créancier. Nul ne sut jamais qui l'avait assassiné, à Lachine, quelque temps après, mais personne ne le pleura.

Cent ans plus tard, en 1794, naquit sa plus célèbre descendante, Rosalie Cadron. Son père cultivait la terre à Lavaltrie et sa mère pratiquait le métier de sage-femme dans son village. Celle-ci initiera sa fille aînée à l'art d'accoucher. Marie-Madeleine passait rapidement sur les conditions de vie qui prévalaient dans la vallée du Saint-Laurent, à la fin du dix-huitième siècle. Par contre, elle s'étendait longuement sur la pieuse éducation dispensée à l'enfant. Ce faisant, elle voulait démontrer que la jeunesse de Rosalie dans un foyer catholique l'avait préparée à sa future mission auprès des filles-mères. *L'abbé Louis Lamotte, qui l'a baptisée, a prévenu sa mère que Rosalie était appelée à de grandes choses*, écrivait Marie-Madeleine. C'était finement dit, mais ça me semblait un peu court. Pouvait-on mettre l'accent sur les vertus de Rosalie sans souffler mot de ses défauts? Je voulais bien croire que sa générosité et sa piété s'étaient manifestées très tôt, puisque le curé l'avait choisie parmi toutes les dévotes de sa paroisse pour l'aider à préparer les premiers communiants. Mais la Rosalie que j'avais connue réprimait difficilement ses mouvements d'humeur. Combien de fois l'avais-je entendue traiter sans ménagement les voyous qui rôdaient dans les parages pour espionner ses «chers trésors»? Elle ne souffrait pas non plus que l'on manquât à la charité, cela la mettait en colère. Ce trait de caractère n'apparaissait nulle part dans le manuscrit. Or, la vraie Rosalie, me semblait-il, n'aurait pas aimé se voir beurrée comme une tartine.

Bien entendu, j'avais compris qu'on me demandait d'écrire la vie d'une sainte. Tous les témoignages convergeaient dans ce sens. J'ai pensé aller interroger les enfants de Rosalie, notamment Pierre, le cordonnier, que je connaissais déjà, mais c'eût été un exercice vain. La famille Jetté, qui priait «sainte Rosalie», ne lui connaissait aucun manquement.

Toute sa vie, Rosalie avait souffert d'être analphabète. Elle savait à peine signer son nom. Sa biographe avançait une explication: soucieux de la faire instruire, ses parents l'avaient placée pensionnaire dans un couvent éloigné tenu par les Dames de la Congrégation. Rongée d'ennui, la petite en avait perdu l'appétit. On avait dû la ramener à la maison. Fini, l'école.

Moi qui adorais les romans d'amour, j'abordai avec une curiosité toute féminine la vie sentimentale de Rosalie. Hélas! les pages que Marie-Madeleine avait consacrées aux fréquentations me parurent bien ternes. À dix-sept ans, Rosalie avait rencontré Jean-Marie Jetté, un homme de seize ans son aîné. Peu après, ils convolaient en justes noces. Jusque-là garçon voyageur, l'homme avait pris la direction de la ferme familiale, le père Cadron ayant rendu le dernier soupir peu après les noces de sa fille. Voilà expédiée ô combien prestement une belle histoire d'amour!

L'idée me vint alors d'étoffer le récit de Marie-Madeleine. On me répétait assez que j'avais une belle plume, l'occasion de le démontrer se présentait. Je n'allais pas la laisser passer. Ce fut Jean-Marie qui fit les frais de ma première incursion dans l'univers romanesque. Il portait beau, dans mon récit, ce jeune Montréalais, lorsque, aux fiançailles d'une cousine, il fit la connaissance de la jolie Rosalie. Fin causeur, il séduisit rapidement la jeune fille, qu'il courtisa « pour la bonne cause » pendant huit mois. Lors d'une promenade bucolique éclairée par une féerie d'étoiles, sous l'œil vigilant d'un chaperon, il lui demanda sa main. Leur union fut scellée en l'église de Lavaltrie.

Les années passèrent. Rosalie et Jean-Marie étaient tout l'un pour l'autre. Six enfants naîtraient dans leur modeste maison à pignon, sise sur le Chemin du Roy, au bord du majestueux Saint-Laurent. D'autres viendraient plus tard. Droit comme les grands hêtres qui peuplaient les forêts regorgeant de bois de construction, Jean-Marie s'éreintait depuis l'aurore sur sa terre à défricher.

Avec le personnage de Rosalie, la romancière en herbe que j'étais eut plus de difficulté. J'avais beau me creuser la tête, ses traits m'échappaient complètement. Normal, je n'avais pas revu son visage depuis des lustres. Elle était alors affublée d'une cornette et d'un voile. Le seul daguerréotype connu d'elle nous la montrait à un âge avancé, dans son costume de sœur. Pour la décrire physiquement, je fis de mon mieux. Toute menue, moins trapue cependant que dans mon souvenir, elle apparut sous ma plume avec des paupières bombées, des cheveux bruns comme ceux de son fils Pierre et le sourire bienveillant. Tantôt, je la décrivais en train de nourrir au sein sa petite dernière. Tantôt, elle mitonnait un ragoût pour sa marmaille.

Très besogneuse, elle tenait son intérieur de manière impeccable et cultivait les fleurs amoureusement (cette information, Marie-Madeleine la tenait de Sophie Cadron, la sœur cadette de Rosalie, aujourd'hui âgée de soixante-dix ans). Toujours de bonne humeur, Rosalie corrigeait ses enfants sans jamais élever la voix. Du matin au soir, elle entonnait des cantiques. De cela, au moins, je pouvais témoigner : jamais je n'avais entendu une femme chanter aussi faux. On aurait dit qu'elle le faisait exprès pour nous écorcher les oreilles.

Inconsciemment, je brossais le portrait de la famille idéale, celle dont j'avais tant rêvé et qui ne serait jamais mienne.

Un drame couvait cependant qui allait précipiter les Jetté dans la misère, comme le mentionnait trop brièvement Marie-Madeleine dans sa *Vie de Rosalie*. À Lavaltrie, la terre paternelle étant devenue trop exiguë pour espérer y placer chacun de leurs fils, Rosalie et Jean-Marie avaient décidé d'aller s'établir à Saint-Hyacinthe où, croyaient-ils, la prospérité les attendait. Une décision funeste ! Jean-Marie allait être victime d'une monstrueuse escroquerie orchestrée par des hommes de loi sans morale. Ne sachant pas lire, il avait apposé sa signature au bas d'un acte notarié frauduleux. La ferme qu'il avait achetée était hypothéquée et la dette lui incomba. Sa propriété fut saisie.

Dépouillée de ses biens, la famille avait gagné Montréal au début de 1832. Rosalie n'était toutefois pas au bout de ses peines, puisque quatre de ses onze enfants devaient bientôt mourir. Sur les entrefaites, l'épidémie de choléra s'était abattue sur le Bas-Canada, fauchant deux mille Montréalais, dont ce pauvre Jean-Marie, terrassé en moins de vingt-quatre heures. Dès lors, Rosalie s'était retrouvée veuve, à trente-huit ans, à la tête d'une famille de sept enfants dont la cadette avait à peine un mois. D'après Marie-Madeleine, et je suis portée à le croire, Rosalie ne s'était jamais consolée d'avoir perdu son mari. On ne la revit plus autrement que portant ses vêtements de deuil.

La suite de l'histoire, je la connaissais déjà. Une fois ses enfants devenus grands, et après la mort de sa mère sénile, dont elle avait pris soin jusqu'à la fin, Rosalie se mit, à l'orée de la cinquantaine, au service des pauvres. C'est alors que sa générosité se manifesta ! Jamais elle ne refusait l'aumône à un mendiant, elle pourtant si démunie. Des témoins l'avaient vue sortir des galettes au beurre de son four pour les donner à des passants. Beau temps, mauvais temps, elle allait porter ses œufs aux malades. On racontait aussi qu'elle avait gardé une famille de sauvages pendant une semaine, à cause des intempéries. Je n'aurais pas été étonnée d'apprendre qu'elle avait soigné les cholériques, malgré l'interdit de Sa Grandeur.

Un jour, elle avait remis une prostituée dans le droit chemin ; un autre, elle avait converti un homme débauché et blasphémateur. Elle trouvait un foyer aux orphelins, aidait les mourants à passer de vie à trépas, les ensevelissait… Il y avait une part d'affabulation dans ces anecdotes, mais je reconnaissais la Rosalie que j'avais aimée. C'était bien elle, cette femme prête à cacher dans sa cave une petite bonne poursuivie par deux matelots qui, munis d'une hache, menaçaient de la passer à tabac.

Monseigneur Bourget, qui connaissait le dévouement de sa paroissienne, lui avait fait prendre conscience du sort réservé aux filles tombées, dont personne ne se souciait dans son diocèse. Voici comment Marie-Madeleine présentait l'affaire : *Sa Grandeur fit appeler la Veuve Jetté et la pria de placer une fille enceinte chez une femme charitable et pieuse jusqu'à ce qu'elle fût rétablie. Le même cas se présenta souvent et pendant plusieurs années, la Veuve Jetté chercha un asile secret aux filles dans le besoin. Mais celles-ci étaient si nombreuses que les gîtes vinrent à manquer. Certaines filles avortaient chez des charlatans, d'autres abandonnaient leur enfant dans les rues ou dans les décharges. On les ramassait enveloppés dans un journal ou gelés dans des guenilles raidies par le froid. Les uns étaient mourants, les autres blessés par les instruments médicaux. Il fallait trouver une solution de toute urgence.*

Sous l'impulsion de l'évêque, Rosalie Jetté avait ouvert dans le grenier de la maison de son fils Pierre, rue Saint-Simon, une maternité destinée à accueillir les filles tombées en faute. Ce fut là le début de Sainte-Pélagie.

Quelques années plus tard, ma propre mère frapperait à sa porte. Elle serait l'une des centaines de « pécheresses » à y trouver refuge pour accoucher. Sans Rosalie Jetté, je ne serais probablement pas là aujourd'hui. On m'aurait peut-être trouvée dans la rue écrasée par le sabot d'un cheval, moi aussi.

Si j'avais un seul reproche à lui faire, ce serait de m'avoir caché l'identité de ma mère. Pour le reste, elle fut une marraine parfaite.

∽

Une semaine plus tard, comme je poursuivais la rédaction de la vie de Rosalie, je reçus la réponse de Mrs Hatfield. Elle souhaitait me rencontrer à l'hôtel Richelieu, le samedi suivant. Pressée d'aller à ce rendez-vous, je mis les bouchées doubles, écrivant matin, midi et soir avec une frénésie qui m'étonna moi-même, vu mon piteux état d'esprit.

Une fois mon travail terminé, je le remis à la supérieure. Elle le lut d'un trait, en plissant les yeux de temps à autre, avant de me faire ses remarques.

«Vous lisez trop de romans, ma fille, observa-t-elle. Votre récit pêche, comment dirais-je, par abus de qualificatifs.»

La supérieure n'avait pas tort, j'étais bien obligée de le reconnaître. Je n'ambitionnais certes pas d'être un jour la George Sand du Canada, mais c'était tout comme. Dans mon enthousiasme, j'avais un peu forcé sur le décor et mon récit s'en ressentait. S'agissant du ciel, je l'avais peint bleu poudre et sans nuages, percé par un soleil aveuglant. J'avais rarement eu l'occasion d'admirer les paysages champêtres et, pourtant, je les décrivais dans une orgie de couleurs. Mes prairies verdoyantes sortaient tout droit des romans que j'avais dévorés. Le grand chêne, qui faisait de l'ombre sur la galerie des Jetté, à laquelle on accédait en montant trois marches usées, empruntait à celui qui m'avait tant impressionnée à Lachine, chez Noémi Lapensée. Le même chien jaune aboyait sous ma plume.

« Je ne vous reproche pas votre style, argumenta la sœur. Simplement, je me demande s'il est sage de romancer la vie de Rosalie comme vous le faites. Nous voulons la présenter comme un modèle et non comme l'héroïne d'une saga. »

À mon étonnement, les libertés que j'avais prises ne la rebutaient pas tant que ça. Toutefois, le procédé la gênait. Les religieuses n'avaient pas l'habitude des histoires romancées. Je protestai mollement : tout ce que j'avais écrit noir sur blanc était véridique. J'avais simplement planté le décor et ajouté des sentiments pour rendre l'histoire plus palpitante. La supérieure ne voulait-elle pas que l'on voie Rosalie s'animer dans cette biographie ? Elle en convenait, mais elle aurait préféré que flottât autour de sa fondatrice une aura de sainteté. Sans doute aurait-elle apprécié davantage mes élans, si j'avais incorporé ne serait-ce qu'une apparition de la Vierge Marie, venue annoncer à Rosalie que sa route serait parsemée d'embûches.

J'avais, il est vrai, négligé un peu l'aspect religieux de sa personnalité. Et pour cause : Marie-Madeleine avait fort bien défriché ce terrain. Rosalie, avait-elle écrit, faisait carême et communiait souvent, même si elle habitait loin de l'église. Elle aurait préféré mourir plutôt que de manger de la viande les jours défendus. Qu'aurais-je pu ajouter à ces manifestations de sainteté et à quelques autres ?

C'est probablement ce que la sœur supérieure se dit en fin de compte, puisqu'elle décida que la vie de Rosalie, telle que je l'avais racontée, convenait parfaitement aux besoins de l'album-souvenir. Elle me remercia sincèrement et m'assura que j'aurais toujours ma place dans la communauté. Si jamais j'entendais l'appel de la vocation, je n'avais qu'à lui faire signe.

20

L'accompagnatrice

Bien qu'elle ait un peu épaissi, je reconnus tout de suite Mʳˢ Hatfield, à cause de son chignon blond envahi de fils grisonnants. Toute juponnée, elle occupait la moitié d'un canapé placé à l'extrémité sud du hall, à petite distance de la salle à manger, de l'hôtel Richelieu. Depuis son poste, elle pouvait suivre le va-et-vient bruyant à cette heure. Rien ne lui échappait. J'allais bientôt découvrir qu'il s'agissait de son passe-temps préféré.

Pour l'occasion, j'avais passé une jolie robe en batiste haut cintrée, sous mon inusable pèlerine qui avait connu des jours meilleurs. Si seulement Mathilde avait été là pour torsader mes cheveux comme elle savait si bien le faire! Je me présentai selon les usages à Mʳˢ Hatfield qui m'examina sous toutes les coutures. Elle s'excusa de ne pas se lever et m'invita à m'asseoir dans le fauteuil à sa droite. Un groom m'apporta une limonade gazeuse. D'entrée de jeu, elle me questionna sur les derniers moments de Madame Odile. La mort de celle-ci l'affligeait. Bien qu'épisodiques, leurs relations avaient pris, au fil des ans, un tour amical. Mʳˢ Hatfield ne passait jamais une année complète sans aller prendre de ses nouvelles.

«Trêve de nostalgie, dit-elle soudainement. Venons-en au but de notre rendez-vous.»

J'écoutais attentivement.

«Mademoiselle, votre lettre est arrivée à point nommé : je quitte le pays *in exactly one week*. Je compte passer un mois, peut-être plus, en Angleterre, où vit ma sœur aînée, que je n'ai pas revue depuis dix ans.

Elle profita de l'occasion pour me parler de sa famille. Ses frères siégeaient aux conseils d'administration de diverses œuvres de bienfaisance anglophones. Ils finançaient aussi les institutions de haut savoir, telle *McGill University*. Jadis membre de la *Ladies' Benevolent Society*, elle-même s'était dévouée auprès des orphelins irlandais pendant l'épidémie de choléra. Elle se souciait toujours du bien-être des mal nantis, même si, indépendante de fortune, elle avait consacré les dernières années à voyager. Comme de raison, plus elle avançait en âge, moins elle était encline à prendre le large sans une accompagnatrice. Ses nièces étant maintenant établies, l'une mariée, l'autre religieuse, elle se tournait vers moi, car elle redoutait la solitude autant que l'océan.

« Je déteste voyager seule, dit-elle. Les foules m'épuisent, je ne supporte pas de rester debout longtemps et, pendant les traversées, *I am seasick*. Enfin, et ce n'est pas un caprice, je ne peux pas me montrer sans escorte à l'opéra. À l'âge de l'innocence, je me permettais des accrocs au protocole. *Unfortunately*, la belle société ne manifeste guère d'indulgence à l'égard des femmes sans mari. Je me résigne donc à respecter ses lois, même si elles paraissent, comment dit-on en français ? surannées ? »

Après quelques détours, elle en vint à me proposer de l'accompagner. Je ne rêvais pas, j'avais envie de me pincer pour me persuader que j'irais bientôt en Europe. En la relançant, j'avais craint qu'elle se soit trouvé une autre accompagnatrice. Ou, encore, que ma personne ne l'intéresse plus. Je résistai à l'envie d'accepter sa proposition sur-le-champ et je fis mine de réfléchir. Ce séjour à l'étranger serait comme un passage obligé entre mon passé décevant et des lendemains peut-être meilleurs. J'allais trouver mon salut dans la fuite, peu m'importait la destination.

« Mademoiselle Rose, je vais être franche avec vous. *I don't need a reader*. Voyez-vous, je ne suis pas une mordue de romans. »

Saisie et, ma foi, un peu inquiète pour la suite des choses, je me redressai sur mon siège. Qu'attendait-elle de moi? Que je sois sa servante?

« En revanche, poursuivit-elle sans prêter attention à ma réaction, je recherche… *how should I say?* un bâton de vieillesse. Odile m'a écrit que vous étiez patiente et empressée.

— Un bâton de vieillesse? N'est-ce pas prématuré?

— *I'm only joking,* m'assura-t-elle. Vous ne serez pas ma lectrice mais plutôt mon accompagnatrice. Vous verrez, je suis tout le contraire d'une vieille impotente. Vous ne risquez pas de vous ennuyer. Avec moi, vous ferez du *sightseeing* à Londres. Nous descendrons dans les *most luxurious hotels,* nous prendrons le *lunch* dans les pubs et, le soir, nous assisterons à des spectacles qui ne manqueront pas de vous plaire. »

Bien sûr, elle comptait passer une partie de son temps chez sa sœur Sophia, mais elle mourait aussi d'envie de renouer avec Londres, ses odeurs, ses encombrements, sa magie.

« Mon projet vous plaît-il? *Naturally,* je paierai tous vos frais et vous toucherez un cachet. *Six dollars per month?* Comme vous n'aurez aucune dépense, cela me paraît raisonnable. Vous disposerez aussi d'un peu de monnaie de poche. »

Six dollars pour me pavaner dans les palaces, cela me semblait exorbitant.

« Dites-moi d'abord plus précisément ce que vous attendez de moi, trouvai-je le courage de demander, même si, intérieurement, j'avais déjà dit oui.

— Rien d'extravagant. À la gare, vous devrez vous assurer que tous mes bagages me suivent; à l'hôtel, vous vérifierez si la chambre qu'on m'a attribuée me convient; avant un concert, vous irez retirer les billets au guichet du théâtre. Aussi, vous aurez pour moi des attentions délicates. *In other words,* vous devancerez mes désirs, vous me gâterez. Le vent se lève? Vous courrez chercher mon châle de cachemire. Mes chevilles enflent? Vous me procurerez un bassin d'eau fraîche. »

Une litanie sans fin s'ensuivit qui eut pour effet de me ramener les deux pieds sur terre. Certes, je profiterais de ses largesses, mais j'en aurais plein les bras. Peu m'importait, j'étais prête à satisfaire tous ses caprices, du moment qu'elle acceptait de m'emmener outre-Atlantique. Ce voyage ne s'annonçait pas comme une sinécure, ma nouvelle patronne n'ayant l'air ni reposante ni commode, mais je m'en fichais. Le simple fait de couper les ponts avec ma vie actuelle me souriait. De toute manière, rien de ce qui m'attendait ne pouvait être pire que la vie en montagnes russes que je quittais.

« Cela me convient parfaitement, finis-je par lui dire en hochant la tête de haut en bas.

— À la bonne heure. *Please call me Lady Hatfield.* Quant à moi, je laisserai tomber le « mademoiselle » au profit du *miss.* »

Durant cette première rencontre, Mrs Hatfield parla comme une pie. « N'oubliez pas d'apporter de la poudre pour les dents. Ne vous embarrassez pas d'un médicament contre le mal de mer, j'en ai un excellent qui me vient d'Italie. *It is marvelous.* Ah! oui, je vous recommande les pastilles de menthe. Elles vous protégeront des maux de gorge. »

Chez elle, c'était comme une manie. Elle vous inondait de conseils plus ou moins pertinents, tout en observant ce qui se passait autour d'elle. Pendant que nous causions, elle salua de la main une dame portant une élégante cape de drap ourlée de velours qui se dirigeait vers la salle à manger. « Bonjour, ma chère Claire », lança-t-elle assez fort pour que la dame l'entende, mais sans chercher à lier conversation. Puis, à mon intention, elle ajouta à voix basse : « C'est la marquise de Bassano, anciennement Mademoiselle Symes, de Québec. Elle vient d'épouser un descendant de la noblesse italienne. Un excellent parti, d'ailleurs. Elle était déjà fortunée. La voilà immensément riche. »

Mrs Hatfield m'invita à partager son repas à la salle à manger de l'hôtel. Ce fut pour moi l'occasion de découvrir certains traits désagréables de sa personnalité. Ainsi, jamais elle ne cachait ses opinions, et ses commentaires livrés d'un air hautain en agitant ses mains chargées de bagues étaient à l'avenant. Son thé était tiède ? Elle passa un savon au garçon d'hôtel. Le service laissait à désirer, se plaignit-elle. Aussi, elle n'hésita pas à mettre le personnel à la gêne en gesticulant exagérément. Elle me souffla que la nouvelle classe de monde qui arpentait les hôtels de luxe manquait de raffinement. Il lui arriva même de tomber carrément dans la médisance. Comme je commençais à peine à la connaître, au lieu de m'arrêter à cet aspect malcommode de sa personnalité, j'étais soucieuse de ne pas la décevoir, moi qui apprivoisais un monde nouveau, si différent du mien. Plus tard, au cours de ce voyage, son mépris affiché ouvertement m'embarrasserait à plus d'une occasion. Mrs Hatfield n'avait pas l'air de réaliser que la cible de ses remarques désobligeantes n'était ni sourde ni aveugle. De fait, je le remarquai souvent, son attitude désobligeante lui attirait des bosses. On chuchotait sur son passage, on la fuyait même.

Autrement, Mrs Hatfield possédait d'indéniables qualités. Par exemple, elle savait se montrer si généreuse que j'en oubliais ses défauts. Ma fée bienfaisante effaçait alors la fée Carabosse.

« Vous me réserverez votre mardi, m'ordonna-t-elle, au moment de nous séparer, à l'issue de ce premier tête-à-tête. Nous irons faire du *shopping*. Vous n'avez probablement rien à vous mettre pour fréquenter le grand monde. Je veux m'assurer que vous apportiez tout ce dont vous aurez besoin. »

Mes économies ne me permettaient pas d'extravagances, mais elle me rassura :

« Je réglerai tout, *Miss* Rose. Vous serez habillée comme il convient dans notre monde. Tous les jeunes gens tourneront autour de vous comme les abeilles butinent les fleurs. » Elle rit fort avant d'ajouter : « Ça me rappellera mes années de jeunesse. »

Je la quittai là-dessus. Elle me donna rendez-vous le mardi suivant à dix heures pile, chez *Dupuis & Labelle*, rue Notre-Dame. À défaut d'y trouver ce qu'elle cherchait, elle m'emmènerait dévaliser le magasin *Henry Morgan & Co.*

~

La semaine passa à la vitesse de l'éclair, malgré le froid de marbre qui compliqua mes déplacements. À peine trouvai-je le temps d'aller embrasser Monsieur Alphonse. Il ne commenta pas mes déboires à la Villa des Pins et m'épargna ses «je vous avais prévenue», qui m'auraient chagrinée. En revanche, il parut soulagé de voir que je m'embarquais pour les vieux pays.

«Avant de quitter Londres, me dit-il, promettez-moi de mettre dans votre malle un peu de son parfum que je puisse le humer à votre retour.»

Comme je lui tirais ma révérence, il alla jusqu'à son étagère couverte de livres et s'empara du roman de Jules Verne, *Vingt mille lieues sous les mers*, qu'il voulait m'offrir pour occuper les jours creux de la traversée. Cette pensée me toucha. Je reconnus là son humour flegmatique. Sans doute avait-il deviné ma peur de l'océan, que je m'efforçais de lui dissimuler. Je l'embrassai, imprégnée de la chaude affection de ce bon grand-papa rien qu'à moi.

Pour couper court aux effusions qui l'embarrassaient toujours – moi aussi, j'étais gauche –, il se dirigea vers la console sur laquelle il avait déposé, en prévision de ma visite, une lettre d'Antoine Davignon. Le neveu de mamie Odile était venu la porter lui-même un peu avant Noël et avait prié Monsieur Alphonse de me la remettre en main propre. Je m'emparai de l'enveloppe couverte d'une écriture volontaire et j'attendis d'être dans la rue pour la déchirer vivement. Que me voulait-il, celui-là? Ne m'avait-il pas déjà assez offensée en tentant de me séduire contre ma volonté?

Eh bien, je me trompais. Antoine m'annonçait en quelques lignes son départ pour l'Angleterre, où il allait poursuivre ses études de médecine. Il ne voulait pas partir sans me dire combien il regrettait son attitude inqualifiable à mon égard. J'étais, ce sont ses mots, la jeune fille la plus intéressante qu'il ait rencontrée ces dernières années et il ne se pardonnait pas d'avoir traité avec autant de légèreté, sinon de rudesse, une personne aussi sensible et intelligente. Il fallait mettre son effronterie sur le compte de ses frasques d'étudiant et il me suppliait de lui pardonner. Enfin, il me demandait de demeurer son amie. Accepterais-je de correspondre avec lui pendant son séjour en Grande-Bretagne? Dans l'espoir de me lire bientôt, il me laissait son adresse à Londres.

Lui et moi là-bas, en même temps? Ce curieux hasard ne m'enthousiasmait guère. L'idée m'effleura de lui répondre sur-le-champ de ne plus me relancer, mais je la repoussai. Cela pouvait attendre, j'avais d'autres chats à fouetter. Je fourrai sa lettre au fond de mon sac et l'oubliai pendant quelque temps.

Mrs Hatfield avait tenu parole. Elle connaissait la valeur de l'argent, sans pour autant regarder à la dépense. Grâce à elle, j'étais habillée de pied en cap. Un manteau en velours marine muni d'un capuchon, comme celui que Mathilde aurait aimé m'offrir à Noël, un costume de voyage gris souris, une robe à deux jupes dans les tons de brun, dont le corsage très haut avait une basque à l'arrière et une autre robe à queue, celle-là, en taffetas de couleur ambre. Des bottines de marche, des souliers fins, une toque Metternich en paille de riz couverte d'un voile de crêpe jaune maïs et un adorable chapeau en velours noir avec, tenez-vous bien, une plume.

Les magasins avaient tout livré chez ma patronne, au 5 terrasse Montmorency, rue Sainte-Catherine. Le peu que je vis de l'intérieur de sa résidence me parut élégant, mais un tantinet tapageur : des meubles de bois de rose, un buste de Shakespeare, un piano droit, des rideaux en dentelle de Nottingham, un tapis de Bruxelles... Elle avait pour voisin l'un des fils Molson. Naturellement, elle me prêta une malle pour y enfouir ma garde-robe neuve. Je compris à demi-mot qu'elle préférait que je laisse mon ancien butin derrière. Cela ne m'offusqua nullement. Les toilettes que Madame Odile avait confectionnées pour moi avaient perdu de leur éclat, certaines dataient carrément.

Suivant les recommandations de Mrs Hatfield, j'avais choisi pour ce voyage des tenues sobres, comme il convenait à une accompagnatrice au service d'une dame de la bourgeoisie. D'ailleurs, elle ne manquait jamais de me rappeler que chacun devait tenir son rang dans la société. N'empêche, la pauvre-orpheline-seule-au-monde que j'étais commit un énorme péché d'orgueil en se regardant, pomponnée comme une princesse, dans la glace. Jamais je n'aurais osé me montrer devant les sœurs ainsi nippée. À l'orphelinat, Honorine et moi portions des robes retaillées dans celles que les dames patronnesses distribuaient aux bonnes œuvres. Un monde me séparait de ce temps de misère.

La grand jour arriva enfin. Nous étions à la fin de janvier. Le cocher de Lady Hatfield nous déposa à la gare Bonaventure. Un porteur noir empila nos bagages sur son chariot, qu'il poussa jusqu'aux quais d'embarquement. Je m'assurai qu'ils soient bien gardés. Dans la salle des pas perdus, une vaste pièce éclairée de lampes à gaz suspendues au plafond, je marchais deux pas derrière ma patronne, fin prête à répondre à tous ses désirs. Elle pouvait, par exemple, souhaiter s'appuyer à mon bras pour monter un escalier et s'attendait alors à me trouver à côté d'elle.

Nous étions arrivées un peu à l'avance. Après avoir repéré un fauteuil en vue, je l'y installai. J'allai ensuite au kiosque à journaux lui chercher la gazette anglaise qu'elle réclamait, mais ne lirait pas, trop occupée à observer tout un chacun. L'agitation était étourdissante, car en plus des trains en partance pour les États-Unis, la gare Bonaventure servait de terminus aux convois de voyageurs de la *Montreal and Lachine Railroad.*

Une demi-heure avant le départ, Honorine et Louis me surprirent sur le quai, devant le train de New York. J'avais pris la peine de leur écrire pour leur raconter les derniers bouleversements de ma vie et ils ne voulaient pas me laisser partir sans m'embrasser. Honorine serrait dans ses bras son petit Édouard, maintenant âgé de douze mois.

« Allons, Honorine, tu vas l'étouffer. Laisse-moi le voir, ce bel enfant. »

Bébé Édouard était franchement magnifique, emmitouflé jusqu'aux oreilles dans la couverture bleu pâle que j'avais crochetée pour lui un peu avant les fêtes. Son bonnet, c'est Mathilde qui l'avait tricoté. En observant Honorine, je compris que la cigogne était de nouveau en route. Cela me faisait tellement plaisir de voir mon amie si épanouie dans son rôle de mère ! Elle aussi se réjouissait pour moi. Nous avions toutes les deux subi tant de revers. L'une comme l'autre, nous aurions pu mal tourner. Au contraire, après bien des soubresauts, chacune avait pris sa destinée en main. Nos vies s'annonçaient exaltantes. Je n'en finissais plus de lui palper le ventre, sous l'œil attendri de Louis, fier comme un paon de sa petite famille. Mrs Hatfield tomba sous le charme de bébé Édouard, elle aussi.

Honorine s'extasia devant mon costume de voyage acheté chez Morgan. J'eus soudainement l'impression qu'elle avait quelque chose à me dire, mais n'osait pas. Un reproche ? Plutôt une inquiétude. De fait, elle se décida au moment des adieux :

« Quoi qu'il t'arrive, Rose, ne perds jamais ta simplicité ni cette petite flamme qui t'anime. Tu es des nôtres, même si tu fraies dans le grand monde. Je t'en supplie, reste toi-même. Je t'aime comme tu es. »

Elle me remit le ruban de soie qui m'avait servi à nouer sa natte, le jour où je l'avais conduite à la maternité. C'était, me dit-elle, pour que j'emporte un peu d'elle dans la vieille Europe.

« Tu vas me manquer, ma belle Rose, toi et tes conseils ô combien prudents que je n'ai hélas ! pas toujours suivis. »

Je la serrai dans mes bras. Lorsque nous étions plus jeunes, mon amie m'avait souvent reproché ma sagesse précoce. J'étais trop raisonnable à son goût. Elle aurait aimé que je fasse des folies, moi aussi, de temps à autre. Côté cœur, elle me trouvait réservée à outrance et pas assez entreprenante. Moi, je désapprouvais son insouciance qui la plaçait dans des situations embarrassantes dont j'étais forcée de la tirer. Nous étions, en somme, les deux côtés de la même médaille.

«Honorine, je ne te l'ai jamais avoué, mais, secrètement, j'enviais tes audaces.

— Et moi, ta détermination. Quand tu te lances dans une entreprise, tu n'as pas les deux pieds dans la même bottine.

— Peut-être, mais je suis trop longtemps resté collée aux jupes des bonnes sœurs.

— Cela t'a plutôt bien servie. Regarde où tu en es aujourd'hui. Je peux dormir sur mes deux oreilles. Tu pars à l'aventure, c'est vrai, mais, comme on dit, tu as une bonne tête sur les épaules.

— Toi aussi, ma sœur siamoise, tu as mûri. Et puis, avec Louis qui veille sur toi, tu ne risques plus de manquer de jugeote.»

Un peu en retrait, ce dernier m'observait de ses yeux railleurs, cachés derrière ses lunettes d'écaille. Il semblait me dire : je n'ai jamais douté que vous finiriez par tirer vos marrons du feu, *Miss* Rose, mais aujourd'hui, vous vous surpassez. Et puis, il posa la question qu'il ne pouvait pas retenir :

«Ce grand départ signifie-t-il que vous abandonnez définitivement vos recherches?»

Mon ami me connaissait bien. Je n'avais pas oublié son exclamation, l'hiver précédent, alors qu'il désespérait de m'apprendre à patiner. Malgré mes maladresses, je m'entêtais à exécuter des figures trop compliquées pour une débutante. Après ma énième chute, comme je me relevais pour essayer à nouveau, il avait poussé un soupir admiratif : «Vous ne lâchez donc jamais?»

«Mes recherches? lui répondis-je. Pour l'instant, une chose est sûre : je suis la fille de Mary Steamboat, présumée morte dans l'incendie de Montréal, en 1852, mais dont le corps n'a jamais été retrouvé. J'ignore son nom véritable et avec un surnom aussi saugrenu, j'ai bien peur de n'arriver à rien. Je sais qu'elle vient d'Irlande, comme des milliers d'autres immigrants. D'ici quelques semaines, je foulerai le sol de mes ancêtres, sans trop savoir dans quel village m'agenouiller. J'irai sûrement passer un moment dans le port de Dublin, d'où Mary Steamboat est probablement partie lors de la Grande Famine. Quant au reste, je suis dans le brouillard.»

Louis esquissa une moue compatissante. Je lui souris tristement avant d'ajouter :

«Cette fois, vous allez conclure que je baisse les bras.

— Oh! mais, il n'y a aucune raison qu'il en soit ainsi, répondit-il dans un regain de tendresse. Il n'en tient qu'à vous pour que ce soit partie remise. Faites-moi signe à votre retour et nous placerons une annonce dans *The Daily Telegraph*, le *Montreal Herald* ou toute autre gazette à laquelle s'abonnent les Irlandais. Le message pourrait se lire comme ceci : *Recherchons une Irlandaise arrivée à Montréal en juillet 1852. Connue sous le nom de Mary Steamboat, elle accoucha d'une fille à la Maternité Sainte-Pélagie, le jour même de l'incendie qui ravagea la ville.* Naturellement, nous le ferions traduire en anglais.»

Sans le savoir, Louis venait de me fournir des munitions pour alimenter mes rêves les plus extravagants pendant les mois à venir. Ce soir-là, dans le train qui s'éloignait tout doucement du pays, je notai sa suggestion à la dernière page de mon précieux cahier, celui qui me suivait depuis le début de mes recherches. Incapable de m'en séparer, même si toutes ses pages avaient été noircies d'une écriture parfois désespérée, je l'avais glissé au fond de mon sac à la dernière minute. Il se refermerait sur un espoir.

Au son du train qui grondait en traversant les champs à vive allure, j'émergeai de mes pensées juste à temps pour remettre nos billets au contrôleur qui défilait dans les wagons. Il revint peu après, cette fois pour allumer les lanternes. Mrs Hatfield somnolait déjà dans la pénombre. J'en profitai pour ouvrir le joli cahier que Mathilde m'avait offert à Noël. Il me servirait de carnet de voyage. L'idée me vint de le lui dédier : *Pour Mathilde, la mère que je n'aurai jamais.* Une façon comme une autre de ne pas la laisser sortir de ma vie. La lettre que je lui avais adressée à la Villa des

Pins pour lui faire part de mon prochain départ en Europe m'était revenue. Elle n'avait pas été décachetée. Son abominable frère ne la lui avait pas remise.

J'écrivis en gros caractère : *Mémoires intimes* par Rose Tout-court. Ce nom, que je m'étais attribué par dérision, à défaut d'en avoir un véritable, je le porterais désormais partout où j'irais.

∾

Bien entendu, il ne me serait pas venu à l'idée de faire escale à New York sans rendre visite à Marie-Madeleine. Tandis que le train filait dans la nuit, je me préparai à cette rencontre. Elle n'était pas au courant de mes récents désenchantements et j'étais impatiente de les lui confier. J'attendais d'elle un peu de commisération.

Mrs Hatfield accepta de me libérer une heure ou deux, le lendemain, mais elle ne souhaita pas m'accompagner à la maternité de Brooklyn. Son défunt mari cultivait jadis des relations d'affaires à New York et elle ne voulait pas courir le risque d'être aperçue dans le quartier des filles tombées ! Voilà l'excuse peu convaincante qu'elle invoqua dans notre comparti-ment de première classe, quelque part entre Albany et New York.

Le train filait et je me sentais presque heureuse. Saisie par l'étrange sentiment de laisser un poids derrière, j'appri-voisais l'idée d'une vie nouvelle, libérée des afflictions et peines de l'ancienne. Adieu, Montréal et tout ce qui m'y avait trop long-temps retenue !

Nous descendîmes à l'*Astor House*, l'un des plus chics hôtels de New York, l'un des plus confortables aussi. L'édifice de marbre blanc, chauffé par des calorifères et éclairé au gaz, attirait les plus grandes fortunes de passage. Mrs Hatfield le préférait à tout autre parce qu'il était situé près de *Wall Street*, où elle avait rendez-vous avec son banquier. De plus, comme notre vapeur était amarré au quai de Jersey City, presque en face, elle trouvait avantageux de se loger à proximité, vu l'heure matinale de l'embarquement.

L'hôtel se trouva fort animé, comme à la veille de chaque départ pour les vieux pays. L'ascenseur qui nous hissa à nos chambres ne dérougissait pas. C'était ma première expérience dans ce monte-charge pour les humains, mais je fis en sorte que personne ne le devine. Au début de l'après-midi, après notre visite à la banque, suivie d'un lunch assez copieux pris dans la salle à manger de l'hôtel, ma patronne s'installa confortablement sous un lustre volumineux, dans un coin passant du hall. Elle se fit servir une tasse de thé du Ceylan et réclama la gazette new-yorkaise, afin de savoir qui voyagerait avec elle à bord du *Scotia*.

Je n'avais pas de souci à me faire, elle avait de quoi s'occuper pendant mon absence. De son poste d'observation, la voilette de son chapeau rabattue sur son visage, elle ne perdrait rien du défilé des dames endimanchées et des messieurs gantés de blanc. Comme de fait, je n'avais pas encore quitté les lieux que déjà, elle déployait son éventail de nacre pour cacher ses mimiques impertinentes. Je pensai : ça tombe bien, tout le gratin a l'air d'avoir élu domicile dans ce palace du Vieux New York. Moi, qui venais des bas-fonds de Montréal, je me faisais l'effet d'une extraterrestre au milieu de cette faune bigarrée.

J'avais un plan de la ville et je comptais prendre l'omnibus pour me rendre au *Mother's Home* de Marie-Madeleine, mais Mrs Hatfield préféra me voir sauter dans un *cab*. Apparemment, une jeune fille ne devait pas circuler seule dans certaines rues de Brooklyn.

C'est donc sans chaperon que je me présentai à la maternité. L'édifice massif, presque hideux, plus décrépit que tout ce que j'avais vu à New York depuis mon arrivée, s'élevait dans un quartier grouillant de monde. Sur la façade, les jalousies tenaient par un clou. Je grimpai un escalier croulant avec l'impression d'arriver chez moi. Tous les établissements tenus par les religieuses se ressemblent. Même éclairage chétif, même odeur envahissante montant des cuisines, même cornette aux lèvres pincées pour vous accueillir. Bienvenue au refuge des filles tombées américaines!

Prévenue de l'arrivée d'une visiteuse inconnue qui demandait à être reçue, sans aucun doute une future mère, Marie-Madeleine se présenta à l'admission moins de cinq minutes après. En m'apercevant, elle faillit s'évanouir.

«Rose? Vous ici? Je rêve!»

Je fis un pas vers elle, mais n'osai pas l'embrasser. Je ne l'avais pas revue depuis plus de deux ans, alors que nos liens s'étaient rompus abruptement, et je ne savais comment me comporter vis-à-vis d'elle. Je lui tendis la main, mais elle me prit dans ses bras. Je n'avais pas l'habitude des manifestations de tendresse et je restai figée, incapable de lui rendre sa caresse affectueuse. Elle m'apparut plus grande, le teint plus rosé aussi. Pour le reste, la fatigue accumulée se lisait sur son visage. Je la trouvai jolie, même avec sa cornette de bonne sœur.

«Vous ne vous ménagez pas assez, Marie-Madeleine. Vous avez les traits tirés.

— J'ai donc si mauvaise mine? Vous, par contre, vous êtes resplendissante. Venez, nous n'allons pas rester debout devant la porte.»

Elle se dirigea vers la cabine de la portière et réclama en anglais la clé du parloir. Je la félicitai pour la facilité avec laquelle elle maniait la langue des Américains.

«Vous savez, quand on baigne dans un univers pendant aussi longtemps, ce n'est pas sorcier d'en maîtriser le parler. Je connais New York et ses habitants comme le fond de ma poche.

— Vous aimez vivre ici?

— La plupart du temps, oui. Il m'arrive de m'ennuyer de Sainte-Pélagie, je ne vous le cache pas. Mais il y a tant à faire dans une métropole comme New York. Les immigrantes sans le sou nous arrivent d'Europe de l'Est, de Chine, des Indes... Nos portes sont ouvertes à toutes, peu importe leur passé, leur langue et leur religion. Certains jours, on a l'impression de circuler dans la tour de Babel.» Elle s'arrêta, contempla avec étonnement mes vêtements chers et dit : «Assez parlé de moi. Et vous? Je me trompe ou vous êtes habillée comme une carte de mode? Et quel bon vent vous amène à New York?

— Vous allez tomber en bas de votre chaise, Marie-Madeleine. Je m'en vais en Europe.

— En Europe? Vous avez épousé un roturier ou quoi?

— Non, bien sûr. Je vous aurais prévenue si Cupidon m'avait fait un clin d'œil. Je suis toujours demoiselle de compagnie, mais cette fois j'accompagne une «*lady*» en Grande-Bretagne. Enfin, je ne suis pas sûre qu'elle ait véritablement droit au titre, mais elle me demande de l'appeler ainsi.»

Marie-Madeleine voulut savoir comment j'avais connu cette dame anglaise. À l'évocation du nom de mamie Odile, elle m'offrit ses condoléances, tout en me reprochant de ne pas l'avoir prévenue de son décès. Notre dernier contact épistolaire remontait à ma mésaventure avec Elvire. Elle me demanda si je m'étais remise de ce douloureux épisode. Je fis signe que oui.

«Mais vous ne savez pas tout, poursuivis-je, la gorge serrée. Je viens de connaître une autre cruelle déception. Vous souvenez-vous de Mathilde, dont vous m'avez longuement parlé? Je m'étais imaginé qu'elle était ma mère. Eh bien, elle ne l'est pas.

— Que voulez-vous dire? fit-elle en se redressant subitement. Vous connaissez cette Mathilde mystérieusement disparue? Je me doutais que vous n'aviez pas renoncé à rechercher votre maman. À quoi bon remuer le passé, Rose?

— Écoutez, j'ai besoin de savoir. J'ai retrouvé Mathilde grâce à une petite annonce dans *L'Opinion publique*. J'ai même vécu auprès d'elle pendant huit mois.»

Elle avait l'air interloquée. Alors, je déballai tout. Naturellement, je ne pus m'empêcher de revenir sur la mort de Noémi, dont elle m'avait elle-même raconté le déroulement tragique. Plus je parlais, plus son visage s'allongeait. L'émotion imprégnait ses traits, même si elle s'efforçait de n'en rien laisser paraître. Je poursuivis néanmoins mes confidences en lui apprenant que Mathilde n'avait pas trempé dans l'empoisonnement du médecin.

« Vous rendez-vous compte ? Pendant toutes ces années, elle a passé pour une empoisonneuse, alors qu'elle était innocente. »

Marie-Madeleine baissa les yeux sans commenter. Comme si elle le savait déjà ! Quand je lui annonçai ensuite que, d'après Mathilde, il n'y avait, cette nuit-là, dans la salle d'accouchement, non pas deux sœurs mais une seule, Mère de la Nativité, elle ne réagit pas davantage.

« Elvire m'avait affirmé la même chose. Étrange, non ? »

Je n'obtins pas plus de réaction de sa part. Sans penser à mal, je poussai plus loin l'argument :

« Mais vous y étiez pourtant ? N'est-ce pas ce que vous m'avez raconté ?

— Je n'ai jamais prétendu que j'y étais, protesta-t-elle avec emportement. Tout ce que je vous ai raconté et, soit dit en passant, je le regrette amèrement, je le tiens des religieuses. Elles étaient très âgées, à l'époque de nos conversations, et la mémoire a pu leur faire défaut. L'une d'elles, il est vrai, a fait allusion à une jeune personne qui avait aidé Mère de la Nativité à faire la toilette de la petite défunte.

— Vous m'aviez dit que cette religieuse avait coupé une mèche des cheveux de Noémi pour la conserver.

— Non, c'est Mary Steamboat qui l'a fait. » Après une pause pendant laquelle elle me regarda intensément, elle ajouta : « Je peux me tromper, tout cela est bien flou et si loin.

— Cette mèche de cheveux, l'a-t-on jamais retrouvée ?

— Pas à ma connaissance.

— Alors là, je n'y comprends plus rien. »

Elle me sourit enfin, pour décrisper l'atmosphère, et me demanda :

« Parlez-moi plutôt de Mathilde. Comment était-elle ?

— C'est une belle femme très déroutante, Mathilde. J'aurais tellement voulu qu'elle soit ma mère. Je l'aurais adoptée sans l'ombre d'une hésitation. Une magnifique chevelure brune, des yeux noisette, elle est exactement comme vous me l'aviez décrite. Au début, je la trouvais froide et distante. Mais lorsque j'ai eu réussi à percer sa carapace, elle s'est montrée affectueuse, attentionnée même. Et quel caractère! Vous la contrariez? Elle bondit. Entre vous et moi, elle est un brin dérangée, mais cela s'explique : sa famille la tient prisonnière depuis la naissance de son enfant. C'est renversant! Vous rendez-vous compte? Elle est pour ainsi dire enfermée depuis plus de vingt ans.»

À présent, mon histoire l'intéressait. Elle m'interrompait sans cesse. Comment avait réagi Mathilde en apprenant le but de ma démarche? Avait-elle vraiment gardé contact avec Elvire? M'avait-elle confirmé la mort de Mary Steamboat? En fin de compte, elle voulut savoir comment je pouvais être sûre que Mathilde n'était pas ma mère.

«Sa fille s'est noyée dans le fleuve à la hauteur de Pointe-Saint-Charles, lui répondis-je. Elle venait d'avoir cinq ans et s'appelait Anne. Le plus étrange, c'est que je me souviens parfaitement de cette petite fille. Nous étions amies à l'orphelinat.

— Mais non, voyons, vous vous trompez, c'est impossible...» bredouilla-t-elle.

Soudain, son visage se rembrunit sous mes yeux. Elle ne cherchait même plus à me cacher son trouble. Je la trouvai tout à coup étonnamment silencieuse, comme si de sombres pensées tourbillonnaient dans sa tête. Des pensées qu'elle ne souhaitait pas partager.

«Pourquoi pensez-vous que je me trompe? lui demandai-je, franchement surprise par sa réaction. J'ai vu de mes yeux la lettre de la supérieure de l'orphelinat, Mère Sainte-Cunégonde, au frère de Mathilde. Elle a prévenu Auguste Mousseau qu'il pouvait cesser de payer la pension d'Anne, vu qu'elle s'était noyée.»

Je lui racontai ce dont je me souvenais de ce macabre jour : la baignade qui avait mal tourné, Anne qui s'enfonçait dans la vase, puis disparaissait pour toujours, moi qui criais comme une perdue... Marie-Madeleine m'écoutait, tête baissée et mains croisées sur les genoux. Je pensai : elle est malheureuse pour Mathilde. Ou, alors, elle se sent responsable de m'avoir fourni des renseignements qui m'ont poussée à entreprendre des démarches douloureuses pour retrouver ma mère. Noémi, Elvire, Mathilde, trois coups d'épée dans l'eau qui m'avaient causé d'amers chagrins. Jamais elle ne se pardonnerait le mal qu'elle croyait m'avoir fait. Je lui pris la main pour la rassurer :

« Ne vous en faites pas pour moi, Marie-Madeleine. J'ai la couenne dure, comme on dit. Je m'en sors très bien. Vous ne pouvez pas savoir comme les désillusions forgent le caractère.

— Oh ! j'en sais quelque chose, croyez-moi. Mais j'aimerais tant vous protéger contre de nouvelles déceptions.

— Il ne me reste plus qu'une piste, celle de cette mystérieuse Mary Steamboat. C'est elle, ma mère. Elle a disparu, peut-être est-elle morte ? Je n'en sais rien. Alors... »

Pour la seconde fois depuis le début de notre rencontre, j'eus l'impression que Marie-Madeleine allait se trouver mal. Sans blague, je la vis blêmir. Cela ne pouvait pas être seulement à cause de moi. Je pensai qu'elle ne mangeait pas assez et qu'elle souffrait d'épuisement. Consciente que je l'observais, elle s'empressa de relancer la conversation :

« Je vous envie, Rose. J'aurais tant aimé voir l'Europe.

— Alors, je vous promets d'écrire chaque jour mon journal de voyage. À mon retour, je vous le ferai lire. »

L'idée lui plut. Elle me supplia de tout noter, les paysages comme les monuments, sans oublier mes rencontres. Elle voulait connaître les jeunes hommes qui me feraient la cour. Il était grand temps de songer à me marier, insista-t-elle, à nouveau joyeuse.

« Vous ai-je dit que je reviendrais à temps pour les fêtes à Sainte-Pélagie ? Vous y serez, n'est-ce pas ? »

Elle me le promit. La pendule égrenait les minutes. Trois heures sonnèrent. Il était temps de nous séparer. Tout compte fait, j'étais satisfaite de nos retrouvailles, même si l'état de Marie-Madeleine m'inquiétait un peu. Je pouvais néanmoins partir en paix : je laissais derrière moi des êtres dont l'amitié me comblait. Marie-Madeleine, Monsieur Alphonse, Honorine et Louis m'attendraient au retour. Sans oublier mes vieilles amies, les bonnes sœurs. Et alors, je me dis qu'à défaut d'avoir une vraie famille, je pouvais compter sur des amis fidèles et loyaux.

Je comptais Mathilde parmi ceux-ci. Une question me taraudait : fallait-il essayer à nouveau de lui faire passer un message ? Mais comment ? Et par qui ? Elle non plus ne m'avait pas oubliée, j'en étais certaine.

21

La grande aventure

En rade au quai de Jersey City, le *Scotia* crachait une épaisse fumée noire et des bouffées de vapeur blanche. Sur le pont-promenade, je pus observer tout à loisir les *dockers* occupés à hisser des centaines de valises à l'aide d'un *tender* dont les câbles étaient munis d'un crochet à chaque bout. Bagages et colis de toutes dimensions gênaient la circulation. Au son de la sirène, des retardataires hors d'haleine grimpèrent la passerelle au pas de course. Le capitaine, un gros moustachu à l'air affable, monta à bord le dernier.

Notre gigantesque *steamer* s'ébranla à neuf heures pile, par un temps magnifique qui n'allait pas tarder à se gâter. À l'approche des bancs de Terre-Neuve, un épais brouillard nous enveloppa. On devinait à peine les ombres qui se risquaient sur le pont singulièrement désert. Mrs Hatfield, qui s'y connaissait en traversées, nous prédit une odyssée. Les dieux, croyait-elle, ne nous étaient pas propices. Ô comme elle avait raison !

La situation se corsa au fur et à mesure que notre navire s'éloignait des eaux fluviales pour pénétrer dans l'océan. Le tangage redoubla, laissant croire à une tempête assez rapprochée. Comme de fait, après une nuit tourmentée, les vents se déchaînèrent sur nous. Les hautes vagues fouettées par la rafale venaient se fracasser sur le pont dans un bruit d'enfer, balayant tout sur leur passage. Cette bourrasque de fin du monde nous obligea à entrer à l'intérieur en nous soutenant mutuellement, tant le sol était mouillé. Nous, pauvres humains apeurés, nous nous réfugiâmes dans nos cabines et, les bras en croix, recommandâmes notre âme à Dieu. Chaque craquement du navire donnait à croire que nous venions de nous échouer sur un iceberg ayant émergé de l'eau au moment le plus inopportun. Le sifflement rauque de la sirène d'alarme nous rappelait constamment qu'une menace planait.

Après vingt-quatre heures à se faire brasser comme des toupies, les portes cessèrent de battre au vent et le lustre de la salle à manger de se balancer. Le pire de la tempête semblait derrière nous. Un matelot cria *All is well*, cependant qu'un autre lui répondit comme un écho *All is well*. Pendant que les officiers du bord surveillaient le compas, les bien-portants se donnèrent le mot pour s'occuper des mal en point. Rares étaient ceux qui avaient échappé aux haut-le-cœur parmi les deux cent cinquante passagers, des femmes et des enfants pour moitié. Même les quatre militaires anglais rentrant d'une partie de chasse dans les Prairies avaient grise mine.

Je le dis tout net, si j'ai pu passer au travers sans faire la planche, c'est parce que Mrs Hatfield ne m'a laissé aucun répit. Prise de nausées débilitantes dès le deuxième jour, elle régurgita à répétition dans un seau que je vidais au fur et à mesure par-dessus bord. Je ne savais plus à quel saint me vouer. Ma patronne se plaignait de douleurs abdominales atroces que son médicament miracle importé d'Italie ne soulageait pas. Des étourdissements fréquents lui interdisaient de quitter sa couchette, dont les draps auraient eu grand besoin d'être changés. Quand son état se stabilisa, elle réclama à grands cris un bouillon et des *cookies*, mais n'y toucha pas. J'eus le malheur de lui rappeler qu'en pareils cas la consigne exigeait de manger. Mal m'en prit. Elle me servit une longue épître sur les vertus du jeûne. Pour échapper à ses lamentations, et aussi parce que mes forces me lâchaient, je me retirai dans mes quartiers. Je venais à peine de m'étendre quand ses appels lancinants me ramenèrent à son chevet. Certaines personnes souffrantes sont insupportables. Manque de chance, j'étais tombée sur l'une d'elles.

Heureusement, ma patronne finit par s'endormir. Elle n'émergerait du sommeil qu'au bout de trois heures. Je profitai de ce répit pour sortir de sa cabine puante et mal aérée, afin d'aller respirer sur le pont redevenu fréquentable. Sous un soleil pâlot, l'équipage s'activait à réparer l'outillage abîmé par les vents maintenant apaisés. Nous étions encore peu nombreux à mettre le nez dehors. La plupart des passagers se relevaient péniblement de ce vilain cauchemar.

Accoudée sur le garde-fou, la tête encapuchonnée en prévision d'une nouvelle saute d'humeur du vent, je fixais l'horizon droit devant, émerveillée par l'immensité de la mer. À côté de moi, un homme d'un certain âge, dont je n'avais pas remarqué la présence, m'observait.

« Bonjour, mademoiselle Rose. C'est bien votre prénom, n'est-ce pas ? Nous avons fait connaissance au dîner inaugural. »

Je sursautai. L'homme remonta le col de sa vareuse. Une moustache grisonnante garnissait sa lèvre supérieure et une barbiche tirant sur le blanc lui couvrait le menton.

« En effet, je m'appelle Rose.

— Et moi, Napoléon Bourassa. Nous voilà comme deux rescapés osant sortir la tête de l'eau.

— Je l'avoue, j'ai eu la frousse de ma vie.

— Rassurez-vous, j'en suis à ma troisième traversée et jamais je n'ai eu à subir deux tempêtes au cours du même voyage. Il se peut qu'en se rapprochant des côtes, les vents nous soient contraires, mais ils ne mugiront plus, c'est promis. »

Comme je n'avais pas le pied marin, Napoléon Bourassa m'invita à m'appuyer à son bras pour faire quelques pas. J'acceptai volontiers, d'autant plus que nous avions été présentés à table, le premier soir. Mrs Hatfield le connaissait de réputation et, entre la poire et le fromage, ils avaient échangé sur les arts de la scène et les beaux-arts. Veuf, père de cinq enfants en bas âge, il poursuivait une carrière de sculpteur et d'artiste au Canada comme à l'étranger. Mrs Hatfield avait eu la chance d'admirer à Paris son esquisse de *L'apothéose de Christophe Colomb* présentée à l'exposition universelle, en 1867. Au pays, ses tableaux décoraient notamment la cathédrale de Saint-Hyacinthe. Il avait rendez-vous avec d'éminents peintres à Florence, où il avait étudié autrefois.

« Je vous ai vue griffonner dans un joli carnet de voyage, dit-il. Sont-ce vos vieux péchés ou vos impressions de la traversée ?

— Heu... un peu des deux.

— Est-ce votre premier séjour en Europe ?

— Oui, j'accompagne Lady Hatfield. C'est une chance pour moi, qui suis orpheline et sans ressources.

— Vous avez perdu vos parents il y a longtemps ?

— Je ne les ai pas connus. J'ai grandi à l'orphelinat.

— Comme je compatis avec vous ! Voyez-vous, mes enfants n'ont plus leur maman depuis quatre ans déjà et ils s'en remettent difficilement. Oh ! ils se gardent bien de me parler de leur chagrin, de peur de me peiner, mais je sais lire sur leurs petits visages.

— À défaut d'avoir une mère, ils ont au moins un père. Moi, je n'ai personne. C'est pourquoi j'ai décidé d'élucider le mystère de mes origines. J'ai fait mille démarches déjà, sans grand succès, hélas !

— Les cerbères de la confidentialité se montrent intraitables, je suppose.

— Exactement. Tout le monde fait comme si mes antécédents ne m'appartenaient pas. Une plante sans racines, voilà ce que je suis. Dans mon entourage, on tente de me dissuader de poursuivre mes recherches. Je passe pour une obstinée. Quand j'étais plus jeune, un aumônier m'a servi cet argument massue : "Lorsque l'orphelinat vous a recueillie, vous n'étiez qu'un petit paquet dont une femme avait hâte de se débarrasser."

— C'est d'une impitoyable cruauté, dit-il. Et les bonnes sœurs ne peuvent pas grand-chose pour vous, bien entendu.

— Elles suivent la règle. Je ne leur en veux pas. Elles m'ont toujours bien traitée. N'empêche, je trouve les mœurs sévères pour les mères d'enfants illégitimes. A-t-on seulement pensé à la douleur d'une femme à qui l'on arrache son nouveau-né, le jour même de sa naissance ?

— La situation de ces jeunes mères est souvent sans espoir. Comment voulez-vous qu'une pauvre fille sans ressources ni famille fasse vivre son enfant ? Si, par chance, elle décroche un emploi de servante, de couturière ou d'ouvrière, son salaire ne lui permet pas de se payer une nourrice.

— Faut-il pour autant la traiter de débauchée ? et considérer son enfant comme un bâtard ?

— Vous avez raison de conserver votre respect à cette femme qui vous a mise au monde. Et je vous encourage à continuer votre enquête. »

S'il m'incitait à persévérer, ce bon monsieur me poussait également à ne pas me refermer sur le passé.

« La vie nous réserve des bonheurs imprévus qu'il faut savoir cueillir, philosopha-t-il. Et, pour cela, on doit se montrer disponible. »

Ses paroles agirent sur moi comme un baume. Je ne regrettais pas de m'être confiée à un pur étranger, même si cela pouvait sembler déplacé. Je m'en trouvai fortifiée dans ma résolution de garder bien vivante la flamme qui brûlait en moi. Cependant, la mise en garde de Monsieur Bourassa ne tomba pas dans l'oreille d'une sourde : je ne sacrifierais pas mon avenir. Ce voyage à l'étranger le prouvait. Je fonçais droit devant, sans m'interdire toutefois de réfléchir à la prochaine étape de ma quête.

Tout au long de la traversée, je trouvai Monsieur Bourassa sur mon chemin et ses propos ne cessèrent de me passionner. Il me permit de feuilleter ses livres sur la peinture et m'apprit à apprécier le génie de Michel-Ange, de Raphaël et de Giotto. Je notai dans mon carnet les chefs-d'œuvre qu'il fallait absolument voir au Vatican et à la chapelle Sixtine, où j'espérais aller un jour.

Lui-même peignait des tableaux d'église. Mais la province de Québec n'était pas l'Italie et il peinait à joindre les deux bouts. Aussi se résignait-il à accepter des commandes de « marchands de moutardes et d'estimables curés qui n'entendaient rien à la peinture ». Ça lui semblait peu excitant, mais avec cinq bouches à nourrir, il n'avait guère le choix.

Je lui parlai des romans que j'avais lus et appréciés. Il les connaissait tous et m'en suggéra d'autres dont j'inscrivis les titres dans mon carnet. Il avait lui-même publié un feuilleton intitulé *Jacques et Marie* dans la *Revue Canadienne*. Je me promis de lire, à la première occasion, cette belle histoire d'amour qui se déroulait au temps de la déportation des Acadiens. La pire tragédie survenue en Nouvelle-France, la plus cruelle aussi, selon mon compagnon de voyage.

≈

Mrs Hatfield refit surface le surlendemain de la tempête. Quelle pète-sec ! Autoritaire, désagréable, cassante. À tout prendre, je la préférais clouée au lit à geindre. Une fois sur pied, rien n'allait à son goût. On lui présentait un plat à table ? Elle grimaçait de dégoût en repoussant son assiette. Le service ne s'attirait pas davantage ses faveurs. Bien au contraire, elle s'en plaignait constamment, c'en devenait gênant. Quant aux cabines, elle les trouvait si étroites qu'elle n'avait pas pu y caser toutes ses malles. Le capitaine entendrait parler d'elle, s'il osait se montrer le bout du nez. J'échappai à ses remontrances pour l'unique raison qu'elle ne pouvait pas se passer de mes services. En revanche, je subissais sa mauvaise humeur jusqu'à plus soif.

Pire encore, elle exprimait son désenchantement à tout vent. J'étais dans les tisons. Mince consolation, à table, les convives ne relevaient pas ses pointes malicieuses, à part les deux vieilles Américaines que sa langue de vipère distrayait. Mon voisin de gauche, un Yankee en route vers l'Allemagne, où il espérait vendre ses faucheuses-moissonneuses mécaniques, s'entretenait habituellement en aparté avec un homme d'affaires français rentrant d'un séjour infructueux à Washington. Moi, bien entendu, je me taisais. De toute façon, je ne parlais pas assez l'anglais pour me mêler à la conversation.

Sur la fin de la traversée, lorsque le temps redevint clément et que les températures se mirent à grimper, Mrs Hatfield recouvra miraculeusement sa bonne humeur. Nous reprîmes nos parties de bésigue. Elle nourrissait un vif penchant pour les cartes et, toujours en quête d'une table de jeu, elle circulait rarement sans son paquet. Je ne crois pas avoir jamais rencontré quelqu'un qui soit capable de bluffer aussi longtemps et aussi habilement.

Aux heures les plus chaudes du jour, elle s'étendait dans l'un des pliants alignés sur le pont. Recouverte d'une flanelle, elle respirait l'air marin à pleins poumons et se réconciliait avec la vie sur le paquebot. Nous parlions de l'Écosse, notre première destination, et de sa chère Angleterre qu'elle avait quittée à l'âge de huit ans, pour suivre sa famille en Amérique. Son père avait fait des affaires d'or en ouvrant, de l'autre côté de l'Atlantique, une succursale de son entreprise spécialisée dans le transport maritime. Depuis, Mrs Hatfield venait se retremper aux sources dès qu'une occasion se présentait et se désolait un peu plus chaque fois de constater combien la capitale anglaise se métamorphosait au fil des ans.

Dans une librairie new-yorkaise, elle avait fait provision de *Guide Books* qui nous permirent de préparer notre visite des monuments et châteaux à voir. Je pratiquai mon anglais en m'appliquant à lire à haute voix, sans toujours bien comprendre les descriptions. Mrs Hatfield me les traduisait patiemment en ajoutant même certains détails dont le livre ne faisait pas état.

∾

Après douze jours en mer, la vue des côtes d'Irlande me troubla. Un vent d'est ralentit notre course, pour ma plus grande satisfaction. Point de roulis et à peine un léger tangage. Munie d'une lunette d'approche empruntée au capitaine (qui me contait fleurette), j'apprivoisais de loin mes racines irlandaises. Je n'avais pas encore parlé de Mary Steamboat à ma patronne, ni de mon rêve extravagant de fouler le sol de mes aïeux, mais je décidai de tout lui dire. Mon histoire la passionna. Elle avait justement envie de faire escale en Irlande sur le chemin du retour. En attendant, j'allais d'abord découvrir l'Écosse de Marie Stuart. Mon *Guide Book* m'apprit que cette reine avait perdu la tête dans des circonstances terrifiantes : sa cousine Elizabeth, la reine d'Angleterre jalouse et tyrannique, l'avait fait enfermer dans un donjon, avant d'ordonner son exécution.

Le débarquement s'effectua sans anicroche. Dans le port de Liverpool, nous fîmes nos adieux à ce bon Monsieur Bourassa. Pressé d'atteindre la France, pour ensuite mettre le cap sur l'Italie, il sauta dans la première diligence en partance pour le port de Southampton.

« Mes hommages, Lady Hatfield », dit-il en retirant son chapeau. Se tournant ensuite vers moi, il ajouta en me fixant de ses yeux moqueurs : « Profitez bien de l'Europe, mademoiselle. Qui sait quand vous y reviendrez ? On n'enjambe pas l'océan à tout propos. Surtout, rappelez-vous les précieux conseils d'un père : il faut supporter les revers avec philosophie et poursuivre sa route, tête haute. »

Mrs Hatfield lui demanda ce qu'il entendait par là, tandis que je rougissais bien malgré moi. Lui, toujours aussi délicat, ajouta en posant un regard admiratif sur ma silhouette :

« Rose porte son bel avenir sur ses épaules. Elle doit en profiter pendant qu'il en est encore temps.

— *She will do so, dear Mr Bourassa.* Comptez sur moi. »

De mon côté, je ne trouvai rien de saillant à lui dire. Alors je lui serrai chaudement la main en lui promettant de passer à la bibliothèque dès mon retour à Montréal, afin de lire son feuilleton, *Jacques et Marie.*

~

Petit changement au programme, Mrs Hatfield abandonna son projet d'aller en Écosse. Après treize jours en mer, elle avait des fourmis dans les jambes. Le long trajet à parcourir sur les vilaines routes écossaises la rebutait, tandis que Londres l'attirait comme un aimant. Adieu, Marie Stuart! Et tant pis pour l'Athènes moderne. Je ne verrais pas Edimbourg, avec ses édifices imitant l'architecture grecque, dont les Écossais s'enorgueillissaient, comme le mentionnait mon *Guide Book*. Je ne laissai pas voir mon désappointement.

Heureusement, Liverpool avait un certain charme et nous y passâmes la semaine. Son musée d'histoire naturelle m'enchanta. J'y fis la connaissance d'un *gorilla* empaillé. On aurait dit un homme géant, ni plus ni moins. Un après-midi gris, après avoir assisté au *St. George's Hall* à un concert assez quelconque, selon ma patronne, mais que j'appréciai néanmoins, nous regagnâmes le *Washington Hotel* sur la grande place. Mrs Hatfield profita de ce moment de détente avant le dîner pour lire les gazettes d'outre-Atlantique. Elles nous apprirent qu'un froid sibérien sévissait en Amérique depuis notre départ. Du jamais-vu, apparemment. Cela nous amusa, car dans la campagne anglaise, les cottages étaient déjà couverts de lierre. Les derniers jours avaient été si doux et humides que nous n'aurions pas été étonnées de voir sortir les églantines. Il restait encore un peu de temps avant le dîner et ma patronne voulut écrire à une amie londonienne pour lui annoncer son arrivée. Je lui proposai d'aller chercher son papier à lettres à sa chambre.

« J'en ai pour une minute », dis-je en me levant d'un bond, sans faire attention à mon sac de voyage grand ouvert sur mes genoux. Son contenu se renversa sur le tapis. Je rapaillai tout en vitesse avant d'aller remplir ma commission. Pendant mon absence, un *groom* qui passait par là ramassa une lettre tombée de mon sac et la tendit à Mrs Hatfield, croyant qu'elle lui appartenait. Celle-ci l'ouvrit sans vérifier le destinataire. Après avoir lu mon nom dans le haut de la page, elle n'en poursuivit pas moins sa lecture jusqu'à la dernière ligne.

À mon retour, m'ayant expliqué sa méprise, elle se montra curieuse de savoir qui était cet Antoine qui avait mauvaise conscience et tentait de se faire pardonner ses torts si finement. Je restai vague, évitant de lui mentionner les gestes déplacés du neveu de Madame Odile. Je me contentai de lui dire que ce jeune homme n'approuvait pas mes démarches pour retrouver ma mère, probablement une fille de rien.

« Antoine prétend que je n'ai nul besoin de connaître les circonstances qui ont fait de moi un enfant du péché, comme il dit.

— Il n'a pas complètement tort, ce garçon, fit-elle. C'est triste à dire, *but we live in a cruel world.* Je connais pas mal de gens, dans la belle société, qui refuseraient de laisser leur fils épouser une jeune fille dont le passé familial n'est pas sans tache.

— Pardonnez-moi de vous contredire, Lady Hatfield, mais il m'importe plus de savoir d'où je viens que d'épouser un de ces esprits fermés, rétorquai-je du tac au tac. Voilà pourquoi j'ai laissé sans réponse les excuses d'Antoine Davignon. »

Mrs Hatfield adorait me voir sortir de mes gonds. J'avais du caractère et cela lui plaisait. Elle se souvenait d'avoir été jadis cette jeune fille frondeuse.

« Ce jeune homme nourrit des sentiments pour vous, *Miss* Rose, dit-elle en me remettant la lettre. Ne savez-vous pas lire entre les lignes ?

— Cela m'étonnerait.

— Croyez-vous vraiment qu'un bel étudiant – parce qu'il est beau, n'est-ce pas ? – perdrait son temps à écrire une lettre d'excuse à une jeune fille s'il n'entretenait pas l'espoir de la conquérir? Allons, il faut lui répondre, je vais vous aider.»

Elle sortit un petit carnet qu'elle gardait dans son bagage à main et un crayon et me les tendit.

«Écrivez. De toute manière, ce n'est jamais qu'un brouillon. Vous en ferez ce que vous voudrez.»

J'écrivis sous sa dictée : *Monsieur Davignon (je refusai obstinément le «cher Antoine» qu'elle me recommandait). J'ai reçu votre mot et je vous en remercie. Il m'a trouvé au moment où je m'embarquais, moi aussi, pour l'Europe. Je voyage avec Lady Hatfield, dont la famille est bien connue à Montréal.*

Elle s'arrêta brusquement pour réfléchir. Ce jeune homme me priait de lui pardonner son comportement déplacé. Fallait-il évoquer cet épisode? Tout bien pesé, elle jugea que c'était inutile. Le seul fait de répondre à sa missive signifiait que j'acceptais ses plates excuses. Inutile de tourner le fer dans la plaie. Alors, elle reprit : «*Nous serons justement à Londres les premiers jours de mars. Nous descendrons à l'hôtel* Westminster.

«Lady Hatfield, m'opposai-je, je vous en supplie, ne lui dévoilons pas notre adresse. Je n'aimerais pas avoir cet écervelé sur les bras durant tout notre séjour. Nous avons un programme très chargé : Windsor, Buckingham, Picadilly... Cela me semble beaucoup plus intéressant.»

Elle me concéda ce caprice, sans pour autant l'approuver :

«Dans ce cas, biffez la dernière phrase et écrivez plutôt celleci : *Ma bienfaitrice a réservé des billets pour l'opéra mettant en vedette la grande Emma Albani qu'elle connaît personnellement.*

— Ça ne fait pas un peu prétentieux?

— Puisque c'est la vérité. Écrivez, écrivez, il faut l'aiguillonner, ce jeune blanc-bec. Je reprends : *Le mardi, 10 mars, nous irons entendre* Hamlet *au* Covent Garden. *La cantatrice joue le rôle d'Ophélie. Pour nous, c'est inespéré, car cet opéra, inspiré du chef-d'œuvre de Shakespeare, a connu un vif succès l'an dernier, à Saint-Pétersbourg.*»

Je soulevai mon crayon : «Excusez-moi encore, mais Antoine va se bidonner. Il sait que je n'ai pas assez de culture pour être au courant des spectacles présentés en Russie.

— *For God's sake, Miss Rose,* pas de fausse pudeur. On ne vient pas au monde avec une étiquette marquée «cultivé» collée au front. Ça demande du travail. Vous avez les yeux dans les livres du matin au soir. Vous emmagasinez une mine d'informations plus vite que votre ombre. *And you are so curious.* Vous en savez déjà probablement plus que lui sur mille sujets. Vous verrez, vous allez l'épater. *Let us conclude now* : Mon cher Antoine, *si vous venez à l'opéra, il nous fera plaisir de vous serrer la main.* Et puis vous signez : *votre amie Rose.*»

Je me faisais tirer l'oreille pour la forme. En réalité, ce petit coup de pouce m'arrangeait drôlement. Il me pesait de répondre à Antoine, mais mon silence risquait d'être interprété comme une impolitesse. Je devais une fière chandelle à Mrs Hatfield et il ne me vint pas à l'esprit de lui reprocher son indiscrétion. J'étais, ma foi, plutôt soulagée qu'elle ait fourré son nez dans mes affaires. Le dîner se déroula dans la gaieté. On aurait dit deux complices en train d'applaudir leur mauvais coup. J'ai honte de le reconnaître, mais je ris aux larmes de la voir se moquer d'un ministre du culte attablé dans la rangée voisine. Il gesticulait sans s'apercevoir que sa redingote noire recouvrant un pantalon trop court traînait par terre. Les clients qui passaient par là la piétinaient sans vergogne. Mon Anglaise imitait à merveille sa manière d'ânonner d'une voix nasillarde *Dear God, bless this food that you have provided for us. Amen.*

Dans un éclair, je revis le réfectoire tristounet des bonnes sœurs. Cela me rappela leurs voix haut perchées chantant le *benedicite* et je pensai : je rêve, ce n'est pas moi, cette demoiselle endimanchée un jour de semaine, qui s'amuse aux dépens d'un pasteur, en se régalant d'une bisque d'écrevisses.

22

Flirt à Londres

Niché dans le *West End*, le quartier administratif de Londres grouillait d'activité. Une meute de fonctionnaires à l'allure austère traversaient à pied les rues noires de monde, leur épaisse serviette sous le bras. Devant la porte d'entrée du *Westminster Hotel*, de brillants équipages en livrée y déposaient leurs clients. Nous étions de ceux-là.

« *Good afternoon, Lady, good afternoon, Miss* », lança haut et fort le portier sur notre passage.

Nez en l'air, Mrs Hatfield se contenta d'esquisser un léger signe de tête et, hautaine, se dirigea vers la réception. On se serait cru dans une pièce de boulevard.

« *A young gentleman called upon you, Madam* », lui annonça le commis à l'accueil en lui tendant la carte de visite d'Antoine Davignon, *esquire*.

Tiens, tiens, me dis-je, ce futé d'Antoine a fait la tournée des palaces londoniens afin de nous trouver. Je supposai qu'il repasserait le lendemain, mais il n'en fit rien. Il ne se montra pas davantage les jours suivants. Je ne saurais dire si j'étais déçue ou soulagée. Notre première journée fut chargée. En fin d'avantmidi, j'accompagnai Mrs Hatfield chez son banquier, *Glyn & Co.*, après quoi nous attrapâmes le premier *cab* pour nous rendre à *Covent Garden*, afin d'acheter nos billets pour l'opéra. Il ne restait que de mauvaises places qui coûtaient malgré tout une guinée, ce qui me sembla exorbitant. Après le lunch, nous prîmes les chars jusqu'à Windsor. Nos jupons par trop exubérants occupaient toute la place, si bien qu'il fallut nous serrer l'une contre l'autre afin de laisser monter d'autres passagers. Nouvelle déception, le château était fermé aux visiteurs jusqu'à la fin des travaux de rénovation. À voir les échafaudages de maçons et de couvreurs, nous n'étions pas près d'y entrer. Aussi en fûmes-nous quittes pour nous promener dans les jardins de sa gracieuse Majesté la reine Victoria, sous un soleil printanier des plus agréables.

Chaque sortie apportait son lot de surprises. Tout compte fait, Mrs Hatfield se révélait une excellente voyageuse, perpé-tuellement en quête de nouvelles curiosités à découvrir. Non seulement voulait-elle tout voir, mais elle tenait à être vue partout. Heureusement, elle avait bon pied bon œil, comme on dit. Il fallait être fort et en santé pour la suivre. D'autres auraient réclamé un carrosse, plutôt que de marcher d'un point à l'autre dans cette ville au bourdonnement incessant. Heureusement, j'étais une bonne marcheuse, moi aussi.

Le fameux mardi arriva trop tôt. Je n'arrêtais pas de penser à la tête que je ferais si Antoine se présentait au *Covent Garden*. Fallait-il me montrer froide et distante, voire rancunière, comme le font, dans les romans, les femmes blessées dans leur orgueil? Mrs Hatfield me suggérait plutôt de lui exprimer ma joie de le revoir et d'apprécier ses bonnes dispositions, sans pour autant lui sauter au cou. Je tergiversai jusqu'à la dernière minute. J'évitais de penser à l'humiliation qu'il m'avait infligée, de peur de raviver ma blessure.

Il y avait cohue aux abords du *Royal Opera House*. Ça augu-rait bien. Nous gagnâmes nos sièges dans une loge balcon (Mrs Hatfield avait tiré des ficelles afin d'obtenir de meilleures places), sans savoir qu'Antoine occupait la même. Je n'étais pas loin de penser que ce « hasard » avait été arrangé par ma patronne. En nous apercevant, il se leva pour nous saluer. Je le trouvai mer-veilleusement beau, avec ses yeux bleus, ronds comme des billes, et ses boucles d'un blond cendré. Un changement s'était opéré dans sa physionomie. L'expression de son visage reflétait la franchise et non plus le dédain, comme il m'avait semblé autrefois. Rien qui laissait croire à un jeune esbroufeur. Se pouvait-il que je me sois trompée sur son compte ? Je le présentai à Mrs Hatfield, à qui il fit un bel effet. Il était accompagné d'un de ses professeurs, le docteur Jack Elliott, qui parut ravi de faire notre connaissance.

Jamais je n'avais mis les pieds dans une salle de spectacle aussi riche en dorures. Le jeu des lumières m'éblouissait. Assise dans la deuxième rangée, j'empruntai la lunette d'approche de Mrs Hatfield pour observer le maestro qui s'affairait en contrebas, dans l'orchestre. De toutes mes forces intérieures, je pressais les musiciens de commencer, tant je voulais échapper aux regards insistants d'Antoine. Il reluquait mes épaules nues, j'en aurais mis ma main au feu.

Albani avait débuté à Londres dans *La Sonnambula*, l'année précédente. Ç'avait été un triomphe, selon les critiques. Son deuxième passage à *Covent Garden* s'annonçait aussi prometteur. Elle rentrait d'un voyage d'études en Italie, où les plus grands maîtres ne juraient que par elle. À vingt-cinq ans, cette jeune Canadienne jouissait d'une réputation qui dépassait les frontières de son pays. Son impressionnant parcours alimenta notre conversation jusqu'au lever du rideau. Antoine cherchait à plaire à Mrs Hatfield et, ma foi, il ne s'en tirait pas trop mal. Celle-ci l'inspectait de la tête aux pieds, comme pour s'assurer qu'elle avait affaire à un gentleman.

Bercée par la voix aérienne d'Albani, je suivais le drame d'Ophélie. Par moments, l'histoire personnelle de son interprète m'obnubilait. Orpheline de mère, la petite Emma avait grandi comme moi chez les sœurs, qui lui avaient enseigné le chant. Grâce à ses efforts, elle avait réussi à sortir du rang. J'enviais sa détermination à faire fructifier un talent peu commun, certes, mais qui avait dû exiger un travail colossal. Elle me servait toute une leçon de vie.

À l'issue du concert, la salle se vida lentement. Mrs Hatfield n'en finissait plus de vanter la grâce de cette chère Albani. Antoine l'interrompit poliment pour l'inviter à dîner, elle et sa charmante demoiselle de compagnie. L'idée plut à ma patronne. Cependant, comme elle avait elle-même retenu une table pour deux au *Royal Inn*, elle le pria, ainsi que le docteur Elliott, de se joindre à nous.

Au restaurant, Antoine se débrouilla pour occuper la place à ma droite. Suivant les conseils de ma patronne, je portais la robe la moins sage de ma garde-robe. Le corsage me semblait trop décolleté. Durant le concert et maintenant que nous étions à table, je ressentis une gêne croissante. Pouvait-on me reprocher de manquer de pudeur? J'avais mis une grosse demi-heure à me relever les cheveux en double chignon, à la française. Antoine m'en complimenta, ce qui ajouta à mon trouble. Par chance, Mrs Hatfield monopolisait la conversation. Le docteur Elliott, un spécialiste des maladies de l'estomac, semblait tout oreilles, cependant qu'elle lui exposait son cas. Ayant pris du poids au cours de la dernière année, elle se renseignait sur la manière la moins douloureuse de perdre ces livres en trop.

«J'ai terriblement grossi», lui avoua-t-elle, comme s'il était courant de confier ces choses-là à une personne dont on venait tout juste de faire la connaissance. «Ça me désole de ne plus avoir la taille svelte de mes vingt ans.

— Mais non, mais non, fit le docteur Elliott, sans doute embarrassé par la confidence.

— Ne protestez pas, cher monsieur. J'ai des formes un peu trop généreuses, il est vrai, mais cela me mortifierait davantage d'avoir l'air d'une grande perche desséchée. »

Elle riait à gorge déployée, en suppliant le docteur de lui recommander une diète miracle, qui ne la ferait pas trop souffrir, *of course*. Pince-sans-rire, le docteur Elliott lui conseilla le plus sérieusement du monde de demeurer un certain temps en Angleterre.

«C'est votre meilleure garantie contre les excès alimentaires, l'assura-t-il en lui souriant.

— *You are so right, Dr Elliott.* Il est assurément plus facile de jeûner à Londres qu'à Paris. *In London,* la cuisine est si affreuse qu'elle vous enlève le goût de commettre des péchés de gourmandise. » Contente de son effet, elle renchérit : « Et en plus de mal manger, il faut verser un pourboire exorbitant, sinon on vous regarde de travers. »

Nouveau rire, plus fêlé encore. Antoine jubilait. Je ne pus m'empêcher de le féliciter : il avait choisi le compagnon idéal pour passer la soirée avec Mrs Hatfield :

« Vous ne pouviez pas mieux tomber, ajoutai-je malicieusement, juste assez bas pour que ma patronne et le docteur Elliott ne m'entendent pas.

— Je suis moins malin que vous ne le croyez, répliqua-t-il, taquin. Comment pouvais-je deviner que votre charmante bienfaitrice était toute en chair ?

— Antoine ! le grondai-je gentiment.

— Pendant que mon professeur courtise votre "lady", puis-je en faire autant avec vous ? » demanda-t-il d'un ton feutré.

Je fis la moue, ennuyée qu'il puisse me chanter la pomme comme si rien de désagréable ne s'était produit entre nous. Avant d'enterrer la hache de guerre, nous avions pourtant des comptes à régler. Antoine insista :

« Ne vous fâchez pas, je m'amuse. C'est sans malice. Ça ne vous plaît pas qu'on vous fasse la cour ?

— J'espérais plutôt vous voir me demander pardon à genoux.

— Mais vous m'avez déjà pardonné, puisque vous êtes là, assise à côté de moi.

— Donnez-moi une raison de croire en vos bonnes intentions.

— J'ai changé, Rose. Il y a un monde entre le goujat que vous avez connu dans une autre vie et le clerc-médecin devant vous. »

Mon malaise se dissipa. Je lui souris, encore intimidée par le ton affable de nos nouveaux rapports. Où était donc passé le jeune homme infatué qui m'irritait tant ?

« Puis-je espérer vous revoir ? me demanda-t-il à mi-voix en me décochant un regard de séducteur. À moins que vous n'ayez un fiancé ? »

Il n'allait pas s'en tirer aussi facilement.

« Et qui serait ce fiancé ? Vous voulez savoir si j'ai rencontré un de ces jeunes gens de la classe commerçante qui, disiez-vous, ne réclamerait aucune preuve de ma bonne naissance ?

— Comme vous êtes dure ! Je ne me pardonne pas de vous avoir blessée, mais je vous supplie d'oublier cette parenthèse cruelle de ma vie de bambochard. »

Loin de me laisser attendrir, j'en remis :

« À moins que ce soit l'un de vos camarades de l'École de médecine ? Ne vouliez-vous pas me les présenter, afin qu'ils m'éloignent du petit monde sans envergure d'où je viens ?

— Alors là, je vous arrête. Ma chère Rose, il est absolument hors de question de vous faire rencontrer mes confrères. Je veux vous garder pour moi. »

Je pouffai de rire, incapable de résister à l'envie d'enfoncer le clou :

« Elle est bien bonne, celle-là. Vous, avec une fille de basse extraction, née de père inconnu et d'une mère prostituée ? Ce sont là vos propres mots. Je ne vous reconnais plus, Antoine. »

Il paraissait au supplice :

« Pitié ! Donnez-moi la chance de m'amender. »

Je haussai les épaules et, de guerre lasse, je l'avisai :

« Mon pauvre ami, nous n'avons aucune affinité. Je cherche à découvrir des pans de mon passé qu'il vaudrait mieux laisser dormir, pour reprendre votre expression. Jamais je n'abandonnerai mes démarches et jamais vous ne les approuverez.

— Qu'en savez-vous ? Les êtres humains changent. Ma mère a failli mourir d'un début de tuberculose conjugué à des troubles cardiaques, le saviez-vous ? Lorsqu'on est menacé de perdre un être cher, on comprend bien des choses.

— Et cela a fait de vous un homme neuf ? le raillai-je sans méchanceté.

— Ne vous montrez pas impitoyable, cela ne vous ressemble pas. J'aimerais vraiment vous revoir seul à seul.

— Vous et moi, sans chaperon ? Vous n'y pensez pas. »

Là-dessus, Mrs Hatfield, qui n'avait rien perdu de nos propos, interrompit sa conversation avec le docteur Elliott pour se mêler à la nôtre.

« Eh bien, mes enfants, demain, je vais chez ma sœur, Lady Thornton. *So, Miss Rose is as free as a bird.* Ce sera son premier jour de liberté depuis notre départ. »

La bonjour ! me dis-je. Mine de rien, elle avait son plan.

« Mais je serais heureuse de vous accompagner, Lady Hatfield, protestai-je pour la forme.

— *Out of the question, dear.* Demain, je n'ai pas besoin de vous. Le cocher de Sophia viendra me prendre à l'hôtel *around ten o'clock* et me ramènera en fin de journée. Ma sœur et moi avons à partager des confidences que vos chastes oreilles ne sauraient entendre. »

Sautant sur l'occasion, Antoine se proposa pour me servir de guide le lendemain. Non seulement me ferait-il visiter les plus célèbres monuments de la ville, mais aussi les sites et les points de vue qui échappaient habituellement aux touristes. Enchantée, ma « lady » m'encouragea à accepter cette aimable proposition. Elle insista, même, en soulignant qu'elle se sentirait tout à fait rassurée de me savoir en aussi bonne compagnie. Après tout, je ne connaissais pas âme qui vive à Londres et j'étais à la merci de n'importe quel profiteur. Je ne relevai pas cette affirmation un tantinet offensante – comme si j'avais besoin d'un ange gardien pour me protéger ! –, car la perspective de passer la journée avec Antoine ne me déplaisait pas. Je m'étonnais moi-même de constater que ma rancune rétrécissait comme peau de chagrin.

« Soit, fis-je en feignant la résignation. Mais je ne voudrais pas vous faire rater vos cours ni vous distraire de vos études.

— Bof, rien de bien important ne s'annonce pour demain, dit-il nonchalamment en s'efforçant de cacher sa satisfaction. De toute façon, lorsque vous aurez quitté Londres, je redoublerai d'ardeur.»

⁓

Pour l'occasion, Antoine et moi laissâmes tomber les sarcasmes. J'étais sur mes gardes, bien entendu. *Chat échaudé craint l'eau froide*, dit le proverbe. De son côté, mon chevalier servant devait se comporter en parfait gentleman, avec ce zeste d'humour qui faisait son charme.

Mrs Hatfield me libéra à dix heures, lorsque le cocher de sa sœur passa la prendre. Antoine m'attendait dans le hall de l'hôtel depuis un quart d'heure déjà. Il feuilletait un journal londonien.

«Comme vous êtes matinal!» lui dis-je en descendant l'accueillir.

Il me sourit et plaisanta à moitié : il ne voulait pas perdre une seule minute de mon congé. Son programme ne souffrirait aucun retard. Lorsqu'il me ramènerait à la brunante, Londres n'aurait plus de secrets pour moi. Il m'offrit son bras pour traverser *Parliament Square*. La pluie n'avait pas cessé de la nuit et les trottoirs étaient encore mouillés. Mais le soleil cherchait à percer. Il allait bientôt absorber l'humidité.

«Que diraient vos bonnes sœurs si elles vous savaient dans la Babylone moderne en compagnie d'un jeune homme pas très rassurant? ironisa-t-il.

— Elles feraient une neuvaine pour sauver mon âme.»

Comme nous franchissions la grille de bronze de *Westminster Abbey*, à quelques minutes de marche de l'hôtel, Antoine m'exposa son plan : on ne pouvait pas tout voir en une seule journée. L'abbaye bénédictine, par exemple, méritait qu'on lui en consacre au moins deux ou trois. Il avait donc repéré LA salle que je devais absolument voir, TELLE œuvre dont je me souviendrais pour le restant de mes jours, LE point de vue à couper le souffle… Cela donnerait, m'assura-t-il, une visite extrêmement chargée, dont chaque moment vaudrait son pesant d'or. Son idée m'enchanta :

« Je vous suis aveuglément. »

Premier arrêt : la *Lady Chapel* où repose en paix la très protestante reine Elizabeth, dont la tombe voisine celle de sa rivale, la très catholique reine Marie Stuart, décapitée par ses bons soins. Cette halte fut l'occasion d'un cours particulier sur les guerres de religion, si coûteuses en pertes humaines, dans l'austère Albion. Mon guide m'emmena ensuite au *Poet's Corner*. Nous aurions aimé nous recueillir sur la tombe de Charles Dickens, mort trois ans plus tôt, mais ses admirateurs qui défilaient en nombre devant sa dalle couverte de gerbes de fleurs nous bloquaient le passage.

Nous remontâmes ensuite *Bridge Street* pour ne pas rater le carillon du *Big Ben* sur le point de sonner les douze coups. À présent, le soleil dardait ses rayons. Près de *York Road*, Antoine me demanda :

« Saviez-vous que Dickens a tiré de son enfance malheureuse la matière de ses meilleurs romans ? Ses intrigues se déroulent dans les bas-fonds de Londres et ses héros, des orphelins ou des enfants maltraités, baignent dans un univers de ruses et de méprises. Vous auriez grand plaisir à lire *Oliver Twist* ou *David Copperfield*. »

Je connaissais Dickens de réputation. Monsieur Alphonse m'avait parlé de son séjour au Bas-Canada survenu une dizaine d'années avant ma naissance. À l'époque, sa réputation de dramaturge était bien établie, mais il ne dédaignait pas de monter lui-même sur les planches. À Montréal, plus précisément au Théâtre Royal, il avait joué à guichets fermés dans trois comédies.

« Je suis obligée de reconnaître que je n'ai rien lu de lui, dis-je.

— Si vous voulez, nous passerons à ma pension, tout à l'heure, et je vous prêterai *Oliver Twist*. »

Je restai clouée sur place. Que signifiait cette invitation lancée innocemment? Antoine cherchait-il à m'emberlificoter? Pensait-il vraiment qu'après ce qui s'était passé entre nous, je serais assez naïve pour tomber dans ce piège cousu de fil blanc?

«Ce ne sera pas nécessaire, fis-je sèchement. De toute manière, je ne comprendrais pas l'intrigue. Mon anglais est rudimentaire.

— Mais oui, vous comprendriez. Il faudra y mettre un peu plus de temps, c'est tout.

— Disons les choses autrement, monsieur Davignon. Il est hors de question que je mette les pieds chez vous. Et vous savez pourquoi.

— Ne vous méprenez pas sur mes intentions, Rose.» Il baissa la tête, l'air penaud. «Je reconnais cependant que vos craintes ne sont pas injustifiées.»

Contrit, il soupira, comme s'il traînait un boulet. À qui la faute? Surtout, je devais garder un air calme et détaché. Il ne fallait pas trop le gourmander ni lui rappeler son sans-gêne. Simplement, je voulais lui indiquer clairement qu'on ne me ferait pas le coup deux fois. Comme s'il lisait dans mes pensées, il dit :

«J'ai une meilleure idée. Plutôt que de perdre un temps précieux à remonter jusqu'à chez moi, j'irai vous porter le Dickens à l'hôtel, demain matin, en me rendant à l'université.»

Voilà qui réglait la question. Ma tension retomba. Il était inutile de me montrer à pic, au risque de gâcher cette journée.

«Où allons-nous maintenant?» demandai-je sur un ton un peu trop maniéré.

Après avoir avalé une bouchée sur le pouce au *Robinson Coffee*, nous prîmes les chars jusqu'au *Crystal Palace*, à l'extrémité sud de Londres. Érigée sur une colline, cette pièce de verre montée sur une charpente en fer peinte en bleu, avec ses multiples salles d'exposition, m'émerveilla. En comparaison, son imitation montréalaise, qui pourtant avait son charme, me sembla tout à coup bien insignifiante. Coût de l'entrée : un shilling. Quel spectacle m'attendait! Des bassins remplis de nénuphars, des jets d'eau, des fougères tropicales, des palmiers, des cactus... Autant de plantes exotiques que j'avais vues sur des illustrations, sans penser qu'un jour l'occasion me serait donnée de les admirer pour vrai. Ici, l'œil se portait du côté des volières remplies d'oiseaux. Là, trois ormes vivaient à l'intérieur de ce paradis terrestre. D'après Antoine, lors de la construction, on avait demandé à des soldats de sauter à pieds joints sur les planchers pour en vérifier la résistance.

Mon guide visitait le palace pour la troisième fois. À chaque pas, il me gratifiait d'une leçon d'histoire. Devant Pompéi reconstitué, j'appris que ce hameau italien avait été enseveli avec ses habitants sous une épaisse couche de cendres, lors de l'éruption, en l'an 79, du Vésuve, un volcan toujours actif situé près de Naples. Cinq minutes plus tard, je me retrouvai à Athènes, devant le Parthénon bâti sur l'Acropole. L'instant d'après, je faisais escale au Colisée de Rome. Et ainsi de suite.

Tiens ! voilà l'amiral anglais qui a péri à Trafalgar, siège de la victoire des Britanniques sur l'armée française.

« Horacio Nelson, en personne ! m'exclamai-je devant sa statue. Celui-là, je le reconnais. Il trône au beau milieu du marché, place Jacques-Cartier, à Montréal. »

Ce périple autour du monde avait de quoi étourdir le plus vaillant touriste. Comment faire pour tout retenir ? Antoine savourait la moindre de mes joies, répondait à chacune de mes interrogations. Je ne sais trop ce qui flottait dans l'air londonien, ce jour-là, mais une intimité croissante s'installait entre lui et moi. Nous venions de passer cinq heures ensemble et le temps filait trop vite à mon goût.

Pour changer, Antoine proposa une promenade dans *Hyde Park*, le fameux terrain de chasse d'Henri VIII, ce roi barbare qui faisait exécuter ses épouses sans en perdre le sommeil. Toujours animé du même esprit, nous marchâmes jusqu'à *Marble House*, où avaient lieu jadis les pendaisons publiques.

Mon *Guide Book* m'avait appris que trois millions d'Anglais vivaient maintenant dans la capitale. À voir la cohue, j'avais l'impression que tout ce beau monde convergeait en même temps vers ce parc de verdure. Les plus élégants équipages faisaient bon ménage avec les piétons qui, en dépit de l'agitation, se montraient d'une politesse exemplaire. Vous cherchiez votre chemin ? Des passants se mettaient en frais de vous aider.

À l'entrée du parc, un hurluberlu récitait à haute voix des vers de son cru. Un prédicateur qui passait par là lui arracha le porte-voix et le poussa en bas de la tribune, avant de se lancer à son tour dans une diatribe féroce contre l'immoralité. Bizarre ! Au *Speaker's Corner*, me dit Antoine, n'importe quel quidam, homme politique ou poète, pouvait s'adresser à la foule sans y être invité.

Plus loin, nous reluquâmes des bancs de bois disposés devant un lac artificiel enchanteur appelé *La Serpentine*. Par chance, l'un d'entre eux se libéra. Assis à côté de moi, Antoine énuméra les duels célèbres qui s'étaient tenus à l'endroit même où nous reposions nos pieds endoloris. Je me désolai d'être si ignorante. Il protesta. Je l'épatais, au contraire. Au chapitre de la culture et du savoir, aucune jeune fille de sa connaissance ne m'allait à la cheville. Oh ! elles pouvaient parler chiffon et crinoline pendant des heures, mais combien avaient seulement ouvert un livre ? assisté à un opéra ?

« Vous évoquez Liszt, elles pensent à un général de l'armée autrichienne. Hugo ? Nul doute, il joue dans les pièces de Molière à la Comédie française. George Sand ? Un gentleman anglais, comme son nom l'indique.

— Vous exagérez !

— Pas du tout, la plupart des jeunes filles en âge de se marier sont vides. Comment peut-on être informé, si on ne lit pas ? Savez-vous ce qu'est un autodidacte ? C'est une personne curieuse de tout qui s'instruit par la seule force de sa volonté.

— Alors, je suis une autodidacte?» J'éclatai de rire. «Si mes amis vous entendaient!»

Nous reprîmes notre marche à pas de tortue, comme pour prolonger cet instant de plaisir. À aucun moment, Antoine ne me toucha, pas même le bras, sauf pour traverser les grandes avenues. Je ne reconnaissais plus le jeune homme trop entreprenant d'autrefois. Ce qu'il était beau avec sa démarche indolente! Un peu dégingandé aussi. Cent fois par jour, il remettait en place sa crinière indisciplinée d'un geste sec de la tête.

Tout à coup, il me sembla pensif. En passant devant un *Ice Cream Parlor*, il m'offrit une glace. Il devait être cinq heures. Nous étions juchés sur des tabourets, l'un en face de l'autre. Tôt ou tard, il se doutait bien que j'exigerais une explication à propos de ce qui s'était passé chez lui, rue Sherbrooke, à Montréal. Résigné, il plaida sa cause sans attendre mes récriminations :

«Rose, je ne peux pas vous laisser repartir sans vous dire combien je regrette mon comportement odieux. Je n'ai aucune excuse. J'implore votre pardon simplement. Passerez-vous l'éponge un jour?»

Cette simple allusion, même discrète, à la scène qui m'avait tant ulcérée me laissa sans voix. Confuse, je m'empourprai. Il poursuivit :

«Je vous ai fait du mal. Beaucoup de mal. Sachez que ce ne fut pas délibéré. Il ne se passe pas un jour sans que je ne le regrette. Vous étiez si belle, si désirable. Et moi, si… maladroit.»

Cette fois, je l'interrompis :

«Maladroit? Dites plutôt grossier, protestai-je d'une voix que j'aurais voulue plus posée. Vous ne vous seriez pas conduit de cette façon offensante avec une demoiselle. Vous m'avez prise pour une fille de rien, parce que je viens de nulle part. Comme si seules les bourgeoises méritaient le respect.»

Il nia s'être laissé influencer par mes origines. Cela me choqua. Je devins cinglante :

« Ne protestez pas. Vos amis se sont chargés de claironner ce que vous pensiez de moi. Et pas n'importe où, dans les corridors de votre école de médecine. Croyez-moi, ils n'ont pas mis de gants.

— Que voulez-vous dire ?

— Vous, vous m'aviez traitée d'allumeuse. Eux, ils m'ont carrément qualifiée de cocotte. Apparemment, vous vous étiez vanté de m'avoir culbutée dans le salon de vos parents. »

Il parut surpris. Ses amis ne lui avaient pas rapporté leurs frasques. Il ignorait que j'avais subi cette vexation.

« Non content de vous être jeté sur moi qui venais à vous en amie, vous m'avez salie aux yeux de vos confrères. Ça m'a profondément blessée. Savez-vous ce qu'il advient d'une jeune fille dont la réputation est compromise ? »

Tout à coup, mes yeux se remplirent d'eau. Ma peine prenait le dessus sur ma colère. Il me tendit son mouchoir et tâcha de s'expliquer. Ce soir-là, en sortant de chez lui, j'avais failli heurter un de ses confrères de classe. Surpris de voir une jeune fille à la mise négligée s'enfuir à toutes jambes, cet ami l'avait nargué. Trop orgueilleux pour reconnaître qu'il avait été éconduit, Antoine avait inventé un roman à deux sous pour se tirer de ce mauvais pas. Bien qu'il ait refusé d'en dire plus, je pouvais facilement imaginer la suite : il avait prétendu que je m'étais laissé séduire et avait probablement déridé son ami en lui narrant la scène torride dans laquelle il s'était donné le beau rôle. Il ne nia pas. J'étais soufflée par sa hardiesse, blanche de rage. Lui, il avait l'air d'un enfant pris en faute devant sa glace fondante. Il n'avait pas d'excuse et n'en cherchait pas. La cruauté de ses amis étudiants n'avait d'égal que sa propre lâcheté.

« Je ferais n'importe quoi pour me faire pardonner. »

Il me vit pâlir. Je mis en doute sa bonne foi :

« Est-ce la raison pour laquelle vous m'avez invitée aujourd'hui ? demandai-je posément. Vous avez besoin de mon absolution pour pouvoir vous regarder dans le miroir ?

— Non, bien sûr. J'avais très envie de passer la journée avec vous.

— Parce que, si c'était le cas, poursuivis-je sans tenir compte de sa réplique, ne vous donnez pas tout ce mal. J'ai des défauts, mais la rancune n'en fait pas partie. J'ai été profondément meurtrie par cet incident. Je mentirais si je prétendais ne jamais y repenser. Cependant, il faut savoir tourner la page. Allez en paix, mon cher Antoine. Dorénavant, ne vous croyez pas obligé de vous occuper de moi.

— Vous n'avez donc pas compris que je vous aime ? Vous occupez toutes mes pensées. J'attendais ce moment depuis si longtemps. J'appréhendais et j'appelais cette explication, sans laquelle nous ne pourrions rien bâtir. »

J'étais tendue comme une corde de violon. Je m'attendais à tout sauf à une déclaration d'amour et je n'étais pas certaine de pouvoir l'accueillir. J'éprouvais à l'égard d'Antoine des sentiments contradictoires. Le jeune homme avec qui je venais de passer la journée me plaisait. Dans d'autres circonstances, j'aurais pu tomber amoureuse de lui. Mais l'autre, celui que j'avais côtoyé plus tôt, pédant et violent, m'inspirait du ressentiment.

« Antoine, je vous en prie, ne dites plus rien. Nous avons fait la paix, et c'est très bien. Toutefois, il vous faudra du temps pour démêler vos sentiments et il m'en faudra pour oublier. Vous confondez peut-être remords, regrets et amitié. Restons-en là pour l'instant, voulez-vous ? »

Sur le chemin du retour, ni lui ni moi ne parlâmes. J'eus peur que ce bref échange n'efface, dans son esprit comme dans le mien, la trace de cette journée idyllique. Nous n'allions plus nous revoir. Mrs Hatfield et sa sœur avaient prévu une tournée à travers l'Angleterre. Nous quittions Londres quelques jours plus tard, pour ne plus y revenir.

Je voulais tout de même remercier Antoine pour sa disponibilité et sa générosité. J'aurais aimé lui dire aussi combien j'avais apprécié ses petites attentions : la fleur qu'il m'avait offerte au

Robinson Coffee, sa façon de remonter le col de mon manteau pour que je ne prenne pas froid, son bras sous le mien pour se faufiler dans la cohue... Mais les mots ne venaient pas. Pendant un moment qui me parut trop long, je demeurai muette. Mais je ne voulais pas qu'il prenne mon silence pour de l'indifférence.

« M'écrirez-vous, Rose ? » demanda-t-il d'un ton suppliant.

Nous arrivions devant le *Westminster Hotel*. Il se plaça devant moi. Pas moyen d'échapper à son regard perçant. J'étais confuse, je crois même avoir rougi. Je lui répondis en toute sincérité, pourtant consciente que mes paroles ressemblaient à des excuses.

« Je ne sais pas. Je néglige déjà mes amis montréalais.

— Allons donc, ne me contez pas d'histoires. La romancière qui sommeille en vous trouvera bien un moment pour raconter à son ami Antoine, pauvre étudiant rivé à sa salle de cours, ses fabuleuses découvertes. Pendant que je m'esquinterai dans des manuels de médecine indigestes, vous irez d'émerveillement en émerveillement.

— Voyez ? Vous vous moquez encore de moi. Qui vous dit que je n'aimerais pas mieux fréquenter, comme vous, une école de haut savoir ? Ce n'est pas drôle d'être née femme.

— Vraiment ? Je ne vous trouve pas trop à plaindre. Demain, à Cambridge, après-demain à Norwick, Nothingham, Manchester. Enfin, Dublin, cette capitale qui vous est chère.

— Vous avez raison, c'est beaucoup trop de bonheur pour une pauvre orpheline comme moi.

— Tout ce qui vous arrive, vous le méritez pleinement. »

Je souris à ce bel effort pour rester dans mes bonnes grâces.

« Il n'empêche, ce voyage me comble et aujourd'hui, vous avez contribué à le rendre plus formidable encore.

— Voilà qui fait plaisir à entendre ! s'exclama-t-il comme on lance un cri du cœur. Pour moi aussi, cette journée a été exceptionnelle. Voir Londres en votre compagnie m'a procuré les plus merveilleuses heures depuis mon arrivée en Angleterre. »

Et alors, il commença par me serrer la main. Ensuite, il m'embrassa sur une joue, puis sur l'autre. Il voulait, dit-il, sceller notre nouvelle amitié qu'il espérait longue, pour ne pas dire éternelle. Je lui rendis son étreinte. Pas trop, mais juste assez. Et il pivota sur ses talons, comme je l'avais vu faire souvent. Une dernière fois, il se retourna pour m'envoyer la main et s'éloigna dans le crépuscule londonien.

Lui parti, je me sentis triste. Des journées comme celle-là ne devraient jamais finir. J'aurais voulu retenir le temps. À contrecœur, j'entrai à l'hôtel. Nul doute, Mrs Hatfield serait de retour. Nous dînerions à la salle à manger. Elle réclamerait une table au centre de la pièce, juste sous un lustre de cristal. Elle me conterait plein d'anecdotes et voudrait tout savoir de ma journée. Son interrogatoire me mettrait au supplice, mais je m'y plierais docilement, cependant que mes pensées vogueraient autour du nouvel Antoine dont je venais de faire la connaissance et que je ne reverrais peut-être jamais.

23

La piste irlandaise

Au beau fixe tout au long de notre trop bref séjour à Londres, l'humeur acariâtre de Mrs Hatfield empoisonna le reste de notre tournée en Angleterre. Sa sœur Sophia l'exaspérait et, ma foi, c'était réciproque. Deux chefs indiens dans une même tribu, ça fait des flammèches.

À Cambridge, Charlotte Hatfield voulait passer la journée au musée Fitzwilliam, mais Sophia Thornton préférait assister à un office religieux à la chapelle du *King's College,* construite au XVe siècle. À Canterbury, les deux sœurs s'entendirent pour voir la somptueuse cathédrale, mais la discorde éclata de nouveau aux abords de *Stratford-upon-Avon.* Sophia se serait contentée d'un pèlerinage dans la ville natale de Shakespeare, tandis que Charlotte tenait mordicus à assister à une représentation de *Hamlet* au *Royal Theatre,* ce qui nous aurait obligées à prolonger notre escale d'une nuit. Aucune ne voulait céder un pouce de terrain. Nous perdions un temps infini à débattre de chaque pas à franchir.

Par bonheur, je m'entendais à merveille avec la fille de Sophia, Caroline. Elle parlait un français approximatif et j'estropiais l'anglais, mais, au bout du compte, nous arrivions à nous comprendre. Quand la bisbille entre les deux sœurs devenait insupportable, nous nous tenions à distance.

Au bout de deux semaines assez chaotiques, au cours desquelles ma patronne avait eu le dessus sur sa sœur, les deux belligérantes se crêpèrent le chignon à propos du titre de «lady» que Mrs Hatfield usurpait, comme le lui avait rappelé méchamment Lady Thornton qui, elle, y avait droit. Piquée, Mrs Hatfield insinua que sa sœur n'avait pas exactement gagné le gros lot, elle non plus. En d'autres mots, son « lord » de mari n'avait pas de génie. Sophia Thornton ricana : Mrs Hatfield était bien mal placée pour juger les autres, vu la réputation sulfureuse d'un certain Anglais qu'elle avait commis l'erreur de fréquenter autrefois et qui avait gâché son avenir.

Nous visitions alors *Hatfield House*, qui avait jadis appartenu aux lointains ancêtres des deux sœurs. À les entendre se disputer entre les murs de ce palais historique, la reine Élizabeth, qui y avait grandi, devait se retourner dans sa tombe. Les injures les plus mesquines fusaient dans une langue particulièrement châtiée qui ajoutait au ridicule. Gênée d'assister à une chicane de famille dans un lieu public, et bien que Charlotte et Sophia aient toujours pris soin de baisser le ton lorsque des touristes prêtaient l'oreille, je proposai à Caroline d'aller faire un tour dans les jardins. Elle acquiesça, soulagée d'échapper à ce cirque qui commençait à lui taper joyeusement sur les nerfs.

En échange de ma promesse de ne rien dévoiler, Caroline consentit à me livrer le secret déshonorant dont les deux sœurs avaient parlé à demi-mots. Lady Thornton disait vrai : Mrs Hatfield n'avait jamais été mariée à un lord, pas même à un simple gentleman. En d'autres mots, elle avait passé sa jeunesse à danser sur ses bas. À l'orée de la quarantaine, elle avait délaissé le « Miss » au profit du « M^rs^ » pour échapper au ridicule, puisqu'elle n'était plus en âge de repousser un prétendant. De fil en aiguille, elle était passée du « M^rs^ » au « Lady », sans que rien ne l'y autorisât, car elle n'avait ni fréquenté ni épousé un membre de la noblesse anglaise.

« Jolie comme elle l'était, Mrs Hatfield a sûrement eu des amoureux ? » demandai-je à Caroline, tandis que nous déambulions dans une allée de tilleuls bordée de narcisses et de tulipes.

« Je ne peux pas commenter, répondit-elle, fuyante.

— Pourquoi ?

— C'est confidentiel. J'ai promis à ma mère de ne jamais en parler.»

L'art de confesser les gens, ça me connaissait. J'étais prête à sortir l'artillerie lourde pour percer le mystère de Mrs Hatfield, mais ce ne fut pas nécessaire. Caroline mourait d'envie de me faire le récit détaillé de l'effroyable échec amoureux de sa tante. Celle-ci avait effectivement été amoureuse, mais ses sentiments n'étaient pas partagés. Enfin, pas exactement. Si j'ai bien compris, la jeune Charlotte s'était laissé courtiser pendant plusieurs années par un acteur anglais de talent, fraîchement immigré à Montréal. Beau, intelligent, ambitieux et sensible, son cher William possédait toutes les qualités qu'on attend d'un jeune homme à marier. Son seul défaut? Caroline me mit au défi de le trouver.

«Je parie qu'il était jaloux. Jaloux et possessif?»

Elle hocha la tête en signe de dénégation.

«Alors, il était couvert de dettes?»

Même signe de tête. Caroline était sûre que jamais je ne trouverais la bonne réponse.

«Attendez un peu… Ne me dites pas qu'il entretenait une catin? À moins qu'il ait rapporté la syphilis des Indes? Non… je donne ma langue au chat.»

La vérité dépassait mes pires soupçons : le séduisant William ne semblait pas pressé de passer la bague au doigt de Charlotte et cela aurait dû éveiller les soupçons de celle-ci. Pourtant, non. Elle flottait sur son petit nuage. Il l'inondait de fleurs, l'entourait d'attentions, lui jurait un amour éternel. Qu'aurait-elle pu désirer de plus?

«Vous ne me croirez pas, mais son fiancé était un pédéraste, m'annonça Caroline.

— Quoi!

— Puisque je vous le dis. Ma tante Charlotte l'a trouvé en plein commerce charnel avec un jeune garçon déguisé en femme.»

Ç'avait été tout un choc. Une rupture fracassante aurait augmenté ses chances de rester sur le carreau. Charlotte s'était plutôt murée dans le silence. Pour se tirer d'embarras, elle avait entrepris un long voyage à l'étranger. Le temps avait fait le reste. Son amoureux avait pris le large, sans jamais chercher à s'expliquer. Depuis ce jour, il se trouvait toujours une âme charitable pour rapporter à l'ex-fiancée que William menait une vie débridée à New York, où il affichait désormais son homosexualité ouvertement. Mrs Hatfield en avait développé une méfiance insurmontable, doublée d'un certain dégoût pour les hommes.

Sur le coup, ma patronne m'inspira de la sympathie. Je lui pardonnai même son humeur belliqueuse des derniers jours. De toute manière, les deux sœurs s'apprêtaient à fumer le calumet de paix. Le lendemain, nous devions nous séparer. Charlotte et Sophia se firent leurs adieux en promettant de se revoir prochainement. C'était à n'y rien comprendre.

∾

Je voulais voir l'Irlande et je me croisais les doigts pour que Mrs Hatfield respecte le programme établi avant notre séjour à Londres, même si elle accusait une petite fatigue depuis quelque temps. Je tenais mordicus à marcher dans le port de Dublin d'où s'étaient embarqués des milliers d'immigrants pour l'Amérique et j'ai été exaucée. Mrs Hatfield garda le cap. L'idée de revoir la capitale irlandaise, sa baie, avec sa côte accidentée, et tout le tralala lui souriait. Elle profiterait de ce bref intermède pour se préparer psychologiquement à affronter la mer.

Au premier coup d'œil, je déchantai. Dublin, jadis habité par les Vikings, ne correspondait guère à mes attentes. Il ne restait à peu près rien de l'ancienne cité fortifiée dont parlait avec admiration mon *Guide Book*. Les édifices historiques, tels le célèbre *Trinity College* et la Haute Cour de justice, se comptaient sur les doigts de la main. Comme dans les autres capitales, nous voulions apprivoiser les rues à pied. Or, l'atmosphère était tellement enfumée et l'odeur si nauséabonde que Mrs Hatfield songea à rebrousser chemin.

Finalement, nous sautâmes dans un *cab* pour nous rendre à la banque où ma patronne voulait s'approvisionner en devises. Tout le trajet se déroula dans des rues encombrées de calèches et de wagons surchargés. Sur les trottoirs, des enfants en haillons côtoyaient des ivrognes repoussants, comme ceux qui s'agitaient dans le roman de Charles Dickens qu'Antoine avait déposé pour moi à la réception de l'hôtel, à Londres. Cela confirmait Mrs Hatfield dans sa conviction que les Irlandais étaient paresseux et sans envergure. À sa manière, elle suivait le courant d'opinion qui prétendait que ce peuple méritait son misérable sort.

Je la laissai à la porte de la banque et filai à la Poste restante chercher notre courrier. Des nouvelles de mon ami Louis m'y attendaient. Je sortis de l'édifice public à la hâte et me plantai devant la statue équestre de Guillaume III le Conquérant, juste en face du bureau central, pour ouvrir cette précieuse lettre.

Chère Rose, m'écrivait Louis. Honorine et moi avons reçu votre dernière missive de Londres et sommes bien aises de vous savoir en parfaite santé. De notre côté, nous avons l'immense plaisir de vous annoncer la naissance de notre second fils. Ma femme a tenu à l'appeler Louis-Joseph, comme moi. Elle a accouché à Montréal, où nous sommes revenus vivre, depuis un mois. Mon ancien patron m'a offert de reprendre mon travail de typographe à L'Opinion publique. Il m'a fait de bonnes conditions et m'a laissé entendre que je pourrais éventuellement signer des papiers. Nous avons trouvé un petit logement pas très loin d'où vous habitiez, du temps de Madame Odile. Honorine me prie de vous prévenir qu'un lit vous attend chez nous, à votre retour d'Irlande. Vous prendrez le temps qu'il vous faudra pour vous trouver un bon emploi.

Honorine serait si heureuse de vous avoir auprès d'elle pendant quelque temps. Ne la décevez pas. D'autant plus que vos recherches en seraient facilitées, puisque je serai là pour vous aider.

À ce propos, j'ai fait quelques démarches dont je suis plus ou moins satisfait. Ma visite à l'Hôpital général des Sœurs Grises m'a tout de même permis d'apprendre qu'aucune jeune femme d'origine irlandaise, fraîchement accouchée, n'y est morte dans les jours ou les semaines qui ont suivi l'incendie de 1852. Votre Mary Steamboat aurait donc survécu. Ensuite, j'ai consulté les vieux journaux pour connaître le nom du vapeur qui a mouillé dans le port de Québec en juin de cette année-là. Le New Prospect, en provenance de Dublin, est arrivé à Grosse-Île, la station de quarantaine, le 8 juin. Il avait à son bord deux cents immigrants. De ce nombre, dix-huit seraient décédés en mer. À partir de là, un bâtiment canadien aurait amené une centaine d'entre eux à Montréal, où des organismes d'aide aux Irlandais les auraient pris en charge.

Cette information fera peut-être avancer vos affaires. Allez à la Douane et demandez à voir la liste des passagers. Avec un peu de chance, il n'y aura qu'une dizaine de Mary dont nous pourrions essayer de retrouver la trace en Amérique.

Vos amis sincères qui ont hâte de vous revoir,

Honorine et Louis

Lorsque j'émergeai de mes pensées, Mrs Hatfield se tenait devant moi, au pied de George III. À son air, je compris qu'elle était mécontente. J'aurais dû l'attendre à la porte de la banque et lui donner le bras pour descendre les marches. Me confondant en excuses, je lui expliquai la source de mon trouble. Après m'avoir morigénée pour la forme, elle consentit à m'accompagner à la Douane, même si elle doutait des chances de succès de ma démarche. En ces années d'épidémie, des milliers d'immigrants irlandais s'étaient embarqués pour l'Amérique depuis le port de Dublin. Était-il réaliste d'espérer retrouver une personne dont je ne connaissais que le prénom sur une liste interminable de noms ? Et encore, s'appelait-elle vraiment Mary, cette jeune Irlandaise qui avait abouti à Sainte-Pélagie ? Autant chercher une aiguille dans une botte de foin.

Je m'entêtai néanmoins. C'était l'affaire d'une heure tout au plus. La Douane se trouvait dans le port, au bout de la baie. Mrs Hatfield héla un *cab* pour nous y conduire. Les rues sales, pleines de débris et d'ordures, nous forçaient à tourner la tête. Cela ne semblait pas incommoder les clients des pubs qui pullulaient. Ceux-ci, des militaires pour la plupart, sirotaient leur bière au soleil, assis sur les marches ou appuyés au garde-fou. Plus loin, dans le quartier chaud de la ville appelé *Ringsend Road*, les prostituées attendaient les *Jolly goodfellows* à la porte des bordels. Pas très longtemps, car les matelots y convergeaient sitôt débarqués de leur brick.

Au fond de la baie de Dublin, somnolait une flottille de pêche. Des casiers à homards s'empilaient sur la grève. Plus près de nous, un vapeur défraîchi faisait un semblant de toilette. Des matelots au teint cuivré lavaient la passerelle à grande eau. Dans des hangars mal tenus, les douaniers triaient les passagers, interdisant la rampe d'accès au bateau à ceux dont les papiers n'étaient pas en règle. Des dizaines d'hommes, de femmes et d'enfants patientaient, assis sur des caisses ou traînant à bout de bras leurs malles fermées avec des courroies de fortune.

Preuve que le pays n'avait pas encore retrouvé la paix, même si les mouvements révolutionnaires avaient été écrasés depuis peu, des gendarmes gardaient l'entrée des bureaux de la Douane. Nous y entrâmes sans être inquiétées. À l'intérieur, je me dirigeai d'instinct vers le comptoir du registraire archiviste. En m'apercevant à son guichet, celui-ci se leva à regret et traîna ses savates jusqu'à moi.

« *What can I do for your, Miss?* » demanda-t-il d'un ton monocorde et peu empressé.

Mon anglais étant encore rudimentaire, Mrs Hatfield joua les interprètes. Lorsqu'elle lui eut fourni le nom du bateau et l'année de la traversée de la personne que nous recherchions, il repéra sur ses tablettes le gros volume de 1852. Tout en tournant les pages, il nous apprit qu'en mai de cette année-là, cinq bateaux d'immigrants avaient quitté l'Irlande à destination de Québec, mais un seul, le *New Prospect*, avait embarqué ses passagers à Dublin, les quatre autres étant partis de Cork.

« *What name are you looking for, Miss?*

— Mary »

Je me sentis soudain ridicule. Naturellement, cela ne lui suffisait pas. Il hocha la tête et esquissa un geste d'impatience : je lui faisais perdre son temps. Il demanda à Mrs Hatfield de me traduire ses propos : cet été-là, quarante mille Irlandais avaient débarqué à Québec. Sans le nom de famille de la personne recherchée, il ne pouvait rien pour moi. Il referma son grand livre, sans une touche de compassion.

« *Please...* », le priai-je en vain.

Ma mère faisait partie de ce cortège de malheureux Irlandais chassés de leur pays par la famine et les Anglais, tentai-je de lui expliquer pour attirer sa pitié. Je voulais simplement lire les noms dans son cahier. Je devais profiter de cette unique occasion, car mon séjour tirait à sa fin. Il ignora ma supplique et se tourna vers la personne suivante dans la queue.

« *Next!* » fit-il en soupirant, comme si sa tâche était éreintante.

Mrs Hatfield m'entraîna à l'extérieur. C'était inutile d'insister, les douanes irlandaises conserveraient hélas! leurs secrets. La visite du port que nous entreprîmes ensuite ressembla davantage à un pèlerinage dans un lieu de dévotion qu'à une quête de renseignements. À défaut de retrouver la trace de ma mère, je me contenterais de fouler le sol qu'elle avait quitté vingt et un ans plus tôt. Je tâcherais d'imaginer ce qu'elle avait dû ressentir, alors qu'elle s'apprêtait à dire adieu à sa terre natale. Comme elle était alors enceinte d'environ sept mois, j'étais déjà bien accrochée à son utérus.

J'imaginais Mary Steamboat accroupie sur sa petite valise, épuisée par la route, mais habitée par l'espoir d'une vie meilleure de l'autre côté de l'Atlantique. Voyageait-elle seule ou avec l'homme de sa vie ? Peut-être emportait-elle simplement quelques effets dans un sac ? Si proche de la fin de son terme, cette traversée mettait sa vie en péril. Avait-elle seulement eu le choix de s'expatrier ? Un bon samaritain l'avait probablement aidée à grimper dans l'embarcation, sinon elle n'y serait jamais parvenue.

Des rumeurs invraisemblables circulaient à propos de ces bateaux d'immigrants. Entassés dans une cale insalubre, ces pauvres bougres se bagarraient pour s'assurer les meilleures places. Il n'y avait pas de couchettes, simplement des paillasses placées dans des caissons superposés. Pendant vingt jours, parfois davantage, ces êtres livides et amaigris vivotaient, entourés de vomissures. Pour sortir prendre une bouffée d'air, quand la trappe n'était pas verrouillée de l'extérieur, ils enjambaient les agonisants. Dehors, des matelots à drôle de trogne les surveillaient. À leur retour au fond de la cale, leur butin avait disparu le plus souvent.

Je frémissais en pensant au voyage de Mary Steamboat sur l'un de ces bateaux de fortune affrétés pour la transporter en exil, elle et ses compatriotes.

~

À présent, j'allais m'embarquer à bord du luxueux *Great Eastern* qui me ramènerait en Amérique. Plus de deux mois s'étaient écoulés depuis mon départ. Le voyage de retour s'accomplirait avec une rapidité inhabituelle. Notre gigantesque paquebot faisait l'envie de tous les voyageurs.

Les heures précédant le départ représentaient toujours, pour moi, un surcroît de travail qui me mettait sous tension. Il fallait vérifier si tous nos bagages avaient été hissés sur le pont et portés à notre cabine. Je devais ensuite voir à notre installation, après quoi Mrs Hatfield m'expédiait à la salle à manger, afin de réserver nos places dans un coin propice aux rencontres imprévues, ni trop à l'écart des groupes bien vus, ni trop exposées au brouhaha.

Une fois mes corvées terminées, je pus tout à loisir aller méditer sur la passerelle inondée de soleil. Je quittais l'Irlande désillusionnée, mais, cette fois, j'étais lasse de m'apitoyer sur mon sort. Les machines se mirent en branle et le capitaine donna l'ordre de départ. Le bâtiment appareilla. Lentement, tout doucement, la «Côte d'émeraude» s'éloigna jusqu'à devenir un point à l'horizon.

À ce moment précis, j'eus l'irrésistible envie de clore ce chapitre de ma vie. Ce sentiment m'habiterait tout au long de la traversée. Ce n'était pas dans ma nature de renoncer et je ressentais une immense frustration à l'idée de faire une croix sur mon rêve de retrouver ma mère. Pourtant, j'y voyais aussi un acte de libération. C'était bien d'être déterminée, mais c'était mal de se buter. Délivrée de ce boulet, je pourrais vivre enfin. Pour la première fois de ma vie, mes perspectives d'avenir me semblaient prometteuses.

Ce périple m'avait transformée. J'avais davantage confiance en moi. Désormais, je ne me percevais plus simplement comme une «pôvre» orpheline née pour un petit pain. Côté culture, j'avais emmagasiné de nombreuses connaissances, grâce aux personnes que j'avais eu la chance de côtoyer sur terre comme en mer. J'avais aussi perfectionné mon anglais qui, ma foi, me surprenait moi-même. Enfin, je m'étais fait des amis précieux sur qui je pouvais compter.

Côté cœur, par contre, je n'étais pas douée. Je me jugeais maladroite avec les jeunes hommes. Ma spontanéité m'attirait des bosses. Enfin, j'étais incroyablement méfiante aussi, comme si ces beaux parleurs cherchaient à me séduire simplement pour me déshonorer. À l'instar de la plupart des jeunes sans parents, je doutais de pouvoir inspirer des sentiments vrais et j'éprouvais de la difficulté à exprimer les miens. Mais tout n'était pas perdu. Le bel Antoine, métamorphosé, revenait me hanter depuis cette journée exquise à Londres. Comme il avait changé, lui aussi! J'admirais, bien sûr, sa vaste culture; pourtant, son charme tenait davantage à sa capacité d'écoute et à l'aisance avec laquelle il arrivait à se livrer, une qualité qui me faisait cruellement défaut. Chez lui, cela semblait si naturel. Comme j'enviais sa simplicité !

Je me livrais à cet intéressant exercice de réflexion quand un passager aux allures de bonhomme Sept Heures s'approcha du bastingage pour me faire la causette, comme cela arrivait fréquemment en mer. Sans me demander la permission, il prit un malin plaisir à m'apeurer.

Apparemment, un mauvais sort s'acharnait sur ce bateau et il m'énuméra froidement les malheurs qu'il s'était attirés. Pendant sa construction, trois ouvriers avaient péri d'étrange façon. À sa première traversée, sa chaudière avait explosé et entraîné la mort de cinq manœuvres. Entre Southampton et New York, il avait abîmé sa coque en heurtant plus d'un iceberg. Enfin, comme si cela n'était pas suffisant pour décourager les plus téméraires, on avait récemment découvert, pendant des travaux de réfection, les squelettes de deux artisans riveteurs enfermés par accident dans les soutes. D'après ce passager, aucun doute possible, ce vapeur était maudit. Inutile de préciser que je ne ménageai aucun effort pour éviter de le croiser durant la traversée. Je préférais me priver de ma promenade au grand air plutôt que d'être obligée d'écouter ses prévisions catastrophiques, qui me hantaient ensuite, la nuit venue.

Entre-temps, un événement inattendu survenu à l'embarquement avait mis Mrs Hatfield sur le qui-vive. Elle n'allait plus avoir une minute de répit. L'affaire la préoccupait tant qu'elle en oublia son mal de mer chronique. Elle prit religieusement ses petites pilules italiennes et ignora ses nausées. L'idée de lier connaissance avec un personnage de marque qui voyageait, lui aussi, à bord du *Great Eastern* l'obsédait. Pauvre Mrs Hatfield ! Malgré ses pirouettes, elle fit chou blanc. On aurait dit que sa proie jouait à cache-cache avec elle.

Je venais de ranger ses effets dans le placard et les tiroirs de sa cabine située dans une partie tranquille du vapeur quand elle me réclama la liste des passagers. Y figuraient Cyrus Field, un riche homme d'affaires du Massachusetts, dont elle avait vaguement entendu parler, des Californiens qu'elle ne connaissait ni d'Ève ni d'Adam, un couple de richissimes Péruviens rencontrés en Amérique du Sud, un certain John Reed d'Ottawa, accompagné de son épouse et, tenez-vous bien, Jules Verne. C'est évidemment sur ce dernier qu'elle jeta son dévolu.

Le premier jour, elle avait obtenu du capitaine qu'il lui présentât le grand écrivain français. L'homme d'environ quarante-cinq ans, de belle apparence, se montra poli, mais sans plus. Elle n'en passa pas moins tout le voyage à lui courir après, assistant même aux offices protestants, les seuls qui étaient offerts aux passagers, dans l'espoir de lui serrer la main à la sortie. Tant pis pour elle! Monsieur Verne était allergique aux sermons du Révérend Tucker. Dès que celui-ci ouvrait la bouche pour prononcer son homélie, l'écrivain quittait la salle discrètement.

Tous les après-midi, ma patronne s'engouffrait dans la *smoking room* où l'on dressait les tables de jeu, son péché mignon. Pas de chance pour elle, Jules Verne préférait les promenades sur le pont aux parties de cartes dans une pièce si enfumée que les joueurs avaient peine à distinguer leurs adversaires. À la salle à manger, lorsqu'il mangeait à la table du capitaine Anderson, Mrs Hatfield m'envoyait remettre à ce dernier un billet lui réclamant un entretien après le repas. Elle espérait que Monsieur Verne l'accompagnerait. Il s'en gardait bien. Elle évitait la salle d'exercice que fréquentaient uniquement les dames, mais assistait aux concerts organisés en soirée. J'étais à nouveau mise à contribution : il s'agissait pour moi de lui trouver une place non loin de celle de l'écrivain, qui ne faisait aucun cas de sa personne.

La veille de notre arrivée, ma patronne se débrouilla pour croiser Jules Verne au pied du large escalier. Lorsqu'il se trouva enfin tout près, elle lâcha la rampe d'acajou et posa sa main sur le bras de l'écrivain, qui avait reculé pour lui céder le passage. Elle gardait dans son sac mon exemplaire de *Vingt mille lieues sous les mers* et mendia une dédicace pour moi à son auteur. Je voulais entrer six pieds sous terre. Il se plia gentiment à sa demande et me demanda mon nom qu'il écrivit avec quelques mots bien sentis :

À Rose Toutcourt, que j'ai si souvent croisée, son cahier de notes à la main, au hasard de mes promenades sur le pont. En souvenir d'une traversée paisible.

Jules Verne

~

Une trompette annonça le dîner d'adieu. Les stewards sortaient des cuisines, leurs grands plateaux appuyés à l'épaule droite. Nous nous apprêtions à déguster nos dernières tranches de rosbif à l'anglaise. Le champagne Clicquot (à trois dollars la bouteille) coulait à flots et je flottais dans les nuages. Le bel officier anglais qui m'avait courtisée pendant la traversée s'était invité à notre table. Ses œillades langoureuses me flattaient, sans plus. À l'issue du repas, il me supplia de lui laisser mon adresse en promettant de venir me saluer à son prochain passage à Montréal. Je lui refilai celle d'Honorine, sans trop savoir s'il me donnerait signe de vie. Mrs Hatfield m'autorisa à assister au bal d'adieu. Mon cavalier lui était tombé dans l'œil et elle n'aurait pas détesté me voir fiancée à un homme galonné avant la fin de l'année. Elle avait une certaine propension à prendre des vessies pour des lanternes. Sans doute effectuait-elle un transfert de personnalité. Cela l'ulcérait de penser qu'une jeune fille de vingt ans comme moi puisse ne pas trouver chaussure à son pied. Quoi qu'il en soit, la soirée fut féerique. Grâce aux leçons de Mathilde, j'ai valsé divinement. Mon bel officier n'en revenait pas.

Le *Great Eastern* passa la nuit au quai de Ford Clinton, au sud de Manhattan. Tous les paquebots en provenance d'outre-mer étaient forcés d'y faire escale pour la quarantaine. Depuis l'éradication des épidémies de typhus et de choléra, les voyageurs étaient soumis à une inspection plus sommaire, cependant. La nôtre se déroula sans retard. Une fois l'examen médical passé, nous avons été autorisés à entrer aux États-Unis, mais les passagers ne purent pas débarquer, vu l'heure tardive. Les douanes étaient fermées jusqu'au lendemain. Patience, donc.

À l'aurore, tandis que Mrs Hatfield dormait à poings fermés, je jonglais sur le pont avec l'idée d'abandonner mes recherches pour de bon. De plus en plus convaincue de ne jamais retrouver ma mère, sinon au paradis, comme disait Mère de la Nativité, j'aspirais à la paix intérieure, qui viendrait le jour où je cesserais de me laisser mener par cette obsession. Ne m'avait-on pas assez répété d'en faire mon deuil ? À Dublin, j'avais enterré mon dernier espoir. Ma patronne avait raison : je cherchais une aiguille dans une botte de foin. Contre tout bon sens.

L'Hudson s'étalait devant moi sans une ride. Une étrange sensation m'envahit. Comme une promesse d'avenir : je n'étais pas une plante et je pouvais pousser sans racines. Ainsi allait la vie. Je ne serais pas la première orpheline à vivre pleinement sans connaître ses origines. Le vapeur se faufilait entre les hauteurs du New Jersey et les quais de New York. Des notes du *God Save the Queen* provenant du salon voisin parvenaient à mes oreilles. J'étais sereine, en paix avec moi-même. Tout ce qui était humainement possible de faire, je l'avais tenté.

Le pilote américain chargé de nous mener à quai monta à bord avec un paquet de *New York Herald* sur lequel les passagers se ruèrent. De justesse, j'en attrapai un exemplaire pour Mrs Hatfield, avant de retourner à mon point d'observation. Mes lorgnettes pointées sur Manhattan, j'observais les New-Yorkais endimanchés qui faisaient le pied de grue dans le port, guettant l'arrivée du vapeur. Autour de moi, c'était à qui reconnaîtrait ses proches dans la foule bigarrée.

Sur le coup de deux heures, le *Great Eastern* s'arrêta complètement, sous des hourras nourris. Peu après, le débarquement s'amorça. Je n'étais pas fâchée de mettre le pied sur la terre ferme. Par chance, aucun des fâcheux pronostics dont m'avait abreuvée mon prophète de malheur ne s'était réalisé. Nous n'avions essuyé ni tempête de pluie, ni assauts du vent, ni mort suspecte. Dieu soit loué !

~

Une grosse déception m'attendait à quai : Marie-Madeleine n'était pas venue m'accueillir. Ma dernière lettre lui annonçait le jour de mon arrivée et j'avais espéré qu'elle se serait libérée de ses corvées pour venir à ma rencontre. Le samedi, les sœurs avaient droit à quelques heures de répit et j'avais tenu pour acquis qu'elle me les consacrerait.

Comme nous arrivions à l'hôtel pour passer la nuit, un groom me remit un colis adressé à *Mademoiselle Rose, a/s de Mrs Charlotte Hatfield*. Il me venait justement de Marie-Madeleine, qui se disait désolée de m'avoir ratée. Un accouchement difficile l'avait retenue à la maternité. Grâce à Dieu, l'enfant et la mère étaient sains et saufs.

Son envoi contenait le récit des dernières années de vie de Rosalie. Elle me demandait de le recopier au propre en prévision de la fête à Sainte-Pélagie, qui devait se tenir dans moins de trois semaines. Elle voulait me prévenir : certains passages me paraîtraient durs. Je n'avais pas idée des souffrances qu'avait endurées la fondatrice de l'ordre à la fin de ses jours. Marie-Madeleine hésitait à inclure ces pages dans l'album-souvenir. La vérité avait des droits, certes, mais l'extrait que je m'apprêtais à lire ternissait la mémoire du « bourreau » de Rosalie, une religieuse qui avait regretté par la suite ses mauvais traitements.

Marie-Madeleine comptait sur moi pour soumettre le problème à l'actuelle supérieure, à qui il reviendrait de biffer les passages les plus choquants. Elle terminait sa missive en m'annonçant sa venue à Montréal juste à temps pour la fête anniversaire. Elle était désolée d'arriver si tard, mais son travail à New York lui interdisait de partir plus tôt.

L'épisode de la vie de Rosalie dont elle parlait dans sa lettre me sembla si mystérieux que je passai la nuit le nez dans son manuscrit. J'y appris des faits troublants. Le docteur Trudel m'avait laissé entendre qu'on avait fait des misères à Mère de la Nativité, mais je ne voulais pas croire qu'une religieuse en autorité, supérieure de surcroît, avait pu s'acharner sur sa consœur au vu et au su de toute la communauté. Une immense tristesse s'abattit sur moi, cependant que je découvrais avec horreur ce que ma vieille amie avait dû endurer au cours de sa dernière maladie. Marie-Madeleine écrivait :

De passage à la maternité à l'automne de 1858, Monseigneur Bourget fut informé des mauvais traitements infligés à Rosalie Jetté. Plusieurs religieuses lui avaient confié en confession que la supérieure traitait celle-ci avec mépris et la regardait comme une incapable.

De connivence avec l'aumônier, cette religieuse dont Marie-Madeleine préférait taire le nom s'était fait nommer supérieure à la place de Mère de la Nativité, pour ensuite lui usurper le titre de fondatrice. Elle dirigeait la communauté d'une main de fer et s'acharnait sur sa devancière, la punissant sans raison et l'appelant avec dédain « Nativité ». Sa biographe citait des témoignages émanant de sœurs fiables :

Un jour, la supérieure obligea Mère de la Nativité à se rendre au réfectoire, même si ses infirmités lui permettaient à peine de marcher. Chaque fois qu'elle lui donnait un ordre, cette supérieure prétendait faussement qu'il venait de Monseigneur Bourget, comme pour lui faire honte. Malgré une directive médicale, elle lui refusait des œufs, sous prétexte qu'ils coûtaient trop cher. Elle menaçait aussi de lui retirer le petit poêle que le médecin avait exigé qu'on installât à son chevet.

Je n'arrivais pas à lâcher le récit de Marie-Madeleine :

Ces mauvais traitements étaient d'autant plus cruels que Rosalie Jetté souffrait d'hydropisie, sorte de néphrite aiguë ou inflammation du rein souvent causée par la scarlatine ou l'infection grippale. Pour soulager ses souffrances, on lui donnait un peu de vin de messe coupé d'eau. Or, la supérieure prétendait que la malade passait son temps « entre deux vins ». Un bienfaiteur, Monsieur Berthelet, lui en avait envoyé une douzaine de bouteilles pour la fortifier, mais il était interdit de lui en servir.

Alitée, il arrivait que personne ne pensât à lui apporter à manger à l'heure des repas. Cette bonne mère passait des journées entières sans un bout de pain ni même un peu d'eau pour étancher sa soif. La supérieure lui reprochait d'être une charge pour la communauté et de déranger ses compagnes, la nuit, pendant ses crises de suffocation. Les religieuses se virent d'ailleurs interdire de passer du temps à son chevet. Mère de la Nativité savait que la supérieure voulait la placer à l'hospice des vieilles pour s'en débarrasser.

Naturellement, je n'avais pas eu conscience de cet acharnement ni de l'agonie de ma marraine. Les enfants ne saisissent pas toujours ce qui se passe dans la tête des grands. Je me souvenais cependant que, peu avant sa mort, le cinq avril 1864, elle avait demandé à me voir, moi, sa filleule préférée. On m'avait fait venir de l'orphelinat. J'avais ordre de ne pas rester à son chevet plus de cinq minutes.

Pour la première fois de ma vie, je tenais la main d'une agonisante. Elle articulait difficilement, mais j'avais réussi à comprendre l'essentiel de ses propos. Avant de pousser son dernier soupir, elle voulait me dire que ma maman était une bonne fille et que je pouvais en être fière. Si elle n'était pas revenue me chercher, c'était sûrement parce que quelque chose de grave lui était arrivé. Le bon Dieu l'avait peut-être rappelée dans son ciel ? Quand j'ai voulu connaître son nom, elle marmonna que sa vieille mémoire ne l'avait pas retenu.

Mère Rosalie ne me livra pas son secret. J'ai toujours pensé qu'elle avait voulu me réchauffer le cœur avant de partir. Dans la mesure de ses faibles moyens. Elle n'avait réussi qu'à moitié.

24

Le télégramme

Le lendemain, comme nous quittions notre hôtel new-yorkais pour la gare, un groom me remit un télégramme livré à mon intention. Je me sentis tout à coup très importante, même s'il est toujours inquiétant de recevoir ce genre de message codé. Le mien provenait de Louis. J'ai pensé : pourvu que rien de fâcheux ne soit arrivé à Honorine. Je lus d'un trait les quelques mots que mon ami m'adressait : *Mary S. est vivante. Venez vite.*

Le télégramme me tomba des mains. Je m'adossai à un siège, le temps de respirer profondément. Inquiète de me voir blêmir, Mrs Hatfield me demanda :

« *What is wrong, Miss Rose?* Vous avez l'air bouleversé.

— Je viens d'apprendre une nouvelle incroyable. Mary Steamboat serait vivante !

— *Oh! dear Lord!* Vous voilà repartie. J'espère que vous ne serez pas déçue encore une fois. »

Le trajet depuis New York jusqu'à Montréal me parut interminable. Je n'arrêtais pas de me répéter : elle est vivante, elle est vivante. Il avait suffi que je jette l'éponge pour que l'espoir renaisse.

Dans le train, toute à cette grande nouvelle, je fus une bien piètre demoiselle de compagnie. La nouvelle m'avait coupé le sifflet. Mrs Hatfield n'avait guère plus d'entrain, après une nuit agitée. Elle somnola à partir d'Albany et n'émergea qu'à notre entrée en gare Bonaventure.

Il était quatre heures de l'après-midi, ce treize mai 1873, lorsque Montréal nous apparut sous une pluie torrentielle. Les rues ressemblaient à de vastes étangs. Le cocher de Mrs Hatfield nous attendait dans son cabriolet. Avec force détails, il nous signala que la débâcle printanière avait causé des dommages irréparables à la ville. Des montagnes de blocs de glace avaient envahi la rue des Commissaires et les rampes d'accès aux quais, si bien qu'une fonte trop rapide des neiges avait obligé les citoyens à circuler en chaloupe dans le faubourg pendant trois jours. Heureusement, la situation était redevenue à peu près normale. Il nous aida à monter dans la voiture et referma la portière. Une fois nos bagages hissés à l'arrière, il fouetta son cheval et nous partîmes. Ici et là, des pavés soulevés par le dégel provoquaient des secousses assez violentes pour nous tirer de la torpeur qui nous engourdissait, après un aussi long trajet.

Ma patronne se fit déposer chez elle, *Terrasse Montmorency*, et demanda à son cocher de me conduire chez Louis Lalonde, rue Saint-Dominique. Nous nous séparâmes sans trop d'effusion. Je la sentis tout de même un peu triste de me voir repartir de mon côté. Elle me pria de passer la voir le mercredi suivant. Nous prendrions le thé et elle me remettrait mes gages. Peut-être envisagerions-nous alors un prochain séjour à l'étranger dans six mois, un an tout au plus? Pourquoi pas en France ou en Italie? Elle ne fermait pas la porte et cela me toucha, même si, au moment précis où elle formulait sa proposition, j'étais à cent lieues de m'imaginer reprenant le bâton du pèlerin en sa compagnie. Le seul fait de savoir Mary Steamboat en vie m'autorisait à ranimer mes rêves les plus fabuleux. Cela seul comptait.

Honorine et Louis habitaient un charmant logis dans une rue animée. La végétation tardait, mais à voir les ramures des arbustes qui encadraient la façade, je devinai que, dans un mois à peine, les lilas envelopperaient la maison. Je me sentais fébrile en posant la main sur le heurtoir et le temps me parut long avant que Louis n'ouvre. Il portait Petit Louis dans ses bras et mon filleul Édouard se traînait à quatre pattes derrière lui. Finalement, Honorine arriva au pas de course.

« Rose, ma Rose, te voilà enfin ! Comme tu m'as manqué ! »

Mon arrivée causa une explosion de joie sans pareille. Cela me sauta aux yeux, mes deux amis resplendissaient de bonheur. Il nous fallut un moment pour nous ressaisir. Louis se chargea de ma valise (le reste de mes bagages serait livré le lendemain), avant de refermer la porte. Autour d'un pot-au-feu façon Honorine, nous renouâmes avec nos ricanements, nos moqueries et nos bonnes vieilles habitudes. L'intimité que j'avais vécue avec Honorine depuis ma prime jeunesse et celle plus récente qui me liait à Louis se trouvaient renforcées. Nous formions un trio harmonieux.

Pendant que mon amie mettait les enfants au lit, Louis m'entraîna au salon. Depuis mon arrivée, il se retenait de m'informer des derniers développements concernant mes affaires. Il n'avait pas chômé. À titre de journaliste – eh oui, il avait enfin réalisé son rêve –, il pouvait désormais s'introduire un peu partout et s'arroger le droit de poser les questions les plus audacieuses, ce dont, à l'évidence, il ne se privait pas.

« Je vous écoute, monsieur le " reporter ", comme on dit à Londres. »

Louis secoua la tête pour exprimer le malaise qui le paralysait, au moment de me livrer des informations capitales pour la suite des choses. Il retira sa veste et retroussa les manches de sa chemise.

« Si je vous donne de faux espoirs, pardonnez-moi, plaida-t-il. Vous attendez sans doute des preuves, mais je n'ai rien de tel à vous proposer. Je vous dirai simplement ce que j'ai vu de mes yeux. »

Il hésita encore. Aussi m'empressai-je de le rassurer :

« Écoutez, Louis, je vous serai éternellement reconnaissante de m'avoir aidée dans cette entreprise peu réaliste, je le reconnais. Dites-moi ce que vous avez découvert et ne vous inquiétez pas du reste. Je n'en suis plus à mes premières déceptions et j'ai appris à les surmonter. En revanche, chaque nouvel indice pèse dans la balance.

— Ce que j'ai découvert ? répéta-t-il lentement. Tout simplement la confirmation de vos soupçons.

— C'est-à-dire ?

— Mary Steamboat n'est pas morte des suites de l'accouchement et elle est bien votre mère. Je connais son véritable nom. »

Je m'affaissai contre le dossier du fauteuil, le regard tendu vers lui. Alors, ses hésitations s'évaporèrent et il plongea dans le vif du sujet. Une première visite à l'Hôpital Général lui avait appris qu'aucune patiente âgée d'une vingtaine d'années n'était morte dans les jours suivant l'incendie de 1852, ce qu'il m'avait annoncé dans sa lettre adressée en Irlande. Bien qu'importante, cette information l'avait laissé sur sa faim. Il avait donc pris sur lui de retourner à l'hôpital dans l'espoir d'obtenir, cette fois, un entretien avec la Mère supérieure. D'entrée de jeu, celle-ci avait voulu connaître le motif de sa visite. Il lui avait exposé sa requête sans tergiverser : il préparait un reportage sur les pertes encourues par la communauté irlandaise, lors de l'incendie qui avait décimé une partie de Montréal, en 1852. Deux témoins lui avaient affirmé qu'une Irlandaise fraîchement débarquée au pays s'était présentée à l'hôpital, peu après son accouchement. Elle avait perdu beaucoup de sang en fuyant le brasier. Ces personnes prétendaient que la jeune patiente avait rendu l'âme moins d'une semaine plus tard. Or, cette information ne correspondait pas à ce que la religieuse responsable des registres de l'Hôpital Général lui avait affirmé, lors de sa première visite. Au journal, son patron lui avait demandé de tirer l'affaire au clair.

La supérieure n'était pas sûre de bien comprendre ses motivations. Quelle importance le sort de cette jeune femme revêtait-il pour son enquête journalistique ? Louis s'était fait convaincant : un reporter ne pouvait pas affirmer que l'incendie avait fait des victimes irlandaises sans en avoir la preuve. L'hôpital prétendait que non, mais des connaissances de la victime juraient le contraire. Cette explication tirée par les cheveux n'avait pas convaincu la sœur. Elle avait néanmoins ouvert son tiroir pour en sortir un épais registre dont elle avait tourné les pages devant lui, sans toutefois l'autoriser à y jeter un coup d'œil.

En date du huit juillet 1852, une jeune Irlandaise prénommée Mary avait bel et bien été hospitalisée, non pas à cause de brûlures causées par les flammes, comme la plupart des patients admis ce jour-là, mais pour soigner des complications liées à son accouchement. Elle avait effectivement perdu beaucoup de sang et les médecins avaient eu du mal à arrêter l'hémorragie. Le rapport médical mentionnait une infection aiguë provoquée par les blessures infligées lors du passage de l'enfant. L'état de la malade s'était rapidement dégradé. On lui avait administré les derniers sacrements, le douze du mois. Or, contre toute attente, elle s'était rétablie et, le trente juillet, elle avait obtenu son congé.

La supérieure lui avait fourni des informations cruciales et Louis aurait dû s'en contenter. Pourtant, il avait poussé sa chance :

« Je pourrais peut-être lui parler ? Avez-vous conservé ses nom et adresse ? »

La sœur avait froncé les sourcils, avant de soupirer profondément, comme si elle voyait clair dans son jeu :

« Monsieur Lalonde, à qui croyez-vous avoir affaire ? Vous ne pouvez pas ignorer que nous ne divulguons pas l'identité de nos patients. Notre règlement et le bon sens l'interdisent. D'ailleurs, je vous en ai déjà trop dit. »

Elle avait croisé les mains sur le devant de la table pour lui signifier que l'entretien s'arrêtait là. Mais Louis n'avait pas bronché, cherchant désespérément à relancer la conversation. À ce moment précis, quelqu'un avait frappé. Une jeune religieuse s'était passé la tête dans la porte entrebâillée et avait réclamé la supérieure. Elle avait un mot à lui dire en privé. Celle-ci s'était excusée et avait rejoint sa consœur dans le corridor :

« J'en ai pour une minute », avait-elle prévenu Louis.

Mon ami s'arrêta de parler. Jusque-là, je ne l'avais pas interrompu. Je le fis cependant, car je mourais d'envie de savoir s'il avait fourré son nez où il n'avait pas d'affaire, comme je le supposais. Il fit signe que oui.

« Non... dis-je, faussement scandalisée.

— Eh oui ! Je l'avoue à ma courte honte : je me suis étiré le cou pour lire ce qui était écrit à côté du numéro 2822. La sœur avait placé sa règle sous le nom de Maddie O'Connor-Cork, ce qui m'a permis de découvrir tous les renseignements inscrits sur sa fiche : *Irlandaise sans famille référée par la Maternité de Sainte-Pélagie, au début de juillet 1852. Au moment de son admission à l'Hôpital Général, elle venait de donner naissance à une fille baptisée Rose, qui a été confiée à l'Orphelinat des Enfants trouvés (La malade s'est fait inscrire sous le nom de Mary Steamboat, mais a consenti à nous livrer sa véritable identité, à condition qu'elle demeure confidentielle.).* »

Cela dépassait tous mes espoirs. Je connaissais désormais le nom de ma mère ! Mon ami reçut deux gros baisers, l'un sur la joue gauche, l'autre sur la droite. Je sautais de joie en répétant comme une enfant Maddie O'Conner-Cork, Maddie O'Conner-Cork... Lorsque je me calmai enfin, nous élaborâmes un plan pour la suite de notre enquête.

Mon premier réflexe me suggérait de concentrer mes efforts du côté des comités d'aide aux Irlandais. Louis offrit de m'accompagner à la Pointe-Saint-Charles et dans Griffintown, si je le souhaitais. En sa qualité de journaliste, toutes les portes s'ouvriraient devant lui comme par magie. Pour gagner du temps, il voulait se rendre d'abord au bureau de placement destiné aux jeunes filles sans emploi de la Maison Saint-Patrice, situé à deux pas de son journal. Il y avait fort à parier que Maddie O'Connor-Cork avait trouvé une place d'aide domestique par l'entremise de cet organisme très actif au cours des années cinquante. La plupart des Irlandaises refoulées au pays par suite de la Grande Famine avaient eu recours à cette agence à un moment ou à un autre.

Honorine, qui nous avait rejoints au salon, pensait que je devais aussi interroger les sœurs de Sainte-Pélagie qui, à l'évidence, ne m'avaient pas tout dit. Maintenant que je connaissais le véritable nom de ma mère, elles seraient mal avisées de continuer à se taire. Tout cela m'excitait fabuleusement. Je me sentais si près du but. Cependant, l'habitude des déconvenues m'interdit de pavoiser prématurément. La vie m'avait-elle assagi?

Malgré mon impatience, je me résignai à reporter mes démarches à plus tard. J'avais promis à Marie-Madeleine d'aider les religieuses à préparer les fêtes de Sainte-Pélagie. Chose promise, chose due.

~

Je n'avais pas mis les pieds à la maternité depuis une éternité. Ma première visite fut pour la supérieure, à qui je remis le dernier chapitre du manuscrit de Marie-Madeleine. Elle parut fort embarrassée par les révélations concernant les dernières années de Rosalie. Rien de ce qui était écrit ne trahissait la vérité, elle le reconnaissait volontiers. Simplement, il lui semblait maladroit d'entacher les réjouissances en rappelant de malheureux événements oubliés depuis belle lurette. On devait pouvoir évoquer la fin de la vie de la fondatrice sans faire le procès de la supérieure qui lui avait infligé ces abominables souffrances physiques et morales. D'autant plus que la mort de la fondatrice avait poussé cette femme acariâtre au repentir. Dans sa bonté, Dieu lui avait sûrement pardonné ses péchés. Maintenant âgée et malade, elle attendait la grande faucheuse dans la sérénité. Qui étions-nous pour la juger? Dans les circonstances, la supérieure me chargea de réécrire ce chapitre en éliminant les épisodes les plus «délicats».

« Je vous fais confiance, Rose. Vous me comprenez à demi-mot, n'est-ce pas ? »

J'avais compris, en effet. L'injustice subie par Mère de la Nativité me révoltait et, franchement, j'aurais préféré que la vérité éclate. Je mis toutefois une sourdine à mes velléités de vengeance en pensant aux sœurs âgées qui n'aimeraient pas voir remué un passé aussi dérangeant. Plusieurs d'entre elles avaient assisté, silencieuses, au calvaire de la fondatrice, sans même essayer de lui venir en aide. Leur peur de l'autorité les avait paralysées. Ces pauvres femmes sans défense n'étaient pas malicieuses et je m'en serais voulu de les faire souffrir, alors qu'elles abordaient le dernier versant de leur vie.

J'y pensais en allant les rejoindre dans la salle commune, à l'issue de ma rencontre avec la supérieure. Mes vieilles amies étaient en train de fabriquer une estrade en prévision de la grande réception qui devait se tenir quelques jours plus tard. Sœur Sainte-Trinité chantait le *Magnificat* de sa puissante voix, cependant que les autres reprenaient le refrain en chœur. J'éprouvai une douce affection à les observer en retrait. D'aussi loin que je puisse remonter, elles étaient ma famille. L'Assomption, Sainte-Trinité, Sainte-Victoire… Des religieuses bonnes comme du bon pain. Tout un chacun pouvait bien tourner en ridicule leurs robes usées à la corde et leurs cornettes défraîchies, se moquer de leurs bondieuseries et des scrupules qui les tourmentaient sans répit, moi, elles m'attendrissaient avec leurs doigts arthritiques et leur dos courbé sous le poids de l'effort. Quinze heures par jour de labeur fourni sans rechigner, leur vie durant, avaient laissé des traces.

« Salut, les bonnes sœurs, ne faites pas une syncope, me revoilà.

— Rose ! Quelle belle surprise ! Nous ne vous espérions plus », s'exclama Sainte-Trinité, qui avait interrompu son *Magnificat* sur une note aiguë.

Ronde comme un moine, ma cuisinière préférée trottina jusqu'à moi. On aurait dit une poule pressée de bécoter son «cher petit poussin».

«Vous ai-je jamais fait faux bond, Sainte-Trinité de mon cœur?»

Elle gloussa joyeusement. L'une lâcha son marteau, l'autre son pinceau pour venir jusqu'à moi. Les questions fusaient : étais-je de retour pour de bon? Avais-je enfin entendu l'appel du Seigneur et décidé d'entrer en religion? Et ce voyage outre-Atlantique, j'en pensais quoi? Pour elles, l'Europe se résumait à un lieu : la Ville éternelle, où Sa Grandeur se rendait en pèlerinage tous les deux ans. Convaincues que j'en arrivais, elles voulaient savoir si j'avais aperçu le Saint-Père à sa fenêtre et combien de médailles je rapportais. Je leur fis un cours de géographie et elles comprirent que Londres était à des années-lumière du Vatican.

«Londres?» s'écria Sainte-Victoire. Étais-je vraiment allée chez les Anglais? Elle me demanda si la reine Victoria circulait dans son royaume en carrosse doré. Nous passâmes une bonne heure à démêler les différentes étapes de mon séjour à l'étranger. Ma description des cathédrales les épata. Et pour cause! Afin de leur donner l'impression que je rentrais d'un long et fructueux pèlerinage, je pris grand soin de n'établir aucune distinction entre les temples protestants et les églises catholiques que j'avais visités. Naturellement, je passai sous silence ma délicieuse journée avec Antoine. Sûrement, elles m'auraient prise pour une dévergondée.

Une fois le sujet épuisé, je voulus savoir à mon tour comment les choses s'étaient passées à la maternité en mon absence. Ça allait couci-couça, admirent-elles. Le train-train quotidien, en somme. Les filles tombées arrivaient toujours à pleines portes. Une véritable épidémie. On ne savait plus où les caser. Il était question de construire une nouvelle aile pour en accueillir davantage. Hélas! les bras pour tenir le fort manquaient. Les religieuses vieillissaient et la relève ne se manifestait guère. La communauté venait de perdre trois novices en autant de mois. De bonnes candidates découragées par l'ampleur de la tâche, qui s'étaient défilées.

La doyenne, sœur Sainte-Marie-de-l'Assomption, se sentait de plus en plus inutile. Autrefois, elle ramanchait les côtes cassées comme personne. À présent, elle n'était plus qu'un vieux paquet d'os. Elle ne comprenait pas pourquoi le bon Dieu ne venait pas la chercher. À croire qu'il l'avait oubliée.

« Mais non, L'Assomption, le bon Dieu ne vous a pas oubliée, la rassurai-je. Il a tout simplement entendu mes prières. Chaque soir, je récite mon rosaire les bras en croix en Le suppliant de me laisser vous étriller encore longtemps. »

Cela la fit sourire. La pauvre vieille me sembla plus décharnée qu'avant mon départ. Elle passait ses journées à égrener son chapelet. Sœur Sainte-Victoire, qui la vénérait, voulut la consoler en lui rappelant comme elle était choyée. Sa Grandeur ne venait-il pas de prêcher une retraite sanctifiante dont elle avait apprécié chaque instant ? N'aurait-elle pas, à la faveur de la grande fête, la chance de renouveler ses vœux perpétuels ?

Tout en placotant de tout et de rien, j'attrapai le tablier que Sainte-Victoire me tendait « pour ne pas salir votre belle toilette ». Une fois clouées les dernières planches de son estrade, elle s'apprêtait à fabriquer des cierges, une autre de ses spécialités. Je lui proposai de mettre la main à la pâte, sinon…

« Sinon vous n'y arriverez jamais sans moi », entonnèrent-elles en chœur, en imitant ma voix chantante.

Empoignant d'une seule main son gros chaudron de cuivre, Sainte-Victoire le déposa sur le poêle et versa le suif à faire fondre. Elle souffla sur la braise pour ranimer le feu. Par la porte de la truie, on pouvait voir quelques tisons rouges qui achevaient de se consumer. Comme nous nous attablions, je lançai ma ligne :

« Dites donc, les bonnes sœurs, j'en ai appris des belles. Il paraît que Mère de la Nativité a été persécutée à la fin de ses jours. À ce qu'on m'a dit, personne n'a levé le petit doigt pour la sauver des griffes de sa tortionnaire.»

J'avais sciemment adopté un langage cru pour les forcer à se défendre. Je voulais connaître le fin fond de cette affaire. Le récit de Marie-Madeleine m'avait laissée pantoise. Sans grande surprise, je vis mes interlocutrices se concerter du regard.

«Pourquoi est-ce que la supérieure détestait tant ma marraine?» demandai-je.

Surprises, peut-être même scandalisées, de me voir aborder ouvertement et avec désinvolture un secret aussi honteux, elles se lancèrent dans des explications embrouillées. J'eus même peur que L'Assomption tombe en faiblesse. Pour éviter d'envenimer les choses, je les rassurai :

«Je vous en parle parce que j'aimais bien Mère de la Nativité. Mais, rassurez-vous, il ne sera pas question de cet épisode dans *Vie de Rosalie*. J'y veillerai personnellement.»

À présent, elles respiraient mieux. J'insistai néanmoins pour savoir ce qui s'était réellement passé. Je dus promettre, la main sur le cœur, que rien ne sortirait de ces murs.

«Mère de la Nativité a souvent été réprimandée comme la dernière des dernières, confirma L'Assomption d'une voix chevrotante. Notre supérieure du temps la regardait comme une personne sans esprit ni talent. Elle l'appelait tête folle.»

Ce jugement implacable agaça Sainte-Victoire, qui s'impatienta : ne pouvait-on pas aborder l'affaire avec un minimum de discernement? Faisant fi de cette mise en garde, Sainte-Trinité fouilla à son tour dans sa mémoire :

«Vous souvenez-vous, Rose, comme cette bonne mère aimait chanter?

— Si je m'en souviens! Elle chantait horriblement faux durant les offices.

— N'empêche, la supérieure n'aurait pas dû lui ordonner aussi rudement de se taire. C'était humiliant de se faire rabrouer devant les étrangers venus entendre la messe dans notre chapelle.»

Sainte-Victoire boudait dans son coin. Elle faisait mine de se concentrer sur les cierges que nous fabriquions, mais je la sentais agacée par la tournure de la conversation. Elle avait été jadis la confidente de cette supérieure spartiate et je décidai de la pousser sans pitié dans ses derniers retranchements :

« Vous ne l'aimiez pas beaucoup, ma marraine, n'est-ce pas, Sainte-Victoire ?

— Qu'est-ce qui vous fait dire ça ? répondit-elle en sursautant. Mère de la Nativité n'avait pas de brillants talents, c'est certain. Mais elle avait un bon esprit et un cœur d'or. Surtout, elle a été une vraie mère pour nos pauvres filles.

— Admettez au moins que nous l'avons négligée pendant sa dernière maladie, dit Sainte-Trinité. Combien de fois avons-nous oublié de lui apporter à manger ? Ça, jamais je ne me le pardonnerai. Elle est encore bien bonne, notre fondatrice, d'exaucer nos prières, après avoir été traitée comme ça par sa propre communauté.

— Nous avions tellement une grosse besogne, se défendit mollement Sainte-Victoire.

— Vous ne voulez pas me dire ce qui a déclenché autant de méchanceté de la part de la supérieure ? demandai-je. Je parie qu'elle lui en voulait à cause de l'empoisonnement du docteur Gariépy.

— Quel empoisonnement ?

— Allons, allons, pas de cachotterie, Sainte-Victoire. Je ne suis pas née de la dernière pluie. Il y a eu un procès, ne faites pas comme si vous l'aviez oublié. »

Sainte-Trinité grimaça, avant d'insister auprès de Sainte-Victoire :

« Racontez-lui donc, à la petite, pourquoi la supérieure avait pris notre fondatrice en grippe. »

L'Assomption répondit à sa place :

« Moi, j'ai pour mon dire que notre supérieure était jalouse, parce que les pénitentes lui préféraient Mère de la Nativité.

— Pourquoi réveiller les morts ? Je vous le demande », enchaîna Sainte-Victoire, avant de se résigner à me révéler enfin ce que je voulais savoir : « Non seulement Mère de la Nativité n'a pas empêché le meurtre du docteur Gariépy, la nuit du drame, mais en plus elle a fait disparaître deux des trois coupables du crime.

— Tsutt tsutt, n'ambitionnez pas sur le pain bénit, Sainte-Victoire, lui reprocha Sainte-Trinité. Une des filles, la bourgeoise, est repartie avec son père. C'est l'autre, l'Irlandaise, que Mère de la Nativité a cachée.

— Mary Steamboat, dis-je, sûre de mon fait.

— Comment sais-tu ça, toi, ma petite fouineuse ? »

Je n'allais quand même pas incriminer Marie-Madeleine. Des plans pour que ses consœurs la prennent en grippe. D'un commun accord, nous décidâmes d'aborder un sujet moins compromettant. De toute manière, elles ne m'apprendraient rien. Les chandelles étaient déjà dans leurs moules en tôle et il était grand temps que je rentre donner le bain de mon filleul Édouard.

25

Mary Steamboat

Les jours filaient à vive allure. Nous avons mis une semaine pour monter le décor et compléter les préparatifs en vue de la fête. Le résultat a impressionné toute la communauté et, pour une fois, les sœurs l'ont admis d'emblée : elles n'y seraient jamais arrivées sans moi. Je ne pouvais pas laisser la grassouillette Sainte-Trinité monter sur l'escabeau en tenant ses jupes d'une main, pour suspendre, de l'autre, des rubans roses et blancs aux quatre coins de la scène. C'eût été un défi aux lois de l'équilibre ! J'avais aussi repeint les panneaux d'un vieux paravent que Sainte-Victoire avait placé en ligne brisée pour masquer la sortie arrière. Nous avions couvert le podium d'un tapis tressé et installé le lutrin que notre menuisière à cornette avait fabriqué dans un reste de bois.

Tandis que je m'activais à disposer les énormes bougies dans des chandeliers peints dorés, la sœur supérieure nous a apporté l'album-souvenir qu'elle venait de recevoir dans sa version finale. Ça m'a fait tout drôle de feuilleter ce bel ouvrage qui m'avait coûté tant d'heures de travail. Combien d'après-midi avais-je passés à compulser les dernières notes de Marie-Madeleine pour en tirer le meilleur ? J'ai interrompu mes travaux et, debout derrière le lutrin, de ma plus belle voix de lectrice, j'ai lu quelques passages, ce qui m'a valu les louanges de mes vieilles amies. Le grand jour pouvait arriver, je me sentais fin prête. Seule ombre au tableau : je n'avais pas encore aperçu Marie-Madeleine. Où était-elle ?

~

Le matin de la fête, la marquise de Bassano arriva la première. Sa générosité la portait habituellement à subvenir aux besoins de l'Orphelinat catholique de Montréal. On la voyait pour la première fois à Sainte-Pélagie. Je tirai un peu le rideau pour mieux l'observer. Elle attendait à l'arrière de la salle qu'on lui indique une place. Mrs Hatfield se pointa sur les entrefaites. Elle n'aurait pas raté ma prestation, même si elle fréquentait surtout les œuvres canadiennes-anglaises. Je ne pus m'empêcher de sourire en notant son contentement de rencontrer la baronne de Bassano que nous avions croisée à l'hôtel Richelieu, quelques jours avant notre départ pour l'Europe. L'exclamation de surprise qu'elle échappa devant sa « *dear friend Claire* » retrouvée dans un lieu aussi inattendu réveilla chez moi d'amusants souvenirs.

Deux dames d'une soixantaine d'années se joignirent bientôt à elles. J'apprendrais plus tard qu'il s'agissait de la veuve de Joseph Masson, une richissime bienfaitrice de Terrebonne, et de Luce Perrault-Fabre, veuve du libraire de la rue Saint-Vincent et dévouée membre de la Société des Dames de la Charité. La supérieure apprécierait particulièrement la présence de cette donatrice, qui avait la réputation d'organiser les bazars les plus profitables. Un peu à l'écart, Madame Côme-Séraphin Cherrier, une habituée de la maison, causait avec la supérieure. Du temps de Rosalie Jetté, elle avait offert à la maternité la voiture et le cheval dont les sœurs avaient grandement besoin.

Rarement voyait-on autant de dames toilettées à Sainte-Pélagie. Monseigneur Bourget avait invité les pensionnaires à assister à la fête, mais la plupart avaient refusé de venir s'exhiber avec leur gros ventre devant la belle société, de peur d'être reconnues. En revanche, les sœurs et les novices, à l'exception des surveillantes, s'agglutinaient dans la salle déjà comble. Nous avions disposé les chaises en rangs de manière à pouvoir asseoir le plus grand nombre et tout indiquait qu'il en manquerait.

Monseigneur Bourget fit son entrée, flanqué du nouvel aumônier de la maternité, un homme maniéré qui portait ses cheveux en bataille, et du curé de la paroisse Notre-Dame. La supérieure multiplia les courbettes devant les trois prêtres, ce qui avait toujours l'heur de m'exaspérer. Ne pouvait-on pas se montrer respectueux sans complaisance ? Elle entraîna ses distingués invités vers la modeste exposition que nous avions préparée la veille. Sœur Sainte-Victoire avait sculpté dans le bois des petits personnages représentant une religieuse entourée de futures mères. C'était touchant. Sur une table recouverte d'une nappe brodée, nous avions exposé les rares objets ayant appartenu à la fondatrice : son chapelet, son catéchisme de Couturier, sa statue de la Vierge et son voile défraîchi. J'aurais voulu qu'on mette aussi son cilice, mais la supérieure avait refusé net. Les souffrances qu'une sœur s'imposait devaient demeurer une affaire entre Dieu et elle.

Sa Grandeur venait tout juste de s'installer dans le fauteuil placé au centre de la première rangée quand Monsieur Alphonse entra discrètement dans la salle. Ce dernier était venu expressément pour m'entendre. Lorsque je l'aperçus, ma nervosité augmenta d'un cran. Certes, je ne serais pas la seule à me pavaner sur cette scène de fortune dressée par les bons soins de Sainte-Victoire, et j'avais déjà l'habitude de lire à haute voix devant un auditoire, mais la présence de mes intimes, dont Honorine et Louis, arrivés à la dernière minute, me rendait plus fébrile qu'à l'accoutumée.

Dans la deuxième rangée, les enfants et les petits-enfants de Rosalie attendaient, les yeux fixés sur la scène. Je reconnus Pierre Jetté, le seul que je connaissais. Il portait son habit du dimanche. Ce qu'il devait être fier de sa maman ! Je l'enviai. Lui, au moins, il avait une tombe à fleurir.

L'heure de nous avancer sur le devant de la scène approchait et je commençais à m'inquiéter. Où donc était passée Marie-Madeleine ? Je la cherchai partout sans succès. Elle avait été chargée d'accueillir les invités, mais je ne la voyais nulle part dans la salle. Nous avait-elle fait faux bond?

La claquette de la supérieure donna le signal et la cérémonie débuta. La chorale entonna assez justement un psaume. Monseigneur Bourget avait passé la journée de la veille à faire répéter les sœurs. Marie-Madeleine surgit alors comme une apparition, au moment précis où nous devions présenter notre numéro en tandem. Soupir de soulagement. J'en étais presque venue à croire que je devrais me débrouiller seule. Descendue de New York l'avant-veille, elle avait eu mille visites à faire et se désolait d'avoir raté les répétitions, me souffla-t-elle à l'oreille.

« Ça ira, Rose, ne vous en faites pas. Allez, souriez, vous êtes belle comme un cœur… » m'encouragea-t-elle, au moment de s'avancer sur le devant de la scène avec l'élégance d'une grande artiste. Même dans sa tunique de sœur, elle avait du chic.

Une fois passé ce moment de panique, je me sentis prête à faire face à la musique. Marie-Madeleine prit la parole la première. Moi, j'attendais son signal un peu en retrait. Tournée vers l'évêque, elle raconta dans des mots simples, sans texte et sans bafouiller, comment Rosalie Jetté, une veuve d'une étonnante ouverture d'esprit, était devenue sage-femme au service des filles tombées. Elle évoqua ensuite, en posant un regard attendri sur les vieilles sœurs, l'incommensurable dévouement des pionnières, dont la fondatrice s'était entourée pour mener à bien sa mission de créer la toute première maternité canadienne-française de Montréal. Ce faisant, Rosalie comblait un vide. Personne ne se souciait alors des centaines de jeunes filles qui ne savaient pas où accoucher et réclamaient les soins dus à leur état. Son œuvre, longtemps décriée, avait grandi en dépit des embûches. Elle était devenue aujourd'hui un chaînon important dans la lutte contre la pauvreté qui mobilisait tant d'énergie.

Dans la salle, régnait un silence profond. On aurait entendu une mouche ciller. Après une courte pause, Marie-Madeleine m'invita à la rejoindre au lutrin. Elle me présenta à l'auditoire comme sa précieuse collaboratrice laïque et l'une des filleules de la fondatrice. Il était convenu que je lirais un extrait de *Vie de Rosalie*. De concert avec la supérieure, nous avions choisi celui sur la cruauté des bien-pensants, à l'égard des filles enceintes hors mariage.

Le sujet me bouleversait. Mary Steamboat (que je n'arrivais toujours pas à appeler maman, même dans mon for intérieur) avait été l'une de ces malheureuses qu'on insultait et qu'on abreuvait de sarcasmes. Cela me faisait mal d'y penser. Je savais aussi, pour avoir accompagné Honorine tout au long de sa grossesse, que le sort réservé aux filles-mères, dans la société actuelle, ne s'était guère amélioré au fil des ans.

Malgré mon trac, je lus sans trébucher le témoignage émouvant d'une religieuse âgée que Marie-Madeleine avait inclus dans *Vie de Rosalie*, parce qu'il illustrait bien que même les personnes les mieux intentionnées entretenaient des préjugés. Au temps de son noviciat, cette jeune sœur avait très peur des pénitentes dont on disait le plus grand mal. Convaincue qu'on les appelait à tort «filles repenties», elle s'en méfiait au point de soupçonner l'une d'elles de vouloir la tuer pendant la nuit. Elle avait envisagé de quitter la communauté, plutôt que d'accepter la responsabilité du dortoir de ces méchantes filles. Mère de la Nativité avait réussi à la convaincre que ses chères pensionnaires étaient loin d'être aussi dangereuses qu'elle le pensait. Par la suite, cette religieuse, sœur Sainte-Marie-des-Sept-Douleurs, était devenue la plus dévouée maîtresse des pénitentes. De connivence avec Mère de la Nativité, elle cachait les pensionnaires qu'il aurait fallu refuser car, en ces temps difficiles, il y avait hélas! plus de filles dans le besoin que de lits.

Marie-Madeleine m'invita ensuite à lire un dernier passage, consacré, celui-là, au mépris dont Rosalie avait longtemps été l'objet. Un peu moins nerveuse, je me lançai:

«L'extrême dénuement de Sainte-Pélagie n'était pas l'unique souci de Mère de la Nativité. En effet, bon nombre de citoyens s'opposaient farouchement à sa mission auprès des filles tombées. On prétendait qu'il fallait laisser ces dernières dans la rue pour les corriger. Son propriétaire refusa de renouveler son bail et ses voisins l'accusèrent d'encourager le vice. Rosalie ne pouvait pas mettre le nez dehors sans essuyer une pluie d'insultes. Loin de se décourager, elle persista. Grâce à elle et à ses pionnières, des milliers de filles sans abri bénéficièrent d'un toit et d'une famille, le temps de leurs couches et de leurs relevailles. »

Ma tirade lue, je levai les yeux sur l'assemblée qui me réserva, je le dis modestement, des applaudissements chaleureux. L'Assomption, Sainte-Trinité et même Sainte-Victoire en avaient les larmes aux yeux. Je pensai : elles sont fières de leur « p'tite ». Je ne fus cependant pas fâchée de céder ma place à Monseigneur Bourget, qui s'était réservé l'allocution finale. Après quelques mots de remerciement à l'intention des bienfaiteurs, il s'adressa aux religieuses :

« Il y a plus d'un quart de siècle, je confiais à votre fondatrice la mission d'ouvrir ce refuge pour recueillir des âmes infortunées qu'un moment de faiblesse et d'oubli avait précipitées dans un abîme bien profond. Depuis, vous travaillez toutes à purifier et à sanctifier de pauvres âmes, qui ont eu le malheur de perdre leur innocence et qui cherchent dans la religion à réparer leur faute. Votre mission consiste à rendre à ces fleurs, que le vice a ternies, l'éclat de leur première innocence. Continuez, mes chères filles, vous ferez des pécheresses les plus misérables de vraies pénitentes. Mettez-les à l'abri des dangers d'un monde corrompu et séducteur. »

Je ne fus pas surprise de la teneur de son discours. Il avait une façon bien à lui de ravaler les filles dans le pétrin à des pécheresses. Pour moi, c'était dur de l'entendre parler de ma mère en ces termes. Mais je ne lui en voulus pas.

« En terminant, ajouta-t-il sur un ton affectueux, j'aimerais évoquer une boutade de votre fondatrice qui m'est chère. Pendant sa dernière maladie, je suis passé la voir pour lui faire mes adieux.

Je lui ai dit : "N'oubliez pas de venir me chercher, quand vous serez là-haut." Elle m'a répondu qu'elle n'en ferait rien, parce que j'avais encore trop de bien à faire dans le diocèse. Et elle a ajouté : "Quand il plaira à Dieu de vous rappeler à lui, ce sera encore trop tôt."»

Dans la salle, les gens sourirent. Ceux qui avaient connu Mère de la Nativité reconnaissaient bien là son attachement à Sa Grandeur. Et aussi son humour taquin.

∿

À l'issue de la cérémonie, Monsieur Alphonse vint me féliciter. Il me serina que mamie Odile serait fière de moi. Cela m'émut, je lui devais tant. Et alors, il me dit cette phrase qui me fit chaud au cœur :

«Comme vous avez changé, Rose, depuis le jour où je suis allé vous chercher chez les bonnes sœurs pour vous conduire chez Odile. Vous étiez alors toute timide, vous baissiez les yeux dès qu'on vous adressait la parole. Et vous rougissiez pour un rien.» Il s'arrêta, attendri : «Laissez-moi vous regarder. Vous voilà une belle jeune fille sûre d'elle, capable de s'exprimer en public avec aisance. Vous irez loin, je vous le prédis. J'espère que vous ne m'oublierez pas tout à fait.

— Comment le pourrais-je? Vous m'avez si souvent rappelé à mes responsabilités. Et vous avez toujours été là pour moi.

— Quand je parle de vous à mes amis, je dis «ma petite-fille Rose».

— Mais vous êtes mon grand-papa Alphonse. Vous le serez toujours.»

Je le remerciai de s'être déplacé, lui qui était en passe de devenir un véritable ermite. Je savais aussi qu'il ne se sentait pas à l'aise en présence d'un essaim de curés et de cornettes. Comme de fait, il ne traîna pas dans les parages. Ensuite, ce fut au tour du docteur Trudel de me faire ses compliments :

« Je vois que vous avez mis à profit tout ce que je vous ai raconté sur Rosalie Jetté. C'est très bien, me dit-il en me prenant par les épaules. Il était temps que la fondatrice de Sainte-Pélagie soit reconnue pour ce qu'elle était : une grande dame. »

Mrs Hatfield se faufila à son tour jusqu'à moi en gesticulant à qui mieux mieux.

« *Ah! Miss Rose, you were fabulous!* N'oubliez pas, nous avons rendez-vous dans six mois ou un an. *In Paris, of all places!* »

Elle s'éclipsa aussi vite, non sans m'avoir présentée la marquise de Bassano. Trop timide pour s'avancer, Honorine attendait à l'arrière que je me libère. Elle m'attrapa finalement au vol, entre deux serrements de main :

« Je la trouve sympathique, cette Marie-Madeleine dont tu me parles depuis si longtemps. C'est drôle, elle n'a pas des manières de bonne sœur. Tout à l'heure, vous formiez un beau duo. Il y avait tant de tendresse dans son regard. Je sentais qu'elle t'appréciait. » Elle rit en me regardant de ses yeux pétillants de malice : « Sur l'estrade, tu étais comme un poisson dans l'eau ! »

Mon amie m'apportait un message de Louis, qui avait dû partir avant la fin de la cérémonie. Il ne s'était pas trop mal débrouillé à la Maison Saint-Patrice. Cette fois, il avait joué cartes sur table plutôt que d'inventer une histoire à dormir debout. On lui avait refusé l'accès aux archives, ce qui n'avait rien de surprenant. Cependant, la directrice de l'agence de placement avait apprécié sa franchise. Elle lui avait promis de jeter un coup d'œil aux inscriptions passées. Si Mary Steamboat avait obtenu un poste par l'entremise de son service, son adresse figurerait sur une liste. La directrice s'engageait à lui transmettre une lettre de sa fille. Par conséquent, Louis me demandait de lui écrire et d'aller rapidement porter ce mot à la directrice.

« De ton côté, as-tu continué tes démarches ? me demanda Honorine.

— J'ai suivi ton conseil et j'ai essayé de cuisiner les sœurs, mais je n'en ai pas tiré grand-chose. J'ai l'impression d'en savoir plus qu'elles. Maintenant que la fête a eu lieu, je vais écrire cette lettre que me suggère Louis, et je demanderai à Marie-Madeleine de m'accompagner à la Maison Saint-Patrice. Comme elle parle l'anglais, elle pourra m'aider à interroger tout ce beau monde. Mon petit doigt me dit que Mary Steamboat est passée par là. »

Les visiteurs nous quittaient les uns après les autres. Ça devenait une habitude, je cherchais Marie-Madeleine partout. Sa façon d'apparaître et de disparaître commençait à me confondre. Je l'apercevais dans un coin ? Le temps de traverser la salle, elle avait disparu, comme si elle me fuyait. Nous avions à peine échangé quelques impressions, depuis son arrivée à Montréal, et encore, jamais en tête-à-tête. Sitôt l'hommage à Rosalie terminé, elle s'était à nouveau évaporée. Ma nature me poussait toujours à imaginer le pire. Alors, je me creusai les méninges pour trouver ce que j'avais bien pu dire ou faire pour mériter son indifférence. Après notre rencontre à New York, je croyais qu'une belle amitié se tissait entre nous. Là, je commençais à en douter.

Sur les entrefaites, quelqu'un me remit un mot d'elle que je lus discrètement : *Rose, je vous attendrai dans mon ancien bureau. Dès que vous pourrez vous libérer, venez m'y rejoindre.* C'était à la fois mystérieux et assez pompeux. J'expédiai mes dernières politesses et filai en courant dans l'édifice voisin. La porte était fermée. Je l'ouvris. Marie-Madeleine brillait par son absence. Que signifiait ce nouveau caprice ? Plus énigmatique encore, une enveloppe assez épaisse marquée à mon nom m'attendait bien à la vue sur sa table, à côté d'un pot d'eau et d'un verre.

Je m'installai dans le siège qu'elle occupait autrefois. La pièce paraissait inhabitée depuis belle lurette. Ma petite table avait disparu, ma chaise aussi. Le soleil pénétrait par la fenêtre, laissant des particules de poussière planer dans l'air. Intriguée, je décachetai l'enveloppe qui contenait une bonne dizaine de pages. Contrairement à son habitude, Marie-Madeleine avait bien formé ses lettres. Sans ratures, l'écriture était soignée et le texte se lisait facilement.

Ma chère Rose,

Ce que j'ai à vous dire vous bouleversera. Je n'ai pas osé vous en parler de vive voix. Vous comprendrez bientôt pourquoi.

Laissez-moi d'abord vous raconter la pitoyable histoire de la jeune Irlandaise de dix-huit ans dont vous suivez la trace depuis quelque temps. Elle s'appelle un peu dérisoirement Mary Steamboat, parce qu'un bon samaritain l'a, un jour de juillet 1852, recueillie à sa descente de bateau. Elle avait traversé l'Atlantique à bord du New Prospect, un steamer dublinois qui avait terminé son voyage à Québec. Ne me demandez pas comment elle s'était retrouvée, quelques jours plus tard, à Montréal. Tout ce dont elle se souvient, c'est qu'un bâtiment propre et bien tenu, bondé de rescapés, l'avait déposée comme les autres immigrants dans le port. L'ayant trouvée là, un charretier l'avait fait monter dans sa charrette pour la conduire plus morte que vive à la Maternité de Sainte-Pélagie, où elle a mis au monde une petite fille. Vous connaissez déjà ces faits. Cependant, vous ignorez comment elle a abouti là.

En réalité, cette Mary s'appelait Maddie O'Connor. Elle avait grandi dans la campagne voisine de Dublin. La maladie de la patate avait décimé sa famille. En mai de cette année-là, elle prit le chemin de l'exil en compagnie de son mari, Tom Cork. Leur enfant devait naître deux mois plus tard. Je vous passe les détails de leur traversée périlleuse sur ce tombeau flottant. Des récits de naufrage appréhendé, puis évité, vous en avez lus tant et plus dans les romans. Disons simplement que pas une journée ne se déroula sans qu'un cadavre ne soit jeté par-dessus bord.

M^r et Mrs Cork auraient sans doute préféré se laisser engloutir par une mer déchaînée, plutôt que d'avoir à affronter l'indicible cruauté des hommes chargés, moyennant une généreuse bourse, de les amener sains et saufs en Amérique (pardonnez mon cynisme). Pour survivre, les gueux parqués au fond de la cale devaient se recroqueviller, bouger le moins possible et, surtout, éviter de manger et de boire la pitance indigeste qu'on leur servait. Ce régime austère ne convenait guère au fœtus luttant pour sa survie dans le ventre *d'une infortunée qui eût été plus avisée d'attendre sa délivrance dans cette Irlande de malheur. Mais elle n'avait pas le choix, son époux figurant sur la liste des révolutionnaires recherchés par les autorités anglaises.*

Sur cette embarcation de trois cent quatre-vingt-cinq têtes, presque tous des immigrants, les rivalités sournoises dressaient l'équipage anglais contre les passagers irlandais. Tom avait un tempérament bouillant. Dès son arrivée en Amérique, il comptait passer aux États-Unis, afin d'échapper une fois pour toutes à la tutelle anglaise. Surtout, il allait rejoindre des camarades à New York, avec l'intention de fonder un groupe révolutionnaire voué à écraser l'occupant anglais qui affamait son pays et réduisait toute une population à la mendicité (L'Irish Republican Brotherhood verra bel et bien le jour, mais, hélas! sans lui.).

Au milieu de l'océan, la nourriture vint à manquer et une vive agitation s'empara des Irlandais séquestrés dans la cale. Tom et un compagnon d'infortune réussirent à grand-peine à faire sauter les verrous et les passagers en colère se précipitèrent sur le pont. Ils avaient payé leur passage et réclamaient la ration de pain qui leur était due. Armé de barres de fer et de couteaux, l'équipage les attendait de pied ferme. Il s'ensuivit une boucherie sans pareille. Perçu comme le meneur de l'insurrection, Tom, blessé à la tête et à un bras, fut mis aux arrêts, pieds et poings liés. L'un des insoumis fut jeté par-dessus bord vers une mort certaine, cependant qu'on poussait rudement les autres dans le fond du navire.

Vous pensez qu'autant d'inhumanité suffisait amplement et pourtant, la terreur continua de régner un jour encore. Le capitaine du New Prospect *instruisit un semblant de procès contre Tom. Le code anglais autorisait l'accusé à bénéficier d'un avocat, mais il en fut privé. La mascarade dura deux heures. On força son épouse enceinte et affaiblie à y assister. On la roua de coups lorsqu'elle tenta d'aller rejoindre son mari enfermé dans une cage en fer. Elle se débattit comme une perdue. Durant l'échange musclé qui l'opposa aux officiers, sa chemise se dégrafa et l'on put voir ses seins.*

Occupant le siège du juge, le capitaine exigea qu'on attachât dans le dos les mains de la femme et qu'on lui laissât la poitrine nue jusqu'à la fin de l'audience. Les matelots qui défilaient devant elle ne se privaient pas de la tâter sous les rires sadiques de leurs camarades. L'un d'eux s'enhardit, allant jusqu'à fourrer sa grosse patte dans la culotte de la malheureuse, sans que le juge ne trouvât à redire.

À l'issue de ce procès bidon, Tom fut condamné aux travaux forcés à vie. Sitôt débarqué du vapeur, on le livra enchaîné au capitaine d'un vaisseau négrier en partance pour la Jamaïque. Il eut tout juste le temps de crier à Maddie : « Je reviendrai, je te retrouverai... » Et il disparut, encadré par ses geôliers.

Je vous avais prévenue, ma petite Rose, cette histoire est insoutenable. Il faut pourtant que j'aille jusqu'au bout. Vous m'en voudriez de ne pas le faire.

Donc, Mrs Cork, plus morte que vive, fut conduite à Sainte-Pélagie par un livreur de bière du faubourg. Cela, vous le saviez déjà. Je ne pense pas vous avoir mentionné qu'elle y est arrivée avec, pour tout bagage, les haillons qu'elle portait durant la traversée. Dans l'échauffourée, son baluchon avait disparu. Il contenait ses biens les plus précieux, les seuls qu'elle avait réussi à emporter dans sa fuite d'Irlande. Il ne lui restait plus rien de sa vie d'avant, pas même la photographie froissée de sa mère, morte pendant l'épidémie.

Les religieuses lavèrent la pauvre Irlandaise et l'habillèrent de la tunique réglementaire. Comme un petit animal blessé, elle se laissa faire docilement, mangeant ce qu'on lui donnait, dormant là où on la couchait. Elle achevait le huitième mois de sa grossesse et elle devait reprendre des forces. Le sort de l'enfant à naître en dépendait. Mais plus rien ne lui importait. Son chagrin prenait toute la place. Elle voulait mourir.

La suite, je l'ai déjà évoquée devant vous : Maddie Cork, admise sous le nom de Mary Steamboat, assista impuissante à la mort tragique de Noémi. Elle réalisa trop tard qu'Elvire voulait empoisonner le médecin accoucheur. Jusqu'à la fin, elle demeura convaincue que le poison qu'on lui avait demandé d'aller chercher aux cuisines servirait à éliminer les rats qui leur couraient entre les jambes. Trop ébranlée par la mort violente de Noémi pour aller dormir, elle veilla avec ses compagnes. Elle venait de monter se coucher lorsque le docteur Gariépy s'était pointé à la maternité, et n'eut pas connaissance du drame.

Au matin, elle se réveilla brusquement, alors que la police frappait à grands coups en brandissant un mandat d'arrêt contre Elvire. Les sœurs refusèrent de laisser les agents emmener une femme en couches. Mathilde, de son côté, s'était éclipsée. Cette agitation précipita la délivrance de Mary dont l'enfant, né prématurément, paraissait en assez bonne santé, vu les circonstances. Le docteur Trudel avait pris soin d'interdire l'accès de la salle d'accouchement aux gendarmes, qui escomptaient repartir avec l'Irlandaise, pour laquelle ils avaient aussi obtenu un mandat d'amener. Le gigantesque incendie qui se déclencha dans la ville sur le coup de dix heures la sauva d'une arrestation certaine.

Après? Comme vous le savez, Mary Steamboat fut comptée parmi les victimes de la catastrophe. Cependant, les choses se passèrent autrement. Voyant sa pensionnaire irlandaise exsangue, Mère de la Nativité la confia aux sœurs de l'Hôpital Général, où elle sombra dans l'inconscience, peu après son admission. Pendant quelques semaines, on ne donna pas cher de sa vie. Contre toute attente, son corps guérit, même si son esprit voulait mourir.

Avant de tourner la page, j'avalai une gorgée d'eau, car j'avais la gorge nouée. Malgré mes efforts pour garder la tête froide jusqu'à la fin, je sentais l'angoisse m'envahir. Après tout, il était question de ma mère dans ce récit. Je pensai aussi : il fallait vraiment que Marie-Madeleine ait gagné la confiance de Mary Steamboat pour que celle-ci lui confie ses malheurs. Nul doute, elle la connaissait très bien. Je repris ma lecture, pressée de découvrir la suite.

Mary ne retrouva véritablement ses sens qu'après un peu moins d'un mois d'hospitalisation. Les places étant rares, les Sœurs Grises ne pouvaient plus la garder. Comme il leur répugnait de mettre à la rue une pauvre fille encore bien faible et sans famille, ils la confièrent au Ladies' Home Refuge pour les sans-famille. Puisqu'elle ne parlait pas le français, cela leur sembla la moins cruelle des solutions.

Avant son départ de l'Hôpital Général, Mary reçut la visite de Mère de la Nativité, accompagnée d'une jeune novice irlandaise. Celle-ci traduisait au fur et à mesure les propos de la religieuse. La démarche visait avant tout à rassurer Mary : elle n'avait aucun souci à se faire, on s'occupait bien de sa fille. Sa nourrice, une campagnarde robuste et affectueuse, adorait l'enfant. Mère de la Nativité prit dans les siennes les deux mains de la malade et l'exhorta à la prudence. La police la recherchait toujours. En aucun cas, elle ne devait s'approcher de la Maternité de Sainte-Pélagie ou de l'Orphelinat des Enfants trouvés. Les abords des deux établissements étaient surveillés. La sœur avait fait courir le bruit que leur pensionnaire irlandaise était morte, victime de l'incendie, mais un doute persistait. Mary promit de lui obéir. Elle lui demanda de veiller sur sa fille jusqu'à ce que sa santé lui permette de venir la chercher.

Les deux femmes ne devaient plus jamais se reparler, mais elle garderait de cet échange une vive impression. Beaucoup plus tard, lorsque Mary revint à Sainte-Pélagie, la vieille sœur, à l'article de la mort, ne reconnut pas son ancienne pensionnaire.

Ce fut l'un des nombreux rendez-vous ratés de Maddie Cork.

Je vous connais assez, Rose, pour savoir qu'une question vous hante : pourquoi cette mère n'a-t-elle pas tenu sa promesse de venir chercher sa petite fille ? La première année, cela pouvait se comprendre, pensez-vous, car sa santé lui interdisait de gagner sa vie. Mais après ? Comment a-t-elle pu continuer de vivre sans essayer de la reprendre ? Ne la jugez pas hâtivement. D'abord, il y eut le procès d'Elvire Tanguay. Les journaux faisaient un boucan de tous *les diables. La populace souhaitait sa condamnation, quand cela ne serait que pour assister à sa pendaison. Une femme se balançant au bout d'une corde, quel spectacle!*

Le mandat d'amener émis contre Mary Steamboat n'était pas levé pour autant. Se sentant traquée et redoutant les dénonciations, Mary Steamboat n'eut d'autre solution que d'aller travailler loin de Montréal. Embauchée comme servante dans une riche famille de Lotbinière, elle apprit rapidement le français, au point de se faire passer pour une Canadienne française. Cet emploi lui permit en outre d'amasser des économies en prévision de son retour.

Loin de Montréal, le vide de sa vie se fit plus profond encore. Elle remplissait ses fonctions comme une automate. Personne ne trouvait à redire, si ce n'est qu'on lui reprochait de ne jamais sourire. Ses patrons avaient compris qu'un malheur passé hantait leur servante et ils ne l'interrogèrent jamais. Elle apprécia cette délicatesse. Au bout d'un certain temps, sans nouvelles de Tom, malgré ses lettres envoyées aux autorités jamaïcaines, et supportant difficilement l'éloignement de sa fille qui grandissait sans mère, elle écrivit aux religieuses de l'orphelinat pour avoir des nouvelles de cette dernière. Elle informa qui de droit de son intention de reprendre l'enfant prochainement.

Dans sa réponse, la supérieure s'étonna d'une telle demande. Elle l'avisa que la nourrice s'était attachée à la petite au point de vouloir l'adopter. Pareille situation se produisait rarement et il fallait glorifier le Seigneur d'assurer ainsi la protection et le développement de l'enfant. Par ailleurs, comme elle le lui mentionna, rien au dossier n'indiquait que la mère avait gardé ses droits. Pourquoi avoir attendu aussi tard pour les faire valoir? Fallait-il priver une orpheline d'un foyer stable, sous prétexte que sa mère naturelle changerait peut-être un jour d'idée? Après lui avoir fait remarquer cruellement – et faussement – qu'elle avait abandonné son enfant, la religieuse l'exhortait à se résigner. Dans sa situation, sans mari ni ressources financières, elle devait penser au bien de sa fille et offrir son sacrifice à Dieu.

Impuissante à lutter contre le destin, la pauvre Mary s'effondra. Pouvait-elle arracher sa fille des bras de sa mère adoptive, la seule mère qu'elle avait jamais eue ? Des mois passèrent, mais la résignation attendue ne vint pas. Aussi décida-t-elle de regagner Montréal. Après tout ce temps, elle ne courait plus aucun risque. Cette fois, Mary décida de se battre contre vents et marées pour récupérer sa fille. Dans un premier temps, elle exigerait qu'on lui fournisse des renseignements sur la petite, quitte à supplier les sœurs à genoux, s'il le fallait. Il lui appartenait à elle, la mère, et à personne d'autre, de décider en toute connaissance de cause s'il était préférable de laisser l'enfant à sa famille d'adoption ou de la reprendre.

Un jour de la fin de l'été, elle se présenta, fébrile, à l'Orphelinat des Enfants trouvés, situé à côté de l'Hôpital Général. En un éclair, elle se revit remontant la rue Saint-Pierre accrochée au bras de Mère de la Nativité. Celle-ci la supportait, en plus de protéger le nouveau-né des débris épars et de la fumée qui envahissait le faubourg. Les années avaient passé, mais son cœur palpitait toujours autant dans sa poitrine. On aurait dit qu'il allait exploser. Elle sonna. Par chance – ou pour son plus grand malheur –, elle tomba sur une jeune sœur compatissante qui consentit à lui lire la partie du dossier de sa fille qu'elle ne jugeait pas confidentielle. Elle pourrait lui dire, par exemple, si la petite grandissait en ville ou à la campagne, quelle était l'occupation de son père adoptif, combien de frères et sœurs elle avait... La religieuse y mettait une condition : Mary ne devait rien lui demander de plus. Pour toute autre question, il faudrait en référer à la supérieure, absente ce jour-là. Mary accepta.

Pour retrouver l'enfant dans les registres, la sœur avait besoin de son nom de baptême. Mary l'ignorait. Tout ce qu'elle pouvait lui fournir, c'était la date de son admission. La sœur ouvrit son registre à l'année 1852, tourna les pages jusqu'au mois de juillet. Son index glissa sur la feuille et s'arrêta tout en bas.

« Êtes-vous Mary Steamboat ?

— C'est ça, oui. »

La jeune registraire blêmit et referma d'un coup sec son grand cahier.

« Ma pauvre fille, soyez courageuse. » Après un silence intolérable, elle lui annonça : « Votre enfant a rejoint les petits anges au paradis. Un terrible accident est survenu. » Puis, comme pour disculper l'orphelinat, elle ajouta : « Les sœurs qui gardaient les enfants ne sont pas responsables. »

Mary fronça les sourcils : « C'est impossible. Ma fille ne vivait pas à l'orphelinat. Votre supérieure m'a écrit qu'elle avait été adoptée. »

La registraire hocha lentement la tête en signe d'impuissance. Elle connaissait très bien la petite fille décédée. Elle s'appelait Anne.

« Je n'ai rien vu au dossier qui me permette de croire qu'Anne ait été adoptée. Malheureusement, la veille de son cinquième anniversaire, elle s'est noyée dans le fleuve à la hauteur de Pointe-Saint-Charles, là où nous avions l'habitude d'emmener nos orphelins se baigner. »

Un cri étouffé échappa à Mary.

Je ressentis l'effroyable choc, moi aussi. La feuille me tomba des mains, cependant que le sang me montait au visage. Tout vacillait autour de moi. Je m'écriai : « Non, non. Il y a méprise. » Au même moment, je levai les yeux. Marie-Madeleine se tenait sur le seuil de la porte, immobile, le corps légèrement appuyé contre le mur. Je l'implorai :

« Marie-Madeleine, il faut rectifier les faits. La sœur s'est trompée... La petite noyée n'était pas la fille de Mary Steamboat.

— Je sais, Rose, je sais, me dit-elle d'une voix douce. Anne était la fille de Mathilde. Il y a eu une terrible confusion. Il ne faut pas blâmer la registraire. Des centaines d'enfants arrivent et repartent de l'orphelinat. Tous les jours, des erreurs se glissent dans les registres. C'est humain. »

Je me levai d'un bond, encore incrédule. Incapable de me maîtriser, j'explosai :

«Humain? Mais c'est ma vie qu'elle a détruite, cette bonne sœur. Elle n'avait pas le droit de se tromper. Vous rendez-vous compte? Depuis tout ce temps, Mary Steamboat pense que je suis morte!»

Comment pouvais-je supporter une injustice aussi abominable? Je ramassai la feuille tombée par terre et, d'un geste désemparé, je la tendis à Marie-Madeleine. J'eus alors un léger étourdissement qui ne lui échappa pas. Elle se dirigea vers la carafe et me versa un verre d'eau. J'en bus quelques gorgées et, peu à peu, je retrouvai mes sens. Elle prit mes mains glacées dans les siennes et les frotta pour activer la circulation. Je faisais un effort surhumain pour demeurer maître de moi. Rien ne pouvait m'apaiser.

«Rose, écoutez-moi. Votre maman, il est vrai, vous a longtemps crue morte, fit Marie-Madeleine pour me calmer. Mais, soyez sans crainte, aujourd'hui, elle sait que vous êtes bien vivante. Lisez plutôt la fin de mon récit.»

Elle ferma la porte et poussa le verrou. Ensuite, elle plaça sa chaise à côté de la mienne. J'en arrivais à la dernière page de sa lettre. La feuille était barbouillée de larmes. Je lus à mi-voix :

Mary Steamboat n'était plus que l'ombre d'elle-même. Son dernier espoir de revoir un jour sa fille venait d'être anéanti. Son mari n'avait jamais reparu, malgré les lettres envoyées au bout du monde. Malgré aussi ses visites répétées aux bureaux de bienfaisance chargés d'aider les immigrants irlandais. Personne n'avait entendu parler de Tom Cork. Avec les années, l'ombre de son bien-aimé s'effaça doucement de son esprit. Se remarier? Elle n'y pensa même pas. Après son accouchement prématuré, le médecin de l'hôpital l'avait prévenue : elle ne pouvait plus enfanter. Mary se sentait impuissante à refaire sa vie à partir des lambeaux de l'ancienne, qui revenaient la hanter au gré des jours.

Elle croyait en Dieu, même si parfois elle doutait de la bonté divine. Malgré la tentation, et à cause de sa foi justement, elle s'interdit d'attenter à ses jours. Elle décida plutôt de consacrer sa vie à secourir les pauvres filles tombées, accusées souvent à tort d'avoir fauté et tenues pour uniques responsables de leur malheur.

Je haussai les sourcils, frappée de stupeur, incapable de prononcer un seul mot. Mes idées s'embrouillaient. Avais-je bien saisi le sens de cette dernière phrase? Mary Steamboat aurait donc joint les rangs des madeleines? Mais alors... De plus en plus confuse, je lançai à Marie-Madeleine un regard éperdu. Elle s'empara de mes mains et dit d'une voix mal assurée :

«Oui, je suis ta maman, Rose...» Puis, elle s'arrêta pour épier ma réaction qui tardait. Je demeurai muette, toujours absorbée dans mes pensées. Alors, elle ajouta en souriant tristement : «Il a fallu que tu tombes sur une bonne sœur.»

Dans mes rêves les plus insensés, jamais je n'avais imaginé que Marie-Madeleine puisse être ma mère. Je la fixais, cherchant dans ses traits quelque ressemblance avec les miens. Elle avait les yeux pleins d'eau. Je la vis tirer un mouchoir de sa poche et s'essuyer le visage. Le coude posé sur la table, elle détourna la tête afin de me cacher son désarroi. Le silence devenait lourd. Elle le rompit pour s'excuser gauchement de ne pas avoir signé sa lettre. Qu'aurait-il fallu écrire? Mary Steamboat n'existait plus. Maddie Cork? Ce nom ne m'aurait rien dit. Elle avait failli écrire tout bonnement «Marie-Madeleine, votre mère», mais n'avait pas osé.

Moi aussi, je me laissai gagner par les larmes. L'atmosphère était chargée d'émotion et, pourtant, nous restions distantes. J'aurais voulu la serrer contre mon cœur, mais je ne savais pas comment m'y prendre. J'avais tant rêvé de ce moment et je croyais m'y être préparée. Cependant, les gestes ne venaient pas et les mots restaient bloqués au fond de ma gorge. J'étais paralysée.

Alors, elle me fit cette confidence qui provenait du plus profond de son âme :

« J'ai tellement peur que tu sois déçue. Je ne suis pas la mère dont tu rêvais. »

Ses mains délicates cachaient son visage. Je m'approchai d'elle pour la forcer à me regarder. Elle me parut soudainement très fragile. Je n'avais pas remarqué comme sa peau était diaphane :

« Est-ce que je vous ressemble un peu ?

— Pas tellement, répondit-elle en faisant non d'un signe de tête. La forme du visage, peut-être. Moi, à ton âge, j'étais couverte de taches de son. » Elle effleura de sa main ma joue lisse, comme une caresse, mais sans oser la toucher. « Et puis, j'ai les cheveux rouge carotte.

— Vous voulez bien enlever votre voile pour me laisser vous regarder ? »

Elle le retira d'un geste, et ensuite, elle enleva sa cornette. Sa chevelure rousse était ramassée en chignon sur sa nuque. Gênée, elle rosit. Je la trouvai vraiment jolie, malgré sa coiffure sévère et, ma foi, un peu démodée. Pour la première fois, je voyais la femme et non plus la religieuse. Je lui dis :

« C'est donc à lui que je ressemble ?

— À Tom ? Plus qu'à moi, oui. » Elle caressa ma chevelure châtain clair, avant de préciser : « Lui, il était blond comme de la paille, mais tu as ses beaux yeux bleu azur. Et le même irrésistible sourire.

— Je suis donc une Irlandaise pure laine ? Vous êtes sûre que je suis votre fille ? Parce que moi, si je me trouve une mère, je la garde pour la vie. »

Elle rit.

« Bien sûr que tu es ma fille. Nul doute dans mon esprit : tu as mon caractère. Une tête de mule, comme moi. »

Je tremblais de tout mon être. Autour de moi, les objets continuaient de danser. Elle se leva et marcha jusqu'à la fenêtre pour me donner le temps de me remettre. Le dos tourné, elle contempla les nuages, comme je l'avais si souvent vue faire, lorsque nous travaillions ensemble dans cette même pièce, sans savoir ni l'une ni l'autre qu'elle m'avait mise au monde. Dehors, le soleil déclinait, bientôt, il disparaîtrait. Mon agitation intérieure finit par se calmer. Je trouvai alors le courage de lui dire combien je m'étais languie d'elle :

« À force de vous appeler dans ma tête, je savais que vous finiriez par m'entendre. »

Elle revint vers moi :

« Tu as eu raison de t'accrocher à l'espoir, c'est toi qui m'as trouvée. Tu te souviens de notre conversation à New York ? Lorsque tu m'as dit que la fille de Mathilde s'était noyée, mon sang n'a fait qu'un tour. Cela m'a semblé incroyable que deux petites orphelines nées plus ou moins le même jour disparaissent de la même façon, le même été. Tu peux imaginer mon angoisse. Ton bateau n'avait pas encore atteint les bancs de Terre-Neuve que, déjà, je débarquais à Montréal. J'ai exigé de voir le registre original et non pas la copie truffée d'erreurs. Mon statut de femme consacrée m'y autorisait. La supérieure m'a confirmé qu'il y avait eu méprise. Elle était franchement désolée. La jeune registraire qui m'avait appris la noyade d'Anne avait réalisé son impair, peu après mon départ. Ton nom et celui d'Anne se suivaient dans le registre. Elle avait tout bêtement sauté une ligne. Ce jour-là, j'ai eu la confirmation que ma fille vivait et que c'était toi. Seulement voilà, tu étais rendue au bout du monde.

— Un moment d'inattention et deux vies gâchées.

— Il y a de ma faute aussi. Les religieuses de l'orphelinat ont tenté de me retrouver, mais je n'avais laissé aucune adresse. J'avais si bien brouillé les pistes, de peur d'être rattrapée par la justice, que personne ne savait plus qui j'étais ni où je vivais. » Elle s'arrêta. « Est-ce que je le savais moi-même ? Tout cela est si absurde ! Je m'en veux tellement. Je suis impardonnable. »

Elle me parla de sa culpabilité. C'était le pire des châtiments, car il ne laissait aucun répit. Un millier de fois, elle avait revu le fil des événements. Elle pouvait me dire quelle décision l'avait perdue et à quel moment exactement elle avait cessé d'espérer. Sans que je me l'explique, sa franchise me heurta et sa résignation me fut insupportable. Moi aussi, je lui en voulais. Je la frappai, comme le font les petits enfants en colère, sans méchanceté mais rageusement.

« Tu n'aurais pas dû m'abandonner », fis-je en rompant à mon tour avec le « vous » d'usage.

Elle me parut plus accablée encore. À présent, elle pleurait à chaudes larmes en répétant d'une voix tremblante :

« Je te demande pardon, je te demande pardon. On m'avait dit que tu étais morte. Et je l'ai cru.

— Mais je ne l'étais pas !

— J'aurais dû exiger des preuves, je sais. J'étais en détresse, tu comprends ? J'avais perdu la notion du temps, je voulais mourir. »

Elle faisait peine à voir. J'eus honte de ma cruauté tant elle me semblait injuste. Pourquoi est-ce que je me comportais ainsi ? Toutes ces années, quand je pensais à ma mère, je lui trouvais les excuses les plus inimaginables. À aucun moment, il ne m'était venu à l'esprit de la blâmer, encore moins de la frapper. Maintenant qu'elle se trouvait là, devant moi, je l'inondais de reproches, sans égard pour l'épreuve inhumaine qu'elle avait traversée.

« Je ne t'ai jamais oubliée, ma Rose, pas une seconde », murmura-t-elle, les yeux baissés.

Je sanglotais à mon tour. Elle m'attira contre elle. Je m'y blottis.

« Personne ne devrait avoir à vivre ce que tu as vécu, dit-elle. J'ai assisté impuissante à tes efforts désespérés pour retrouver ta maman. Tu m'as bouleversée. J'aurais voulu t'aider, mais ta recherche obsessive m'était insupportable. Je pensais sans cesse à ma propre fille qui, comme toi, avait peut-être réclamé en vain sa maman. Ma fille que je pensais morte noyée et qui ne saurait jamais combien elle me manquait. »

Serrée contre moi, elle retrouva un peu de son sourire. Soudain, une joie immense m'inonda. Je commençais à réaliser que la saison des déceptions était terminée. Appuyée au dossier de sa chaise, ma mère, les yeux fermés, poursuivait ses aveux :

« Sache que j'ai moi-même demandé mon transfert à New York, cette ville où Tom et moi devions recommencer notre vie. À défaut du bonheur, j'espérais y trouver la paix de l'esprit. Mais il n'en fut rien.

— Dire que tout ce temps, j'ai blâmé ton confesseur. Je croyais qu'il t'avait dénoncée à la supérieure.

— Mais non. Elle avait compris que ta quête d'une mère me hantait. Tu incarnais la ténacité qui m'avait fait défaut. J'admirais ta façon de te raidir contre l'adversité, de garder le moral, malgré les revers, mais ton courage me renvoyait l'image de ma faiblesse. Peu importaient mes raisons et justifications, j'avais abandonné ma fille. On n'échappe pas à sa punition. »

Elle me rappela ce jour de pluie battante, au début de juin 1870. Elle s'esquintait à préparer le bilan annuel de la maternité quand je lui avais réclamé d'autres textes à copier. Elle m'avait refilé le *Journal des pénitentes*. Je la croyais trop empêtrée dans ses colonnes de chiffres pour réaliser l'importance de ce registre pour moi. Eh bien, je me trompais, comme elle me l'avoua. Son geste était délibéré :

« J'étais la personne la mieux placée du monde pour guider tes recherches, reconnut-elle, mais le règlement me l'interdisait.

— Je trouve ce règlement idiot, soit dit en passant. Qui peut vivre en se heurtant constamment au grand trou noir de ses origines ? »

Elle me donna raison, avant de replonger dans le passé. Ce matin-là, elle m'avait observée à la dérobée, tandis que je transcrivais les renseignements concernant les filles tombées qui avaient accouché au cours de l'été 1852. Elle avait attendu que j'aie fini de recopier les admissions du mois de juillet, avant de m'annoncer que son budget était fin prêt.

Tout compte fait, pensait-elle aujourd'hui, ç'avait été irresponsable de sa part de me livrer ces informations sans pouvoir ensuite m'aider à suivre les pistes qu'elles proposaient. Marie-Madeleine n'avait pas réalisé à quel point les données distillées dans ce registre m'obséderaient. Les jours suivants, au hasard des interrogatoires serrés que je lui avais fait subir, elle en avait pris conscience. Il était trop tard.

Son départ pour New York, organisé avec la complicité de sa supérieure, n'était rien d'autre qu'une fuite. Oui, elle voulait s'éloigner de moi. Sans oser se l'admettre, elle souhaitait vivement que je renonce. Elle avait peur que je me heurte, comme elle, à l'inéluctable. Peur que je découvre que ma mère était morte. À quoi cela m'aurait-il servi de la retrouver, si c'était pour entretenir sa tombe – la tombe d'une inconnue –, comme elle le faisait pour Anne, la fille de Mathilde, en pensant que c'était la sienne? Sur la dalle de pierre, elle avait fait graver *Anne Cork (1852-1857)*.

« J'ai failli abandonner, moi aussi, lui confiai-je à mon tour. À Dublin, comme je n'avais pas réussi à retrouver la trace de Mary Steamboat, j'ai cru que c'en était fini. Sur le vapeur, en voyant poindre l'Amérique, j'ai eu l'irrésistible envie de vivre dans le présent pour faire changement.

— Mais tu n'as jamais baissé les bras. Hier encore, ton ami Louis frappait à la porte de la Maison Saint-Patrice. Il cherchait Mary Steamboat. La directrice m'a fait porter un mot pour me prévenir. »

Nous sommes restées soudées l'une à l'autre pendant un bon moment. Soudainement, elle me dit en pesant ses mots :

« À New York, tu m'as confié que tu aurais tout donné pour que Mathilde soit ta mère. » Elle serra les dents, hésita, puis reprit. « Je comprendrais que tu ne veuilles pas de moi. J'en serais profondément malheureuse, c'est sûr, mais je disparaîtrais de ta vie. »

Je l'enserrai de mes deux bras :

«Tu ne parles pas sérieusement? Tu ne peux plus me quitter maintenant, tu n'as pas le droit. Je ne le supporterais pas.»

Apaisée, elle me rendit mon étreinte.

«Bon, qu'est-ce qu'on fait maintenant, l'Irlandaise?» lui demandai-je, une once d'espièglerie dans la voix.

Mon ton enjoué, un peu désinvolte, elle le connaissait depuis belle lurette. Je posai un baiser sur son front. Des cheveux couleur de feu glissèrent sur sa joue. Je caressai le front, la joue de ma mère retrouvée.

«Qu'est-ce qu'on va faire à présent? répéta-t-elle. Eh bien, puisque tu veux de moi, nous allons apprendre à nous connaître.

— Tu ne vas pas repartir à New York? Je t'en supplie, demande ton rappel à Montréal. Invoque une circonstance majeure. Après tout, c'en est une. On te l'accordera. Mieux encore, tu vas quitter les bonnes sœurs et nous allons vivre ensemble, juste toi et moi.

— Mais, dis-moi, comment vas-tu m'appeler?»

Je répondis sans prendre le temps de réfléchir :

«Maman, bien entendu.»

Et moi qui n'avais pas l'habitude des effusions, je l'étreignis à l'étouffer.

26

Épilogue

Les années ont passé. J'ai maintenant deux filles. Maddie, l'aînée, a les yeux vert émeraude de sa grand-mère et la cadette, Mathilde, les miens, bleu azur. J'élève aussi les deux fils d'Honorine, morte en couches à la naissance de son troisième enfant, une petite fille prénommée Honorine dont je m'occupe également. Le médecin qui a accouché mon amie aurait pu la sauver en sacrifiant le nouveau-né. Mais le curé a tranché en faveur de celui-ci, même si de plus en plus de familles s'opposent désormais au sacrifice insensé de la mère.

La perte de ma sœur siamoise, survenue alors que je nageais en plein bonheur, m'a dévastée. Elle méritait sa chance, Honorine. Hélas! sa bonne fortune n'aura pas duré. C'est trop injuste! Pourtant, elle avait les dents du bonheur (comme on dit de ceux dont les deux palettes sont légèrement espacées). Il paraît que c'est la marque d'un enfant qui a manqué d'affection. Peut-être ne lui ai-je pas assez répété combien je l'aimais? Louis est inconsolable. Tous les dimanches, il vient chercher ses enfants pour les emmener en promenade. Parfois, il prend aussi mes filles, afin de me laisser un peu de répit. Cela me bouleverse de le voir partir avec la marmaille.

Ma mère a fini par quitter les madeleines, mais il m'a fallu du temps pour la convaincre. Elle voulait d'abord terminer son œuvre au Mother's Home. Ses consœurs de Montréal se sont cotisées pour lui organiser un dîner d'adieu. Deux de ses compagnes de New York ont fait le voyage pour y assister. Depuis, nous sommes inséparables. Elle m'aide à tenir maison et à éduquer les enfants. Comme il y a cinq petits mousses à table, nous avons du pain sur la planche.

C'est un pur bonheur d'avoir maman si près de moi, jour après jour. Je me pince encore pour y croire. Une douce intimité s'est établie entre nous. Naturellement, la conversation ne dérougit pas. Nous avons tant de trous à combler, tant d'années à rattraper.

La mèche de cheveux de Noémi, qu'elle conservait depuis ce triste jour de juillet 1852, nous l'avons expédiée à Monsieur Lapensée à Lachine. Dans un joli emballage bleu poudre, nous avons glissé un mot pour lui demander de bien vouloir le remettre à la fille de Noémi.

Sur le mur du salon, Maddie O'Connor-Cork et sa fille Rose, immortalisées par le célèbre photographe montréalais William Notman, posent joue contre joue. La photographie a été prise à son studio de la rue Bleury. Pour l'occasion, j'avais relevé en un élégant chignon les beaux cheveux couleur de feu de ma mère. Elle portait une robe en soie moirée verte qui contrastait avec la mienne, en taffetas de teinte plus claire. La lumière provenait d'un éclairage à contre-jour. Nous étions assises côte à côte, un bouquet de fleurs entre les mains. À l'arrière-plan, le décor monté sur roulettes simulait un paysage champêtre qui n'était pas sans rappeler les côtes d'Irlande.

Dans nos fantasmes, maman et moi caressions le rêve de marcher ensemble, un jour, dans le port de Dublin.

∼

Le bel Antoine? Si quelqu'un m'avait dit autrefois que ce jeune prétentieux serait l'amour de ma vie, je lui aurais ri au nez. Eh oui! Nous avons fini par convoler en justes noces, lui et moi. Bien sûr, il y a eu d'autres orages. Avec des caractères bouillants comme les nôtres, nos relations oscillent perpétuellement entre les moments d'extase et le désenchantement. Je l'aime éperdument et lui de même, je crois. Il adore ses filles et espère toujours un héritier mâle. Dans sa tête, c'est tout simple : nous continuerons à faire des enfants tant qu'un fils ne lui tombera pas du ciel. Ça reste à voir ! Étant enfant unique, il a passé sa jeunesse à rêver d'une ribambelle de frères et sœurs. Avec notre tribu, il est maintenant comblé. Reçu médecin à son retour de Londres, il a gagné ses galons à l'Hôtel-Dieu. Les affaires publiques le passionnent tout autant que la chirurgie. Je le soupçonne de reluquer la politique.

Louis, devenu journaliste, jongle lui aussi avec l'idée de sauter dans l'arène, un jour prochain. Leurs discussions enflammées sont interminables. Antoine, toujours aussi soupe au lait, s'emporte trop facilement et Louis verse parfois dans la démagogie. Une belle paire !

Je n'ai rien ménagé pour trouver une fiancée à Louis. Personne ne remplacera jamais Honorine, je sais, mais je voulais tant le voir heureux. Elle devait bien exister quelque part, cette perle rare capable de lui redonner le sourire.

Mes vieilles amies L'Assomption, Sainte-Victoire et Sainte-Trinité ont fini de gagner leur ciel sur terre. Tour à tour, elles s'en sont allées rejoindre leur chère Rosalie. La Maternité de Sainte-Pélagie, à laquelle elles ont tout sacrifié, leur a survécu. Bon an mal an, des centaines de filles tombées y trouvent refuge et réconfort.

Quant à moi, j'écris toujours mon journal. Il m'arrive de dramatiser les événements que je raconte, mais je me fais un point d'honneur de respecter la vérité. Ma passion pour les livres, en particulier les romans qui finissent bien, ne s'est jamais démentie. J'ai gardé précieusement le dernier Balzac que j'ai lu à mamie Odile et son dictionnaire, cadeau que Monsieur Alphonse m'a offert lorsqu'elle est décédée. Dans mes rayonnages aujourd'hui bien remplis, ces deux ouvrages occupent une place de choix. Je mentirais si je vous disais que je ne conserve pas un ou

deux projets de roman dans mes tiroirs. L'expérience réussie de
Vie de Rosalie m'a donné la piqûre. Les bons sujets ne manquent
pas. Le procès d'Elvire, par exemple, aurait de quoi tenir en
haleine plus d'un lecteur.

~

J'ai revu Mathilde dans des circonstances assez inattendues.
Nous assistions aux funérailles du père d'Antoine, dans l'église
Notre-Dame. Émile Davignon est mort subitement, peu après le
décès de sa femme Éléonore. J'écoutais le *Dies irae* avec recueillement, quand j'ai cru reconnaître Mathilde dans le premier rang,
à droite, du côté de l'autel secondaire. Elle était seule, toute de
noire vêtue. À la fin de la cérémonie, nos regards se sont croisés.
Je crois qu'elle m'a souri, derrière la voilette qui lui masquait le
visage. Plus tard, je l'ai cherchée des yeux en vain, tandis que le
corbillard, tiré par quatre chevaux, se dirigeait au pas vers le
cimetière Notre-Dame-des-Neiges. Pendant la mise en terre, j'ai
senti son parfum derrière moi. Une fois tombée la dernière
poignée de terre, je me suis retournée pour recevoir ses condoléances. Nous nous sommes embrassées avec effusion. Cela me
faisait vraiment plaisir de la revoir. J'étais cependant curieuse de
savoir ce que diable elle faisait là.

«Vous connaissiez donc Monsieur Davignon? lui demandai-je,
encore sous l'effet de la surprise.

— En effet, mais il y a bien longtemps que je ne l'ai vu», me
répondit-elle. Puis, sur un ton plus énigmatique : «Votre beau-
père exerçait sur son entourage un réel magnétisme. Ne l'aviez-
vous pas remarqué?»

Sur le coup, je ne saisis pas le sens de sa réplique. J'étais
tellement contente de la revoir que j'en perdais le fil. Elle demanda
à rencontrer Antoine, qui fut surpris d'apprendre que Mathilde
avait été autrefois une amie de son père. Ensuite, elle se pencha

pour replacer la mèche de cheveux rebelle qui cachait le visage de ma cadette.

« Vous vous ressemblez comme deux gouttes d'eau », dit-elle en me félicitant d'avoir de si beaux enfants. Sans doute crut-elle que j'avais mis au monde toute la tribu qui l'encerclait. « Comment s'appelle-t-elle ?

— Vous ne devinerez jamais. Elle s'appelle Mathilde. »

Mathilde souleva les sourcils, surprise et, ma foi, émue.

« Ça lui va bien, il me semble, dit-elle.

— Moi, c'est Maddie, fit mon aînée qui voulait sa part de reconnaissance.

— C'est très joli aussi, fit Mathilde avant de se tourner vers moi. Et d'où lui vient ce prénom ? »

La question s'adressait à moi.

« C'est celui de ma mère. Permettez-moi de vous la présenter », répondis-je alors que maman s'approchait pour serrer la main de la dame en noir qu'elle ne semblait pas reconnaître. Mathilde, elle, mit tout de suite un nom sur ce visage.

« Mary Steamboat ! s'exclama-t-elle. Je vous aurais reconnue entre mille. » Puis, à mon intention : « Ma belle Rose, vous êtes comblée. Si vous saviez comme je suis soulagée de vous savoir heureuse ! Vous avez bien mérité de retrouver votre maman. Sait-elle combien vous l'avez cherchée ? »

Elle m'envoya un baiser de la main et pinça la joue de ma petite Mathilde avant de quitter les lieux. Le moment ne se prêtait ni aux épanchements ni aux confidences. Je n'avais même pas eu la présence d'esprit de prendre de ses nouvelles. Je ne saurais donc jamais depuis quand elle circulait seule dans la ville, sans garde du corps. En tout cas, la Mathilde fragile que j'avais connue avait bel et bien disparu. Son vilain frère avait peut-être passé l'arme à gauche… C'est la grâce que je lui souhaitai.

Trois mots de Mathilde prononcés au cimetière me trottaient dans la tête quand, tout à coup, me revint à l'esprit avec une précision hallucinante une scène depuis longtemps oubliée. Nous étions à la Villa des Pins, en train de faire des patiences. Mathilde avait alors évoqué le magnétisme qu'exerçait sur elle son amant, un homme marié fort séduisant, père d'un fils et qui dirigeait une société d'import-export. Je fis le rapprochement avec sa remarque devant la fosse d'Émile Davignon. L'homme qui reposait six pieds sous terre avait-il été la grande passion de la vie de Mathilde?

Naturellement, comme cela me démangeait, j'en touchai un mot à Antoine. Se pouvait-il que son père et Mathilde aient été amants? Il refusa de le croire. Ses parents formaient un couple exemplaire, m'assura-t-il. Émile traitait sa douce Éléonore aux petits soins. Rien ne nous autorisait à penser qu'il l'ait trompée. Cette idée l'agaça et je regrettai d'avoir partagé mes soupçons avec lui. Antoine alla jusqu'à m'interdire d'entreprendre l'une de mes interminables enquêtes pour tenter d'éclaircir l'affaire. Il me connaissait trop pour ignorer où cela nous mènerait. Si je fouillais le passé de son père, qui sait ce que je découvrirais? Je m'empressai de le rassurer. Il pouvait dormir sur ses deux oreilles, je n'allais pas remuer les cendres de son héros.

Ce que mon amour d'Antoine ignorait cependant, c'est que je reniflais déjà de nouvelles pistes. Je vous le donne en mille, je m'étais mis dans la tête de retrouver mon père.

Dans un beau cahier tout neuf, j'ai rassemblé les faits connus :

Nom : Thomas Cork, vingt-quatre ans en 1852. Ouvrier manuel né à Dublin, en Irlande. Venu tenter sa chance en Amérique en compagnie de sa femme Maddie. Comptait s'établir à New York où l'attendaient ses camarades, des révolutionnaires irlandais comme lui. À la suite d'une violente rixe à bord du *New Prospect*, a été traîné pieds et poings liés jusqu'à un sucrier en partance pour la Jamaïque. Personne n'a entendu parler de lui depuis.

Par où commencer? Au bas de la page, j'écrivis «à faire» : d'abord, j'enquêterais du côté de l'*Irish Republican Brotherhood* afin de savoir si Tom Cork, exilé dans une colonie anglaise des

Caraïbes, avait jamais donné signe de vie par la suite. Je notai dans mon cahier que Mrs Cork, alias Mary Steamboat, alias Marie-Madeleine, avait promis de m'accompagner chez les ambassadeurs et diplomates qui pourraient peut-être nous éclairer. Nous voulions aussi interroger les représentants des compagnies de navigation qui faisaient affaire au pays...

Car, naturellement, maman allait participer à toutes les étapes de ma recherche. Sur des bouts de papier qu'elle glissait dans la poche de son tablier, elle notait tout ce qui lui revenait à l'esprit, au gré des jours, même les détails les plus anodins. Ensemble, nous en faisions ensuite le tri et je transcrivais dans les pages de mon cahier les éléments pouvant faire avancer notre enquête. Nous étions deux têtes de mule qui ne s'avouaient pas facilement vaincues.

À nous deux, j'en étais convaincue, nous retrouverions un jour Thomas Cork, son mari et mon père.

Note de l'auteure

Il y a dans la vie des moments qui vous marquent à jamais. Je me souviens comme si c'était hier de ce jour lointain où l'on m'avait confié la mission d'aller chercher un nouveau-né à La Miséricorde pour le conduire dans sa famille d'adoption. Ce matin-là, le soleil de juin perçait les nuages. En descendant les marches de la crèche montréalaise, mon précieux colis dans les bras, j'ai pris conscience du destin incertain des enfants dits «naturels», nés de mère et de père inconnus.

Je songeais alors à faire carrière dans le service social, mais j'ai finalement opté pour le journalisme. Faut-il y voir un hasard? Mon premier grand reportage portait sur les orphelins de La Miséricorde en attente d'adoption. Plus tard, j'ai publié dans le magazine *L'actualité* un article consacré à ces mêmes orphelins devenus adultes, qui recherchaient leurs parents légitimes et réclamaient le «droit aux origines». Enfin, récemment, quand je suis retournée à l'université pour terminer ma maîtrise en histoire, le sujet de mon mémoire s'est imposé d'emblée: les mères célibataires que la société puritaine du milieu du dix-neuvième siècle appelait malicieusement les filles tombées (... dans le péché).

Autant dire que ce roman, je le porte en moi depuis des décennies. Où s'arrête l'histoire? Où commence la fiction? Les lecteurs curieux de démêler le vrai du faux m'ont si souvent posé la question, depuis la publication du *Roman de Julie Papineau*, que j'y réponds d'entrée de jeu.

Les Filles tombées est une œuvre de pure fiction. La petite servante engrossée par son patron, la prostituée, la bourgeoise et l'immigrante irlandaise qui attendent leur délivrance à la Maternité de Sainte-Pélagie, en cet été de 1852, sont nées de mon imaginaire, comme aussi Rose, la narratrice, qui enquête pour savoir laquelle de ces quatre filles tombées est sa mère. De tous les genres littéraires, il m'a semblé que le roman me permettrait de mieux révéler le drame des filles-mères méprisées et rejetées par les bien-pensants de l'époque.

Cela dit, l'Hospice de Sainte-Pélagie – appelé ici la Maternité de Sainte-Pélagie –, où se déroule une partie de l'action, a réellement existé. D'ailleurs, vous la connaissez sans doute cette maternité. Fondée par Rosalie Jetté en 1845, elle est passée à l'histoire sous le nom de La Miséricorde. Quant à l'Asile des Enfants trouvés, je l'ai rebaptisé l'Orphelinat des Enfants trouvés.

Pour reconstituer la vie à Sainte-Pélagie, j'ai abondamment puisé dans les mémoires de ses pionnières, que j'ai eu la chance de consulter au Centre Rosalie-Jetté des Sœurs de Miséricorde, à Montréal. Leurs souvenirs, bouleversants de candeur et de naïveté, sont d'une valeur inestimable.

Les événements historiques qui traversent ce roman, tel le gigantesque incendie qui a ravagé Montréal, en 1852, sont bien réels. C'est aussi le cas de la traversée de l'Atlantique du vapeur *Great Eastern*. J'ai emprunté au récit qu'en a laissé Jules Verne dans *Une île flottante* (1871). Mon seul péché, c'est d'y avoir fait monter Rose, afin qu'elle puisse rencontrer le célèbre écrivain français. N'est-ce pas le privilège du romancier de partir d'un fait véridique, pour ensuite laisser vagabonder son imagination ?

Tout au long de cette aventure, j'ai bénéficié des judicieux conseils et des encouragements de Pierre Godin. Un prodige de patience ! Sa lecture impitoyable des diverses versions de ce roman m'a été d'un précieux secours.

Cette fois encore, j'ai pu compter sur la chaude amitié de Monique Roy, critique littéraire à Châtelaine. Elle a lu patiemment mon manuscrit, en plus de me prêter une oreille attentive dans les moments d'hésitation.

Pour finir, je tiens à souligner le formidable travail de l'équipe de Québec Amérique. Dynamisme, savoir-faire, efficacité... Vous les regardez aller et il vous pousse des ailes.

Il me reste à remercier chaleureusement les Sœurs de Miséricorde. Grâce à elles, j'ai fait la connaissance de Rosalie Jetté, une femme d'une remarquable ouverture d'esprit, qui a consacré vingt ans de sa vie à venir en aide aux jeunes filles « enceintes d'un commerce illicite », selon l'expression consacrée. L'histoire ne lui a pas réservé la place qu'elle mérite. Voilà pourquoi j'ai laissé planer son fantôme entre les lignes de ce roman.

Marquis imprimeur inc.

Québec, Canada

2008